뷰티풀라이프 88

❷

뷰티풀라이프 88

❷

초판 1쇄 인쇄일 2015년 6월 16일
초판 1쇄 발행일 2015년 6월 20일

지은이 권오득
펴낸이 양옥매
책임편집 육성수
디자인 이윤경
교 정 조준경

펴낸곳 도서출판 책과나무
출판등록 제2012-000376
주소 서울특별시 마포구 월드컵북로 44길 37 천지빌딩 3층
대표전화 02.372.1537 **팩스** 02.372.1538
이메일 booknamu2007@naver.com
홈페이지 www.booknamu.com
ISBN 979-11-5776-057-2(04810)
ISBN 979-11-5776-055-8(세트)

이 도서의 국립중앙도서관 출판시도서목록(CIP)은 서지정보유통지원 시스템
홈페이지(http://seoji.nl.go.kr)와 국가자료공동목록시스템
(http://www.nl.go.kr/kolisnet)에서 이용하실 수 있습니다.
(CIP제어번호 : CIP2015016459)

뷰티풀라이프 88

❷

Beautiful Life 88

권오득 지음°

책과나무

1권에 이어 연달아 출간된 〈뷰티풀 라이프 88〉 2권은 '아름다운 세상'과 '아름다운 행동'의 두 장으로 구성되어 있습니다. 아름다운 행동의 씨앗으로 아름다운 세상을 꽃피우고자 하는 사람에게는 2권의 내용이 더욱 가슴에 와 닿을 것입니다.

어떤 삶이라도 나름대로의 깊은 사연을 담고 있기에 '진실'과 '정직'이라는 진정성이 있다면, 세상에 도움이 되지 않는 삶의 이야기는 없다고 생각합니다. 마음의 빗장을 열고 누군가 나의 마음을 만져 주길 원하듯, 나 역시 어둠이 짙게 깔린 길가에서 소주를 들이키며 울고 있는 사람의 무너져 내리는 마음을 어루만지고 힘이 되어 주고 싶은 마음에서 이 글을 썼습니다.

이 책 역시 책의 내용이 독자들의 공감을 얻을 수 있다는 자신감이 있기에, 1권과 마찬가지로 다소 파격적인 방법으로 판매하고자 합니다. 최초 출간일로부터 6개월 이내에 이 책을 구입한 모든 독자에게 약속합니다. 책을 구입하여 읽어 보신 후 책값이 아깝다고 생각되는 분들은 책 구입을 확인할 수 있는 '카드이용대금청구서(책 구입 영수증은 안 됨)'를 스캔하여 이메일(odkwon0179@naver.com)로 보내 주시면, 책값을 100% 환불해 드리겠습니다.

마지막으로, 함께한 시간의 흐름에 비례하여 더욱 괜찮은 사람임을 넘어 '내겐 너무 예쁜 당신'으로 느껴지는 아내와 나이 들수록 더욱 멋진 모습으로 진화해 가는 아들, 그리고 수영장의 인어공주, 어머니에게 고마움을 전합니다. 더불어 보고 싶은 따뜻한 목소리를 지닌 출판사 '책과 나무'의 양옥매 실장님과 꼼꼼하고 치밀하게 교정과 편집을 도와주신 조준경 님에게 진심으로 감사의 말씀을 전합니다.

Contents

아름다운 세상

Part 4.

거꾸로 된 세상에서
모래시계처럼 사는 법

조직폭력배는 무서워도 1980년대 홍콩 느와르를 이끌었던 〈영웅본색〉과 〈첩혈쌍웅〉이란 영화 속의 주윤발에 열광하고, 잔혹함에 눈을 감아도 〈아저씨〉란 영화 속 원빈의 눈빛과 잔인한 복수에 카타르시스와 가슴 떨림을 느끼는 이유는 무엇일까? 이는 현실과 가상, 우정과 사랑, 복수와 용서 사이에서 '밑 빠진 독'처럼 채워지지 않는 인간의 욕망과 떨쳐낼 수 없는 인간의 두려움 때문이다.

우리가 잔혹극에 매혹당하면 매혹 당할수록 우리들의 공격적 충동도 강해진다. 우리가 변태적이고 감각적인 섹스에 매몰될수록 우리들의 성적 충동도 더욱더 활개를 칠 것이다. 그야말로 위험한 사회고 뒤틀린 사회다. 나아가 영화나 드라마 속 가상과 현실 사이의 차이가 커질수록, 현실은 더욱 잔혹한 세상이 된다.

　여기서 우리는 한 가지 생각해 볼 것이 있다. 영화로 대표되는 미디어는 현실의 반영인가? 아니면, 환상의 세계를 보여 주는가? 둘 다 맞다. 하지만 영화는 현실의 반영보다는 현실로부터 도피할 수 있는 환상의 세계를 더 많이 보여 준다. 그런 주제가 더 많은 사람들의 관심을 끌기 때문이다. 냉혹하고 진절머리 나는 현실은 이미 생활 속에서 겪을 대로 겪었기에, 영화에서까지 이런 내용을 접하고 싶지 않은 것이다.

　그래서 우리는 영화를 통해 현실 저편을 보고자 한다. 영화를 만드는 사람은 누구보다도 사람들의 관심을 끄는 방법을 잘 알고 있다. 비열한 정치인을 몰락시키고, 탐욕스러운 자, 세상을 어지럽히는 악당을 영웅을 통해 응징하는 이야기는 영화 속의 내용일 뿐, 현실이 아니라는 얘기다.

　현실은 영화가 끝남과 동시에 비열한 정치인이 활보하고, 탐욕스러운 자가 더 탐욕스럽게 행동하고, 세상을 어지럽히는 악당은 자연스럽게 거리를 활보한다. 이러한 악당들이 더 많아져도 이들을 응징할 영웅도, 정의의 사도도 존재하지 않는다. 그냥 그렇게 흘러가는 것이다. 사람들도 이 같은 사실을 잘 안다. 그래서 영화를 통해서라도 이 지긋지긋한 현실로부터 잠시 도피하여 심리적인 만족을 얻고자 하는 것이다.

이런 점에서 영화는 심리적 완충장치 역할을 하며, 지겹고 단조롭고 재미없는 현실에서 미치지 않고 살아갈 수 있도록 해 주는 역할도 한다. 송강호 주연의 〈변호인〉 같은 영화는 답답한 현실에서 오는 응어리를 일순간 해소하게 해 준다. 영화를 보았다고 현실을 바꿀 의지와 열정이 생기는 것은 아닐지라도, 영화를 통한 감정의 정화를 하고 싶은 것이다.

사자와 호랑이가 토끼와 노루를 잡아먹지, 노루와 토끼가 사자와 호랑이를 잡아먹는 세상은 오지 않는다. 인간의 세계 또한 마찬가지다. 강자가 약자를 잡아먹는 것이 자연스러운 시대이다. 토머스무어의 시대에도 그랬고, 지금도 그러하며, 앞으로도 그럴 것이다. 그래서 역사는 강자의 기록이다.

다음은 모파상의 〈비곗덩어리〉의 줄거리다. 프러시아 군의 점령 아래 있는 루앙 시의 유력자 몇 명이 은밀하게 마차를 타고 다양한 군상의 승객들과 탈출을 시도한다. 그 무리 중에 한 젊은 창녀가 자리를 함께하고 있었다. '볼 드 쉬프(비곗덩어리)'라는 별명으로 불리는 뚱뚱한 몸매의 이 창녀는 미끄러운 살결과 검고 아름다운 눈을 가지고 있었다.

일행은 잠깐 토트 시에 머물게 되었다. 그런데 이 젊은 창녀에게 눈독을 들인 프러시아 장교가 그녀와 하룻밤 잠자리를 함께하지 않으면 일행의 통행을 허가하지 않겠다고 말한다. 이러한 그의 제안에 그녀는 거절했고, 이 일로 인해 일행은 몇날 며칠을 여관방에 갇혀 지낼 수밖에 없었다.

일행은 불 드 쉬프의 마음을 돌리기 위해 작전을 세웠다. 모일 때마다 자기 몸을 버려 나라를 지킨 여자들의 이야기를 했으며, 비록 행위가 추악했어도 그 의도가 순수한 경우에는 그것을 훌륭하게 보상한 성인의 행적 등에 관한 이야기를 나누었다.

결국 이틀 뒤, 결국 그녀는 프러시아 장교와 잠자리를 함께하는 것을 허락했다. 일행은 다음 날 일찌감치 여장을 갖추고 기다렸지만, 비참해진 것은 불 드 쉬프였다. 일행 중 누구 하나 그녀를 보려고 하지도 않았고 말을 걸려고 하지도 않은 것이다. 해가 지고 이미 캄캄해진 마차 안에서, 젊은 창녀의 흐느껴 우는 소리가 언제까지나 계속되었다.

불 드 쉬프의 운명이 곧 서민의 운명, 국민의 운명이다. 가난하고 고통받는 약자의 운명이다. 결국 자본의 꼬임과 사탕발림에 넘어가 선거 때만 민주주의의 주인으로, 평상시는 자본의 노예로, 민주주의의 도구로 이용당하고 배신을 당하다가 결국 비참하게 내동댕이쳐지는 운명을 지닌 국가의 버려진 자식들이다.

정부는 서민들에게는 로또복권을 중심으로, 빈자와 사회적 약자들은 경마 등 사행산업을 중심으로 구입자에게 환상을 심어 주면서 그들의 지갑에서 아주 자연스럽게 생활비를 야금야금 꺼내 간다. '가랑비에 옷 젖는 줄 모른다'는 말처럼 그들은 더욱 가난해졌고, 그럴수록 환상에 중독되어 헤어날 수 없게 된다.

그렇다면 부자들은 어떨까? 그들은 오히려 관심이 적다. 이미 넉넉하기 때문에 그 낮은 확률에 연연하지 않는 것이다. 실제로 생활이 빠듯한 사람일수록 복권을 자주 산다. 도둑질 말고 인생을 단박에 바꾸는 방법이 이것밖에 없다고 믿기 때문이다. 결국 서민들이 정부의 주머니를 채워 주게 된다.

물론 정부가 복권 판매를 통해 얻은 수익으로 각종 공익사업을 한다는 것도 잘 안다. 문제는 그런 사업에 돈을 대는 사람들이 대부분 서민이라는 점이다. 복권은 세금과 달리 강제성도 없고 구입자들의 저항감도 적다. 그래서 정부가 쉽게 생각하는 걸까? 경마나 경륜도 로또산업의 연장선에 있다.

하지만 로또와 달리 경륜·경마 등 도박성 사행산업의 끝은 너무도 처참하다. 사행산업에 빠진 거의 모든 사람은 삶의 의욕과 희망, 의지가 꺾인 채 육체적·정신적 불구자가 되어, '뜨거운 비커 속의 개구리(Boiled Frog) 이론'처럼 정신도 마음도 몸도 서서히 죽어 간다.

국가가 조장하는 사행사업은 모든 서민의 의욕과 꿈과 희망을 죽이는 소리 없는 살인행위다. 사행산업이 누구의 의지를 꺾는가? 부자와 최상층, 기득권의 의욕을 꺾는가? 아니다. 이것은 서민의 의지, 가난한 자의 생의 의욕을 합법적으로 강탈해 가는 것이다. 가난한 자의 슬픔을 배가시키며 이들을 더욱 비참하고 처절한 삶의 밑바닥으로 내몬다.

지배세력은 경마나 경륜, 카지노는 그들이 자발적으로 선택한 것이라고 말한다. 물론 표면적으로는 그렇다. 하지만 분명한 것은 국가가 가난한 자의 가난한 꿈과 희망을 악용해서 끌어 모은 돈으로 구축한 거대한 돈줄의 파이프라인이 국가의 품 안으로, 기득권층의 품 안으로 흘러가게 한다는 것이다.

누구를 총칼로 죽이는 것만이 죽이는 게 아니다. 정부에서 운영하는 로또를 포함하여, 경마·경륜·카지노 등의 사행산업으로 수백만 명의 가난한 사람들이 더욱 가난해졌고, 그중에 수십만 명은 지독한 가난을 견디지 못하여 가정이 파탄 나고, 병을 얻어 몸과 마음이 산산이 부서졌으며, 삶의 의지가 완전히 꺾인 좀비 같은 삶을 살거나 자살을 했다.

정부는 사행산업으로 거둬들인 세금의 일부를 도박중독자 치료나 빈곤층 지원에 사용하고 일자리를 창출했다고 홍보하지만, 이는 손바닥으로 하늘을 가리는 꼴이다. 정부는 결국 수십만 명의 삶을 간접 살인한 셈이다. 합법의 이름으로 자행되는 국가 사행산업의 비극이다.

사람들의 이성을 마비시키는 시스템을 총동원한 국가의 모습을 보라. 공포와 충격, 불안감으로, 회칠한 희망으로, 집단광기와 집단광분의 눈가림으로, 만만한 집단을 희생양 삼아 국가는 자신들의 위치를 더욱 공고히 하고자 한다. 두려움과 공포로, 때로는 '국민 행복'이라는 붙잡을 수 없는 무지개로, 애국심과 희생이라는 집단광기로 국민들의 사고를 마비시킨다.

내 경험상 분명한 것은 도박은 빠져나오기 거의 불가능한 중독이라는 사실이다. 살아 있는 동안 영원히 탈출하지 못할 열 겹의 자물쇠로 채워진 철갑옷을 입고, 지하 감옥에 갇혀 있는 형국이다. 도박에의 집착과 중독에서 탈출하는 것은 가난하고 꿈을 잃은 빈자와 서민들에게는 거의 불가능에 가깝다.

국가가 국민을 사랑한다면 인간의 삶의 의지를 꺾어 버리는 정부사업이나 정책, 특히 사행사업을 벌여서는 안 된다. 정책이란 서민의 기를 살리고, 가난한 자의 슬픔을 위로하고 격려하는 것이 진정한 복지다.

이렇게 '물구나무선' 세계에 오랫동안 길들여지다 보면, 많은 사람들은 체념과 냉소주의에 함몰되기 쉽다. 오늘날 거짓말과 속임수가 아니면 한순간도 지탱하지 못하는 불의의 시스템을 핵심적으로 뒷받침하고 있는 사람들, 즉 어용학자, 매판 지식인, 명성만 좇는 전문가들도 특별히 부도덕하거나 비양심적인 인간들이 아닐 것이다.

그들이 그렇게 처신하는 것은 궁극적으로, 아무리 애써 봤자 세상은 바뀌지 않는다는 체념과 냉소주의 때문일 수도 있다. 그러나 '싸우다 보면 적을 닮아 간다'는 말이 있다. 현실의 법칙에 의하면 맞는 말이다. 그러한 체념과 냉소주의가 더 깊어지면, 자기도 모르게 괴물이 될 수 있다는 사실을 주의해야 한다.

부모 세대와 경제적 · 정치적으로 대척점에 서게 된 청년 세대로 인하여 우리는 시대와의 불화와 더불어, 세대와의 불화까지 끌어안아야 한다.

이러한 사람들의 감당하기 힘든 공허와 불안의 틈새를 비집고 들어와 진정한 대화를, 친구를 빼앗고 그 자리에 파렴치하게 들어앉았음에도, 자신만이 유일한 친구라고 우리를 속이는 것이 바로 스마트폰이나 인터넷으로 대변되는 가상세계의 환상이다.

많은 사람들은 인터넷과 스마트폰으로 대변되는 가상사회에서 더욱 창조적이고 자유로워질 것이라고 말하지만, 나는 스마트폰은 자본이 진화한 지배세력의 새로운 모습이며, 빅브라더라고 생각한다. 스마트폰은 우리를 자유롭게 하는 것보다 인간의 생각하는 능력을 빼앗아 일차원의 인간을 넘어 무뇌인간으로 만들 것이다. 인간은 끊임없이 고민하고 질문하고 답하고, 생각해야 하는 존재라야 한다. 하지만 스마트폰으로 대변되는 가상사회는 진정한 대화와 소통을 빼앗고, 감성과 가족을 떠나보내고, 좋아하는 일, 하고 싶은 일을 하는 창의력과 열정을 앗아 감으로써 가난하고 소외된 삶을 벗어날 수 없도록 조정하고 통제하는 역할을 하기 때문이다.

그럼에도 불구하고 스마트폰이 마치 우리를 위해 존재하는 축복이자, 수호천사라고 기만하는 것은 꼭 지배세력을 닮아 있다. 슬프게도 우리는 역사이래로 지배세력의 조종과 통제에서 벗어나지 못했고 앞으로도 벗어날 수 없듯이, 우리는 스마트폰 중독의 굴레에서 벗어날 수 없을 것이다.

분명한 것은 스마트폰에 의지하고 중독될수록 스마트폰은 우리의 가족을 빼앗고, 우리의 생각을 빼앗을 뿐만 아니라, 우리의 감성과 열정을 빼앗아, 진정한 소통과 연대를 할 수 있는 힘을 사라지게 만든 다는 것이다. 아울러 스마트폰은 우리에게 쓰레기 지식을 가득 안겨 주고, 고민과 고뇌를 통한 지혜와 통찰을 빼앗아 간다.

그렇다면 TV와 인터넷을 끄고 독서와 대화를 하는 것이 옳은 삶인 것 같다. 일반적인 측면에서는 맞다. 하지만 사람에 따라서는 독서와 대화보다 TV시청과 인터넷 의존적 삶이 더 큰 행복과 즐거움을 가져다 준다면, 이를 찰나적이고 쾌락적인 즐거움이라고 매도해서는 안 된다.

마찬가지로 초콜릿 탐닉과 게임 중독은 사람들이 하지 말라고 하는 것이다. 하지만 이것이 어떤 사람에게는 죽음 같은 고통을 잊게 하거 나 프로게이머로서 즐거운 삶을 살아갈 수 있게 한다면, 그 또한 아 름다울 수 있다. 모든 사람에게 획일적으로 적용되는 기준이란 없다. 누군가에게 이것을 빼앗았을 때 죽음과 같은 고통과 스트레스를 준다 면, 그들이 원하는 삶을 살아갈 수 있도록 지원하고 인정해 주는 것이 바람직할 수 있다.

하지만 분명한 것은 있다. 초콜릿은 몸을 비만하게 만들고, TV시 청은 생각이 짧아지도록 할 것이며, 술자리와 노래방에 지출한 돈은 당신을 더욱 가난하게 만든다는 불변의 법칙이다. 반면 오늘 과일을 먹고, 좋은 책을 읽으며, 가족들과의 행복한 밥상은 건강과 지식, 일 상의 즐거움과 생활의 윤택함을 가져올 것이라는 점이다.

세상을 제대로 볼 수 있는 혜안을 가졌다는 것은 그것 자체가 바로 용기다. 그런 혜안을 통해서 세상을 바꾸는 힘이 서서히 모여지고, 마침내 핵폭발을 하는 것이다. 적어도 제대로 볼 수 없다면 어떤 것도 바뀔 수 없다는 것은 자명하다.

지배층들은 우리들이 생각했을 때 신경 쓰지 않아도 되는 일은 죽을힘을 다해 신경을 쓰고 있고, 반대로 신경 써야 할 일은 병아리 눈곱만큼도 신경 쓰지 않는다. 그들의 업무는 지배층의 힘과 권력을 유지하고 대물림하는 데 도움이 되는 것에 집중되어 있다. 기득권층·보수층에게서 욕먹는 것은 신경을 쓰면서, 빈자와 약자, 서민들로부터 욕먹는 것은 신경을 덜 쓰는 것이다. 국민들의 바람과 정반대의 행로를 걷고 있는 셈이다.

윗분 모르게 아랫것들이 다 알아서 한다는 것과 큰돈이 오고간 일이 기억이 나지 않는 것은, 미션으로 치면 '미션 임파서블'이다. 배우고 가진 자들은 적어도 청문회를 통해서 보면, 기억상실증에 걸렸거나 알츠하이머 환자들이다. 이들이 우리를 이끌고 있다. 불안하고 위험한 사회다. 알츠하이머 환자들이 이끌고 가고 있는 나라는 분명 비정상적이고 위험한 국가다.

우리는 이미지 시대에 살고 있다. 이미지로 대표되는 미디어 세계로의 매몰됨은 마약이나 도박 같은 또 하나의 중독이다. 이러한 이미지 중독, 이미지 세계에의 의존은 자신이 중독에 걸린 줄도 모르기에 더욱 위험하고 벗어나기 힘든 것이다. 이미지 세계가 득세할 때 진짜 세계, 잔혹하리만큼 처절하고 치열한 현실의 세계는 카퍼필드의 마술처럼 커튼 뒤로 사라진다. 이미지란 가짜가 진짜를 쫓아내는 것이며, 가짜를 진짜처럼 착각하게 만드는 것이다.

또한 이미지 시대는 착각을 부풀린다. 이미지가 실체보다 더 큰 영향력을 갖고, 더 큰 권력과 인기를 가지는 것이다. 개성이 점점 중시되는 시대이지만, 이미지는 겉모습이다. 신은 인간의 내면을 보고 인간은 겉모습을 본다는 말도 있지만, 이미지의 세계인 영화나 드라마에서는 예수나 부처조차도 매력적인 외모를 가진 사람으로 그려진다. 이처럼 '이미지'라는 멋진 외양으로 포장된 가짜가 문제가 되는 이유는 그것이 우리로 하여금 '진짜'를 알아보지 못하는 눈뜬장님으로 만들어 버리기 때문이다.

이미지의 세계는 판타지다. 판타지는 인간이 상상하는 완벽한 세계다. 왕자나 공주는 예쁠 뿐만 아니라 착하고 멋져야 한다. 예수나 부처는 인간에 대한 절대적인 사랑과 함께 모든 사람이 선망하는 절대 발광의 외모를 하고 있어야 한다. 돈만 많고 못생긴 왕자나 공주, 요즘에 태어났으면 왕따가 될 외모를 가진 예수나 부처는 그들이 만들어 내는 판타지에 어울리지 않기 때문이다.

결국 이미지의 권력과 영향력이 커질수록 세상은 겉모습과 외모, 자본과 권력의 매력을 실체보다 부풀림으로써, 자본에 대한 탐욕 증대, 외모 지상주의 팽배, 판타지 세계로의 도피 등 부작용을 확산시킬 것이다.

　신데렐라 이야기가 인기 있는 현실 속의 세상은 미드의 〈그림형제〉처럼 슬프고 힘겹고 잔혹한 동화이고, '모든 슬로건은 콤플렉스의 반영'이란 말처럼 구호나 정책, 말이 현란하고 멋들어질수록 내용은 점점 빈약해진다. 말이 달콤하면 달콤할수록 말과 행동의 차이가 한없이 벌어진다. 말만 미친 듯이 날뛰고, 겁을 집어먹은 행동은 비집고 들어갈 틈을 찾지 못한다.

　행복이 없을 때 행복을 말하고, 정의가 없을 때 정의를 부르짖으며, 윤리와 도덕이 길을 잃을 때 개구리처럼 윤리와 도덕을 울어대고, 오리처럼 정의와 진실을 목 놓아 꽥꽥거린다. 결국 지금의 시대는 정의롭지도, 공정하지도, 상생하거나 공생하지도 않는 사회라는 것을 고백하고 있는 꼴이다.

　따라서 행복이라는 말이 넘쳐나는 사회는 결코 행복하지 않으며, 공정이라는 말이 넘쳐나는 사회는 결코 공정하지 않다. 정의라는 말이 넘쳐나는 사회는 결코 정의롭지 않고, 나눔과 봉사라는 말이 넘쳐나는 사회는 결코 진정한 나눔과 봉사를 모른다. 그래서 '빛 좋은 개살구'처럼 좋은 말만 넘쳐나는 사회보다는 사람들의 웃음소리와 행복이 넘쳐나는 세상이 정말 그리운 것이다.

　부와 권력을 가진 자들이 원하는 것은 '지금 이대로'이다. 그들이 진정 원하는 것은 만인의 행복이 있는 세상이 아니라, 자신들이 지금처럼 행복을 지속할 수 있는 세상일 뿐이다. 설령 세상이 나아지기는커 녕 뒤로 간다고 해도, 자신들이 누리는 부와 권력을 그대로 유지할 수 만 있다면 그들은 좋은 것이다.

깨진 유리창 이론은 기득권자에게 철저하고 엄격하게 적용하고, 관 용이론은 사회적 약자들에게 좀 더 유연하고 광범위하게 적용하는 것 이 만인이 감정으로 공감하는 균형으로의 길이다. 하지만 지금의 현 실은 거꾸로다.

그럼에도 불구하고 열정적으로 사는 것, 역경을 두려워하지 않고 사 는 것, 친절하게 사는 것은 결코 뒤집히지 않는다. 왜일까? 열정은 뒤 집혀도 '정열'이고, 친절은 뒤집어도 '절친'이 생기며, 역경은 뒤집어도 '경력'이 되고, 감동은 뒤집으면 '동감'이 된다. 결국 열정과 친절과 감 동은 뒤집어져도 다시 일어서고, 죽지 않는 불사조이기 때문이다.

강자의 정의는 힘이고, 뱀처럼 교활하고 유도미사일처럼 정교하고 강력하다. 우리는 강자의 정의에 의해 독살당하고, 폭격당해 죽을 것 이다. 정의의 여신은 눈멀고, 공정의 눈물은 말라 버릴 것이며, 진실 은 질식당하고, 거짓이 활개를 칠 것이며, 안락으로의 유혹과 초대 는 우리를 안락사 시킬 것이다. 오랫동안 안락과 평화에 대한 기대와 실망의 무한반복으로 우리는 저항하고 대항할 힘도 무기도 모두 없은 채 무장 해제된 전쟁포로처럼 이끌리는 대로 그냥 살아가는 말하는 인형이 되어 버렸다.

거꾸로 된 세상을 조금이라도 제대로 된 방향으로 움직이려면 "나 돌아갈래!"라는 외침이 마음속에서 천둥처럼 울려야 한다. 다시 제자리로 돌아감의 미학은 중심을 잃지 않는 삶이다. 잘못된 길에서 헤매다가, 흔들리고 덜컹거리다가도 다시 옳은 길로, 바른 길로, 자연으로, 순수함으로 돌아가야 한다.

꿈을 이루지 못한 역사의 이단아들, 혁명가들을 생각해 보자. 묘청, 홍경래, 김옥균, 궁예는 꿈을 이루지 못하고 삶을 끝냈을 때, 자신들의 불행한 삶을 원망하고 슬퍼하면서 삶을 등졌을까? 아닐 것이다. 겉으로 보기에 부서져 버린 삶을 산 사람 같지만, 그들이 가고자 하는 삶, 이룩하고자 하는 세상을 실현하기 위해 견딜 수 없는 고통을, 나아가 죽음까지도 기꺼이 받아들일 수 있는 삶이었다면 그들은 누구보다도 의미 있고 아름다운 삶을 살았다고 믿는다.

그런 의미에서 우리가 말하는 실패한 혁명가들, 스파르타쿠스나 에픽테토스, 소크라테스, 만적, 홍경래, 김옥균 같은 사람도 짧지만 행복하고 의미 있는 삶을 살다간 것이다.

목욕탕의 사우나실에는 모래시계가 있다. 모래시계는 뒤집어야 모래가 쏟아진다. 뒤집지 않고 그대로 두면, 시간의 흐름을 알 수 없다. 모래시계의 존재 이유가 없어지는 것이다. 정체되고 정지된 시간은 죽음이다. 지금 현실의 세상도, 나의 삶도 모래시계처럼 뒤집어야 제대로 다시 작동한다.

영웅을 그리워하지
않는 세상

복잡한 현대사회에서 삼손과 헤라클레스 같은 돌연변이 영웅이 나타나 이 더러운 세상을 뒤집어엎고 새로운 세상을 만들어 주기를 기대하는 것은 하늘이 개벽하기를 기다리는 것처럼 무망할 뿐만 아니라 기대할 필요도 없다.

현대의 영웅은 〈키다리 아저씨〉나 남미출신의 미국의 전설적인 법관인 〈작은 꽃〉의 라과디아 판사처럼 자신의 능력을 토대로 선한 영향력을 확장시키거나, 자신의 신화와 역사를 만들어 가는 사람들, 빈자와 사회적 약자, 서민들의 생존기반을 구축하고, 가진 자들의 부정과 부패 같은 사회악을 척결하고, 지배계급의 불의에 분노하고 행동으로 저항함으로써 더욱 정의롭고 공정한 세상을 만들어 가는 사람이다.

영화를 봐라. 역사를 봐라. 우리가 순응하는 사람에게 공감하고 열광하는가, 아니면 불의에 저항하고 분노하는 사람에게 열광하고 공감하는가? 〈다이하드〉 시리즈의 브루스 윌리스처럼 상처입지 않은 주인공이나 영웅을 본 적이 있는가?

영화는 역경과 어려움, 생사의 갈림길을 뚫고 나온 주인공이 더 멋있기에 그렇게 만들었지만, 현실에서도 역경을 겪지 않고 일어서는 사람은 없기에 이런 스토리에 더 공감을 하고, 피와 땀으로 얼룩진 얼굴의 상처마저도 빛나 보이는 것이다.

내가 좋아하는 일, 하고 싶은 꿈을 위해 질주하는 욕망이 만인을 위한 욕망으로 진화할 때 더욱 간절한 욕망인 '갈망'이 되고, 이처럼 나를 넘어서는 욕망의 실현을 '초월'이라 한다. 그리고 초월을 실현하는 사람을 '초인'이라 하고, '비범한 인간'이라고도 한다.

이런 비범한 인간은 자신이 경험하지 못했던 빈자와 사회적 약자의 아픔도 함께 할 줄 아는 섬세한 감수성, 즉 절대공감 능력을 타고난 돌연변이 같은 존재들이다. 나를 넘어서는 욕망이 사회와 함께하고 세상을 끌어안을 때 우리는 이를 '위대함'이라 한다.

그렇다면 현대사회의 진짜 영웅은 누구인가? 신화나 역사 속 영웅인 삼손이나 헤라클레스, 이순신 같은 사람인가? 아니면 마블코믹스 영웅들인 슈퍼맨, 배트맨, 헐크 같은 초인적인 능력을 지닌 사람인가? 그도 아니라면 말보르맨이나 서부시대 총잡이처럼 남자냄새를 물씬 풍기는 마초들인가? 혹은 세르반테스의 돈키호테처럼 앞뒤 안 가리고 돌진하는 행동가인가?

나는 현대사회의 진짜 영웅은 책임을 질 줄 아는 사람이라고 본다. 자신의 말과 행동에 책임을 질 줄 아는 사람, 나아가 자라나는 아이들과 동료와 사회와 세상 사람들에게 모범이 되어 그들이 좀 더 책임질 줄 아는 사람이 될 수 있도록 영향력을 발휘하는 사람이다.

지배계급이 꿈꾸는 세상은 그들이 우매한 민중을 이끌면서 세상을 좀 더 그들의 지배체계에 유리한 방향으로 발전시키는 세상일 것이다. 그들은 결국 자신들의 세상, 구름 위의 세상에 초점을 맞춘다.

이러한 상황에서 국민은 그들의 세상을 합리화시켜 주기 위한 도구일 수밖에 없다. 어떤 식으로든 국민이 중심이 되는 세상을 그들은 원하지 않는다. 그들의 기득권을 세습하고 유지하기 위해서 국민은 보이되 보이지 않는 존재로 있어야 하기 때문이다. 그래서 국민은 국가의 주변에 올망졸망 몰려 있어야지, 절대로 중심으로 다가와서는 안 된다. 그래서 국민은 참고 또 참아야 하고, 마지막까지 견뎌야 하고, 국가를 위해 희생해야 하고 말없이 복종해야 한다.

드문 예외를 제외하고, 모든 것은 위에서 아래로 흐른다. 돈도 권력도 폭력도 위에서 아래로 흐르기에, 돈과 권력과 폭력 아래에 있는 대부분의 사람들은 위에서 비처럼 쏟아지는 돈과 권력과 폭력의 칼날을 피하느라 위태롭고 고달픈 삶을 살아간다. 이처럼 가진 자들의 억압의 올가미가 생존의 목줄기를 옭아매고, 숨 쉴 수 있는 자유의 숨통마저 조여 올 때, 사람들은 거친 물살을 헤치고 올라가는 연어처럼 분노의 바위 같은 연대를 통한 공분이 핵폭탄처럼 폭발해서 일어나는 아래로부터의 혁명을 꿈꾸고 그리워한다. 홍경래의 난, 만적의 난, 스파르타쿠스의 반란처럼, 비록 미완으로 그쳐 실패할지라도 말이다.

아름다운 혁명, 순수한 혁명은 존재하지 않는다. 모든 혁명은 치열한 생존의 표출일 뿐이다. 모든 혁명은 순수한 열정으로 눈뜨고, 뜨거운 열정으로 행동하고, 차가운 열정으로 혁명을 완성한다는 착각을 동반한다. 혁명은 밥그릇 싸움에서 시작되었음을 알아야 한다. 내 밥그릇을 빼앗긴 것에 대한 참을 수 없는 분노가 혁명이란 이름으로 미화된 것이다.

처음에는 빼앗긴 밥그릇은 보이지 않고 첫사랑을 향한 뜨거운 마음과 순수한 열정으로 가득 차 있는 것 같지만, 혁명에는 그 성공 여부와 상관없이 '시간'이란 천적이 따라다닌다. 시간이 지나 따뜻한 밥이 입에 들어가고 나면, 밥그릇을 향한 분노의 불길이 급속히 사그라진다. 오히려 더 큰 탐욕의 밥그릇을 향한 더럽고 비열하고 비루한 욕망의 어지러운 춤판만이 남을 뿐이다.

혁명가는 평화주의자가 아니다. 핏발 선 눈과 분노로 일그러진 얼굴을 하고 온몸으로 폭발하는 것이 혁명이다. 그래서 어떤 혁명이든 혁명이란 이름은 두렵고, 위험하고 항상 가슴을 서늘하게 만든다. 따라서 모든 혁명의 그림자나 뒤안길은 대도시의 랜드마크로 가려진 뒷골

목의 처절하고 비참한 삶과 불결함보다 더욱더 추악하고 지저분하다.

자신한테 허락된 혁명을 실현하는 삶이 자기 역사를 만들어 가는 삶이다. 나에게 허락된 혁명, 내 손안에 움켜쥐고 통제할 수 있는 혁명이 작지만 가장 위대한 혁명이다. 허락된 혁명은 나의 심장을 활활 불타오르게 하는 혁명이고, 나만의 신화를 만들어 가는 혁명이다. 타인에 의지해서 따라가는 혁명, 나에게 허락되지 않는 혁명은 끝내 나를 주저앉히고, 나를 무너지게 하고 나의 열정을 사그라들게 만든다.

영웅을 창조하는 마법의 영상이 영화다. 과거의 영웅은 육체의 영웅이었다. 육체적인 힘과 강함이 영웅의 필수요소였다. 삼손도 헤라클레스도, 아킬레스도, 신화 속의 영웅들도 모두 다 터질 듯한 근육과 엄청난 힘을 가진 자이다. 그들은 반신반인으로 신과 인간의 경계를 넘나들기도 하고, 신과 인간의 경계에서 고민하고 흔들리고 좌절하면서도 자신의 길을 가는 현실적이고 인간적인 면이 많았다.

그러나 시대가 변하면서, 현대의 영웅은 신화나 만화나 영화 속에서만 존재하는 상상 속의 영웅일 뿐이다. 슈퍼맨, 스파이더맨, 헐크, 캡틴, 아이언맨 등 정의의 편에 선 영웅일지라도 그런 만화 속의 영웅들이 현실세계에서 살아 움직인다면, 세상은 오히려 더욱 공포스러울 것이다. 그래서 우리는 그런 영웅을 그리워하지 않는 시대가 더욱 아름다운 것이다.

로빈후드, 임꺽정, 홍길동 같은 초인적인 능력을 가진 의적이 가진 자의 것을 빼앗아 강제적으로 나누어 주고, 가난하고 힘없는 자들을 위하여 힘 있는 악한 자를 응징하는 환상 속의 정의 실현에 일시적인 위안을 얻는 것은 이런 환상에의 의존 외에는 달리 희망이 없기 때문일 것이다. 만화 속의 영웅들이 날뛰는 세상은 역설적으로 결국 정의에 목마른 슬픈 사회의 단면을 보여 준다.

현실 세계의 영웅은 경계를 포용하는 사람, 다름을 포용하는 사람, 자기중심을 잃지 않는 사람, '조아'의 삶을 좇아 주체적인 삶을 사는 사람이다. 따라서 현실 속에서의 영웅은 옛날의 영웅처럼 엄청난 괴력을 지닌 자도 아니고, 만화 속의 초능력을 가진 영웅도 아니다. 오늘날의 영웅은 울어야 할 때 울 줄 아는 사람이며, 즐거워야 할 때 즐거워하는 사람이며, 타인의 고통에 아파할 줄 알고, 삶에서 무수한 경탄과 감탄, 찬탄을 할 줄 아는 사람이다. 나를 끊임없이 창조적으로 진화시키면서 타인의 아픔과 고통을 덜어 주고 그들을 도와주는 것에서 행복과 즐거움을 느낄 줄 아는 사람이 현실의 영웅인 것이다.

역사상 이름을 떨친 위인들은 과대포장과 화장발인 경우도 많다. 그래서 과대포장도 안 되고, 민얼굴을 그대로 드러낸 이름 없는 작은 영웅들이 진정한 영웅일지도 모른다. 임진왜란 당시, 만일 이름 없는 선비였던 안의, 손홍록의 믿을 수 없는 노력과 집념이 없었다면 조선왕조실록은 역사의 뒤안길로 사라져 버렸을지도 모르고, 또 6·25 전쟁 때 빨치산의 은신처였던 화엄사를 불태우라는 지시에 당시 전투경찰대장이었던 차일혁은 "절을 태우는 데는 한나절이면 족하지만 절을 세우는 데는 천년 이상의 세월로도 부족"하다면서 화엄사를 화마로부터 살렸다. 이 이야기는 〈파리는 불타고 있는가〉라는 영화 장면과 겹쳐진다.

이 영화에서 노르망디에 상륙한 연합군을 저지하는 데 실패한 히틀러는 파리를 불태워 잿더미로 만들라는 명령을 내린다. 이 명령을 받은 파리 점령군 사령관은 고민한다. 예술을 사랑하는 사람이었던 그는 명령에 복종할 것인가, 아니면 예술의 도시 파리를 보호할 것인가를 두고 진퇴양난에 빠졌다. 파리를 불태우라는 명령을 내리지 못하고 고뇌하고 있는 사이에 연합군 선봉이 파리에 입성하고, 점령군 사령관은 히틀러의 전화를 미처 받지 못하고 항복한다. 이때 늘어진 수화기에서 히틀러의 목소리가 들린다. "파리는 불타고 있는가?"

만화나 영화 속의 초인적인 능력을 지닌 주인공들은 영웅이다. 하지만 그들은 현실에 존재하지 않는 환상과 공상세계 속의 영웅이다. 우리는 이들보다 현실에 살아 숨 쉬는 작은 영웅, 숨은 영웅, 위대한 영웅을 기다린다.

하지만 기다리는 영웅을 오지 않을 것이기에 당신이 직접 영웅이 되는 것이 더 빠른 길이요, 더욱 멋진 일이다. 나를 구원해 줄 영웅을 기다리는 것이나 자신이 영웅이 되는 것이나 현실로 이루어질 가능성이 어차피 희박하다면, 만화 같은 영웅을 기다리기보다는 스스로의 엄청난 잠재력을 믿고 불가능을 가능으로 만드는 도전도 해 볼 만하지 않겠는가.

영웅을 기다리고, 영웅에 환호를 보내기보다는 내가 스스로 영웅이 되는 것이 가장 바람직하다. 내 안의 영웅을 깨워라. 너 자신을 영웅으로 만들어라. 그것이 너를 바꾸고, 세상을 바꾸는 현명하고 빠른 방법이다.

그렇다면 우리는 어떤 영웅이 되어야 하는가? 아이들이 좋아하는 영웅들의 캐릭터를 보라. 뽀로로, 짱구, 둘리가 완벽해서 아이들이 좋아하는가? 아니다. 자신들을 닮아서 좋아한다. 사람들이 좋아하는 영웅은 친구를 가족을 옆에 있는 사람을 즐겁게 하는 사람이다. 따라서 누구나 뽀로로 같은 영웅이 될 수 있다. 영웅 같지 않은 영웅이 진정한 영웅이기에, 우리 모두가 영웅이 될 수 있다.

영웅을 그리워하지 않는 세상이란, 역설적으로 누구나 영웅이 될 수 있는 세상이다. 자신이 주인공인 삶을 사는 사람은 누구나 거인이고 영웅이다. 지금 해라. 지금 베풀지 않으면 영원히 베풀지 못하고, 지금 당당하지 않으면 영원히 당당할 수 없고, 지금 웃지 않으면 영원히 웃지 못한다. 지금 영웅이 되려고 행동하지 않으면 영원히 영웅이 될 수 없다.

호랑이의 눈으로
직시하라

나는 아침형 인간이다. 새벽 통틀 무렵의 세상이 깨어나는 시간이 좋다. 운동을 해도, 책을 봐도, 아침 신문을 보아도 이 기분은 아침 해가 밝아 올 때까지 가시지 않는다. 두려움이나 공포는 맞서야 할 대상이 아니다. 가만히 직시하면 사라진다. 햇살 아래 눈송이처럼.

하지만 일상 속에서 우리는 똑바로 쳐다보지 못한다. 사랑하는 사람의 눈을, 내 주위의 작고 소박한 아름다움을, 현실의 슬픔과 절망과 어두움을 따뜻한 마음을 가진 진실의 눈으로 직시하는 것만으로 어둠이 광명으로, 슬픔이 기쁨으로, 불신이 신뢰로, 증오가 사랑으로 한순간에 바뀌진 않지만, 이러한 마술 같은 일을 가능하게 만드는 첫 단추가 되는 것만은 분명하다.

그 어떤 경이로움과 기적 같은 일도 현실을 호랑이의 눈으로 똑바로 직시하지 않고는 절대로 일어나지 않는다. 이것이 응시함의 마력이다. 직시하면 인식하고 인식하면, 답이 보이고 길이 보인다. 화가 나 있는 나를 직시하고, 내가 화나 있다는 것을 인식하면 화가 눈 녹듯이 사라지기 시작한다.

현실을 마주함은 두렵고 무섭고 겁난다. 왜냐하면 현실은 '현실이라는 괴물'의 약자이기 때문이다. 다만, 이 현실이라는 괴물은 강하고 잔인하지만 움직임이 무척 느리고, 시력이 나쁠 뿐만 아니라 게으르다는 아킬레스건이 있다. 그래서 현실이라는 괴물을 똑바로 보면서 괴물의 발아래 깔려 죽지 않기 위해 재빠르게 움직이고 미리 미리 빠져나갈 준비를 한다면, 충분히 살아 나갈 수 있다. 나아가 춤추면서 웃고 즐겁게 살아갈 수도 있다.

그런데 여기에 한 가지 분명한 조건이 있다. 밑바닥으로 추락했든 아니든 간에 현실을 똑바로 응시하고 인정하면서 현실의 커다란 발이 나를 덮칠 때마다 끊임없이 움직여서 짓밟힘으로부터 피해야 한다는 것이다. 더 이상 움직이고 싶지 않거나 움직이지 않을 때가 현실의 괴물에 짓밟히고 물어 뜯겨 죽음을 맞이하는 순간이다.

일상은 감정의 연속적인 흐름이다. 돌 한 개를 씹었다고 밥솥의 밥을 모조리 버릴 수는 없다는 말처럼, 일상 속에서 내 맘을 상하게 하고, 나를 격분케 만드는 많은 사람들과 사건들을 만난다. 일일이 신경 쓰다가는, 일상이 부정적 감정의 흐름으로 가득 채워져서 죽을지도 모른다. 어차피 감정의 흐름은 피할 수 없기에 내 마음을 상하게 하는 사람이나 사건을 만날 때에는 나는 오늘 이상한 광물을 만났다고 가볍게 털어 버리고 나를 즐겁고 아름답게 만드는 작고 소박한 것들에 더 많은 관심을 가지는 편이 낫다.

사람들은 영화나 만화, 환상과 이상 속에서는 가면 쓴 삶이 아름답지만, 현실에서는 선행 등의 특별한 경우를 제외하고는 가면을 벗어던진 삶이 더 아름답다고 말한다. 하지만 나는 다르게 생각한다. 인간의 감정은 예의와 매너란 이름의 사랑과 배려의 가면을 쓴 상태에서 오히려 자연스럽게 흘러갈 수 있는 것이다.

가면을 벗은 민얼굴의 인간은 감정의 침략 앞에 속수무책으로 부서질 수밖에 없는 운명을 타고 났다. 인간이 가면을 쓰고 살아가는 것은 생존본능이다. 물론 가면을 쓰지 않은 얼굴이 더 진실하지만 가면을 쓰지 않은 민얼굴은 그것이 천사의 얼굴이든, 악마의 얼굴이든 간에 비난과 비평, 불만과 거짓, 사기와 폭력이라는 잔혹한 현실의 뜨거운 태양 아래 얼음 조각처럼 너무도 허무하게 녹아내리고 무너져내린다. 그래서 현실을 똑바로 응시하고 당당하게 대응하기 위해서는 역설적으로 습자지의 먹물처럼 번지는 중상모략과 강물에 떨어진 물감처럼 퍼지는 권모술수가 나를 물들이지 않도록 얼굴에 가면을 써야 한다.

이것은 가면을 벗은 민낯으로 멋대로 살라는 말은 아니다. 일상 속에서 내 생각과 감성의 민얼굴이 시키는 대로 행동한다면, 거리와 일상의 삶은 칼부림과 폭력의 아수라장으로 변할 것이다. 어떤 경우에도 '척가면'이란 절제와 예의, 사회가 정한 최소한의 기준에 따르는 삶을 벗어나선 안 된다.

　삶은 열정과 두려움의 투쟁이다. 열정을 불사르면 두려움은 오그라들고, 열정이 오그라들 때 두려움은 커진다. 밝음과 어두움은 동전의 양면이며, 친구이다. 어두운 세계의 지배자와 밝은 세계의 지배자의 권력다툼에서 승자는 예외 없이 밝은 세계의 지배자뿐인 것처럼 보인다. 하지만 대부분의 경우, 밝음은 어둠을 사라지게 하기보다는 어둠을 자기 곁에 두려 한다. 그것은 어둠과의 동행이 밝은 세계의 지배자가 자신의 지배를 지속시키기에 더 유리하기 때문이다. 그것이 밝음과 어둠이 공생관계를 이루면서 악어와 악어새처럼 악착같이 생명력을 이어 온 현실적인 이유일 것이다.

　우리는 배척이나 거절, 무시당함의 두려움 때문에 마치 미인의 얼굴을 똑바로 쳐다보지 못하듯 두렵고 불안한 괴물 같은 현실을 직시하지 못하고 곁눈질하고 눈을 돌릴 때, 두려움과 공포는 감당할 수 없을 정도로 증폭된다. 하지만 두려움이란 괴물에게도 아킬레스건이 있다. 태양이 높이 뜨면 그림자는 사라지듯이, 두려움을 응시하는 사람, 현실을 응시하는 사람 앞에서는 두려움이 한없이 작아지는 것이다.

혹시 호랑이가 곁눈질 하는 것을 본 적이 있는가? 호랑이의 눈처럼 두려움을, 타인의 눈을, 상대방의 얼굴을 따스한 시선으로 똑바로 응시하는 순간이 바로 분노와 두려움이 사라지는 마법의 순간인 것이다.

'타인은 지옥이다'라는 말처럼 타인의 시선으로부터 자유로워지는 것 또한 중요하다. 타인의 시선으로부터 자유로움이란 결국 자기로부터의 혁명을 의미하며, 자기로부터의 혁명이란 자신이 좋아하는 일, 하고 싶은 일에 누구의 눈치도 보지 않고 두려움 없이 자신의 몸을 던지는 일이다. 자신의 몸을 던지면 마음은 저절로 따라오는 것이 자연의 법칙이다.

내 개인적인 경험으로 비추어 볼 때, 세상에서 가장 실천하기 어려운 것이 타인의 시선으로부터 자유로워지는 것이라고 생각한다. 하지만 분명한 것은 있다. 두려움 속으로 뛰어들고, 공포와 맞서면 생각했던 것보다는 훨씬 덜 고통스럽고 견딜 만하다는 것이다.

만약에 정의, 상식, 공익과 진실에 힘이 내장되어 있다면 세상은 참으로 아름다울까? 나는 그렇게 생각하지 않는다. 정의와 상식, 공익과 진실에 힘이 내장되어 있다면, 순식간에 권력과 사익과 몰상식과 허위로 변질될 것이다. 힘이란 것이 가진 본질적 속성이기 때문이다. 따라서 전에도 지금도 앞으로도, 정의와 상식과 공익과 진실이 춤추는 사회는 존재하지 않을 것이다. 그것은 신의 세상이지, 인간의 세상이 아니다.

깨끗한 물에는 고기가 살지 않듯이, 인간사회를 지배하는 이성과 정서는 합리성과 무조건적인 사랑이 아니라 비합리성과 이기적 욕망이다. 사람들이 정의와 진실을 외치는 것은 이 사회에 정의와 진실이 힘을 잃었기 때문이다. 하지만 도래할 수 없는 이상적인 상황을 상정하여 정의와 진실만이 승리하고 춤추는 세상 역시 재미없고 무미건조하여 사람들은 질식해 버릴 것이다.

　현실의 역동성은 정의와 진실만으로 불이 붙지 않는다. 오히려 현실의 역동성은 정의와 진실, 상식이 통하고, 공정과 공평이 통하는 것과 아울러 탐욕과 반전, 추함과 배반, 위선이 적절하게 세상의 모든 빈틈으로 스며들어야 한다. 그것은 사람들은 신의 세상이 아니라 인간세상 속에서 함께 어울리는 것이며, 적어도 진실과 상식이 통하기만 하는 세상이라면, 삶의 곳곳에 묻혀 있는 수많은 지뢰와 장애물에도 불구하고, 알콩달콩하고 알록달록한 삶의 이야기를 만들어 갈수 있는 살맛나는 인간세상이 될 수 있기 때문이다.

　냉혹하고 잔인해 보이는 현실을 직시하면, 그 속살은 생각보다 보드랍고 따뜻하다. 현실이 보드랍고 따뜻하다고 느낄 때 행복은 일상이 된다. 그것은 마치 눈물이 뚝뚝 떨어지는 눈망울을 가만히 쳐다보면 맑고 투명한 호수의 춤추는 물비늘이 보이는 것과 같다. 슬픔도 가만히 그 속을 들여다보면 그 속에는 기쁨과 행복이 춤을 추고 있다.

자본주의 시대의
착한 성공

    돈은 탐욕이고 돈을 탐하고 계산하는 순간 돈은 돌멩이처럼 단단한 흉기가 되어 나와 너를 피 흘리게 한다. '탐욕'이라는 이름의 욕망의 옷을 입은 사람은 돈의 노예가 된다. 이 굴레를 벗어날 방법은 애석하지만, 지금의 자본주의 하에서는 없다.

    시민들은 인도네시아 경찰을 가리켜 피를 빨아먹듯이 단속을 통해 돈을 착취·갈취한다고 하여 '모스키토'라고 부른다. 이처럼 사행산업이나 빈자의 경제학을 통해 힘없고, 돈 없고, 뒷배경 없는 사람들의 가벼운 주머니를 더 가볍게 만들어 죽음의 벼랑으로 밀어 버리는 자본주의라면 이는 흡혈자본주의이다. 자본주의를 어떤 식으로 표현하든 자본과 연관된 일에는 피도 눈물도 없다는 것만은 분명하다.

가계소득이 감소하고 기업소득이 늘어나는 것은 자본의 자석효과가 더욱더 강해지고 있다는 반증이다. 자본의 제로섬 게임에서 가진 자들의 지위가 점점 더 강해질 때, 못 가진 자는 점점 곤궁해진다. 이처럼 자본은 자비와 나눔을 허락하지 않는다. 자본의 악마화다.

사행산업처럼 가난한 자의 주머니를 털어 부자의 주머니가 터질 정도로 채워 주는 것이 '빈자의 경제학'이다. 빈자의 경제학은 가진 자를 더 가진 자로, 못 가진 자를 극한의 가난뱅이로 만들고, 삶의 의지를 꺾어 버림은 물론, 필연적으로 동행하는 담배나 술 중독을 부추기고, 마약중독자와 같은 몽환적인 쾌락이나 도박에 마지막 삶을 허비하게 만든다. 이를 통해 서민의 주머니를 도박세와 담배세, 주류세라는 이름으로 흡혈귀처럼 빨아들이는 파괴의 경제학이며, 탐욕의 경제학이고 악마의 경제학이다.

성장의 낙수효과, 즉 가진 자에게서 못 가진 자로 돈이 흘러가는 일은 일어나지 않는다. 설사 성장의 낙수효과가 일어나더라도 최선의 기대효과는 못 가진 자의 키를 조금 높게 해 줄 뿐이다. 집으로 돌아와 키 높이 구두를 벗으면 다시 원래의 모습으로 돌아간다.

성찰, 관찰, 통찰이 중요하다고 말하면서 사람들은 현찰과 권력을 가져다주는 명찰의 명예욕 쪽으로 달려가고, 자신들의 돈과 권력을 유지할 수 있도록 사찰에 의한 감시와 통제에 혈안이 되어 있다. 이는 가장 가치 있는 금 세 가지가 '소금, 지금, 황금'이라고 말하면서 현실에서는 '현금, 지금, 입금' 쪽으로 더 마음이 기우는 것과 같다.

여자들은 왕자님을 꿈꾼다. 하지만 그 왕자님은 돈 많은 왕자다. 얼굴이 왕자 같지 않아도, 아무리 뚱뚱한 몸매에 성격이 포악해도, 행동이 찌질해도 돈만 많다면 나에겐 꿈속 왕자님인 것이다. 요즘 남자가 꿈꾸는 여자 역시 돈 많은 여자다. 하지만 예쁜 여자는 포기할 수 없기에 돈 많고 예쁜 여자가 아닐 때는 돈 많은 여자를 택한 후, 예쁜 여자를 돈으로 산다. 남자도 여자도 모두 영악해졌다.

자본주의는 자본의 소유가 자유의 정도를 결정한다. 그것은 자본주의가 가진 자의 지배 이데올로기와 헤게모니에 의해 작동되는 시스템이기에 자본주의 사회에서는 누구나 해나 별 바라기가 아니라 권력 바라기, 성공 바라기, 돈 바라기가 된다. 역설적으로 그것을 인정할 때 자본의 굴레로부터 벗어날 길이 보인다.

자본주의 역사가 지속되는 한 승자 나눔의 세상은 오지 않는다. 승자독식은 자본의 법칙이며, 인간의 본능이다. 승자가 독식을 하되, 적당히 독식하느냐 혹은 떨어진 밥알까지 챙기는 탐욕스런 독식을 하느냐의 차이만 있을 뿐이다.

스포츠에서는 승자가 모든 것을 다 차지하지 않는다. 다만 가장 많은 것을 차지할 뿐이다. 하지만 정치·경제·사회·문화 영역에서의 승패는 더욱 처절하고 잔인하다. 왜냐하면 승자가 모든 것을 다 차지하기 때문이다. 그래서 현실 영역에서의 승부는 더욱 치열하고 비열한 모습으로 진행될 수밖에 없다. 원원(win-win) 게임보다는 제로섬 게임만이 지배한다.

자본주의는 원원했다는 착각만 존재할 뿐, 현실은 잔인한 제로섬 게임의 사회, 약육강식의 탐욕사회, 쾌락과 자극에 매몰된 중독으로 질주하는 사회다. 따라서 인간의 얼굴을 한 자본주의는 자본이 만든 수많은 어뢰와 식인 상어 떼의 공격과 장애물을 극복하고 넘어가기엔 너무 깊고 푸른 강일 뿐이다.

자본주의 사회에서 돈과 지배력을 가진 국가의 국민의 가치와 돈이 없어서 난민처럼 버려진 국가의 사람의 가치는 절대로 같지 않다. 미국이나 이스라엘의 국민 한 사람의 목숨이 이라크나 팔레스타인 국민 백 명의 목숨과 동일한 가치로 받아들여지듯이, 같은 국가에서도 돈과 권력을 가진 한 사람의 목숨은 빈자와 사회적 약자 수십 명의 목숨과 동일한 무게로 저울의 균형을 맞춘다.

결국 자본주의는 사람의 가치가 가진 돈에 비례하여 결정되는 사회다. 가족은 가족의 편을 들어야 하듯이, 자본주의에서 자본의 편을 들어야지 인간의 편에 선 자본주의는 생존할 수 없기 때문이다.

야만에 배려하는 따뜻함이 있다면 야성이 된다. 본능에 타인을 사랑하는 따뜻함이 있다면 공감이 된다. 지식에 타인과 세상을 이해하려는 따뜻함이 있다면 지혜가 된다. 작은 차이가 아니다. 우리가 보통 말하는 자본주의는 정글의 법칙이 살아 숨 쉬는 피 튀기는 경쟁의 장이다. 비열·야만·냉혈·흡혈·천민·세습·욕망·악마 자본주의라는 말의 범람 속에 인간의 얼굴을 한 자본주의는 설 자리가 없다.

자본주의는 자본이 주인인 시대이다. 그래서 자본주의하에서 모든 사람은 노예이다. 하지만 노예에도 등급이 있다. 주인인 자본의 총애를 받은 사람은 주인과 비슷한 자유를 향유한다. 주인인 자본의 미움을 받은 사람들은 비참한 노예생활을 해야 한다. 더 잔인한 현실은 자본주의가 슈퍼자본주의로 변질되면서 자본의 총애를 받는 사람은 점점 줄어들어 극소수가 되고, 거의 전부라 할 수 있는 사람들은 비참한 노예생활에서 벗어날 수 없다는 것이다. 따뜻한 자본주의, 인간의 얼굴을 한 자본주의란 이상일 뿐이다.

슈퍼자본주의는 소수에게 돈과 권력을 몰아주었다. 재벌이나 글로벌 기업은 자본주의의 슈퍼스타다. 스포츠와 연예에서도 일부 슈퍼스타에게 돈이 몰린다. 우리는 언제나 몇몇 스타에게 환호성을 지른다. 그 사이에 이름 없는 연예인이나 선수, 엑스트라들은 곡소리가 난다. 이런 현상은 앞으로도 지속되고 심화·확대될 것이다.

자본으로 상징되는 힘과 권력이 세상의 중심에서 활개를 치면서, 일상에서도 경쟁력·경제력·돌파력·추진력·장악력 등 돈 버는 능력만이 인정받고, 포용력·이해력·공감력 등 따뜻함과 함께함을 상징하는 능력은 설 자리를 잃었다. 하지만 품성이나 인성이 결여된 능력은 짐승이나 기계의 능력이나 다를 바 없다.

이처럼 짐승이나 기계의 능력을 숭상하는 사회에서는 인간에 대한 따뜻하고 섬세한 감수성을 가진 사람보다는 짐승의 잔혹함과 기계 같은 사람, 프로그램화된 능력으로 시스템 속에서 놀라운 적응력과 효율적 능력 발휘로 물질적 성공이라는 정형화되고 예측 가능한 삶을 지향하는 사람이 지배한다.

'Winner takes all'의 법칙, 자본은 한눈을 팔지 않는다. 자본은 자신이 원하는 것, 돈이 생기는 것, 돈이 보이는 곳에만 모든 관심과 역량을 집중함으로써 자본은 기하급수적으로 증식을 하는데, 이를 '자본의 자기증식효과'라 한다. 거대한 자본은 불가사리처럼 주변에서 자본화 될 수 있는 모든 것은 물론 민주주의의 뿌리까지 빨아들이는데, 이를 '자본의 블랙홀효과'라 한다. 그리고 자석이 쇠를 끌어들이듯이, 자본이 자본을 끌어당기는 것을 '자본의 자석효과'라 한다. 이러한 자본의 자기증식효과, 자본의 블랙홀효과, 자본의 자석효과로 인해 자본주의에서 자본은 점점 강해질 것이다.

돈은 외모와 수명을 살 수 있을 뿐만 아니라 감정상태를 좌우하며 인격과 인간관계까지도 살 수 있다. "인간이 가장 원하는 것은 다른 사람의 존경과 우대를 받는 것이고, 가장 싫어하는 것은 무시와 경멸을 당하는 것이다. 사람들은 지혜와 덕이 아니라 부와 권세를 가진 사람을 존경하고 가난하고 힘없는 사람을 업신여기기 때문에 사람들은 부와 권세를 얻으려는 것이다." 애덤 스미스의 말이다.

돈이 없으면 인격도 없다. 돈은 사람의 귀천을 결정한다. 아울러 돈은 감정적 실체이다. 돈이 슬픔 · 분노 · 증오 혹은 기쁨을 결정한다. 지갑이 가벼우면 마음이 무거워진다. 고두현 시인은 〈돈〉에서 "그것은 바닷물 같아 먹으면 먹을수록 더 목마르다고 이백 년 전 쇼펜하우어가 말했다. 돈, 뜨겁게 사랑하고 차갑게 다루어라. 그리고 오늘 광화문 네거리에서 삼팔육 친구를 만났다. 한잔 가볍게 목을 축인 그가 아주 쿨하게 웃으며 이렇게 말했다. 주머니가 가벼우니 좆도 마음이 무겁군."이라고 표현했다.

개인일 경우는 독기로 뭉친 사람이 무섭고, 집단일 경우는 의리로 뭉친 사람들이 무섭다고 하지만, 현실은 다르다. 개인이나 집단을 망라하여 돈독이 오른 사람, 돈으로 뭉친 집단이 가장 무섭다. 이들은 돈을 향한 타는 목마름의 광기와 탐욕이 자신과 집단을 다 태워 버려도 돈다발을 손에서 놓지 않는다. 이처럼 차가운 피를 가진 사람들이 잘사는 자본주의를 '냉혈자본주의'라 한다.

재벌이 골목상권을 마치 점령군처럼 차지할 때, 가진 자들이 탐욕의 터널시야에 갇혀 탐욕에 집착할 때, 지하철에서 아이가 집 앞 놀이터에서 뛰어놀 듯이 방방거리며 뛰고 소리쳐도 엄마나 아빠가 제지하지도 신경 쓰지도 않을 때, 그들에게 타인은 보이지 않는다. 자신의 금고로 쏟아져 들어오는 돈다발과 자기 자식밖에 보이지 않는다.

탐욕이라는 이름의 탐욕과 잔인한 이기주의로 골목상권까지 점령한 재벌에게 점령당한 사람들의 슬픔과 고단함과 힘겨움, 불안과 공허함은 보이지도 들리지도 않는다. 오직 주머니에 들어올 돈의 향기,

돈의 맛만 느끼고 볼 뿐이다. 돈의 중독이다. 자본주의는 돈에 중독
된 사회다. 돈이 주인이고, 가치의 꼭대기에 있는 중독 자본주의다.

그러나 100억의 돈을 한 사람이 다 가진 사회보다는 100명이 1억씩
가진 사회가 더 건강하고 활기찬 세상을 만들 수 있듯이, 열 사람이 1억
원씩의 자선금을 내는 사회보다 십만 명이 천 원씩 내어 10억 원의 자
선금을 만들 수 있는 사회가 훨씬 더 건강하고 인정이 넘치는 사회일
것이다.

오랫동안 경마, 경륜에 빠져 정신을 못 차릴 때 확률의 법칙에 의해
가끔은 딸 경우가 있다. 이 경우에 그전에 잃었던 것은 별로 생각이
나지 않고 딴 돈이 마치 공짜 돈처럼 느껴져서 술집에서 담배연기를
한없이 내뿜으면서 몽롱한 상태로 공짜돈이 주는 쾌락에 몸을 맡겼
다. 공짜돈은 궁극적으로 스스로를 타락시키고, 일시적인 쾌락을 충
족하는 데 사용된다. 인생에 있어서 마이너스다. 이때 일시적으로 내
게 들어온 공짜돈은 그냥 독약일 뿐이었다.

하물며 부패와 비리로 획득한 뇌물은 어떨까? 그 돈은 궁극적으로
독이 될 뿐이다. 공짜로 얻은 돈, 땀 흘려 일하지 않고 얻은 돈은 태
생적으로 아름답게 사용될 수 없는 유전자를 타고 났다. 자신의 땀과
노력으로 번 돈이 아닌 것은 돈을 잃어도 돈을 따도 궁극적으로는 인
간의 의지를 무너뜨리고 정신을 메마른 사막처럼 만든다.

불행하게도 죽을 때까지 돈에 대한 집착과 욕망으로부터 자유롭지

못한 사람이 대부분이다. 따라서 극소수의 사람을 제외한 대부분의 평범한 사람은 돈에 대한 그리움, 출세에 대한 욕망을 넘어선 다음단계나 매슬로우의 욕구단계에 가장 상층에 있는 자아실현의 단계를 경험해 보지 못한 채 이 세상을 등진다.

이는 대부분의 보통 사람은 돈에 대한 유혹, 출세에 대한 욕망에 목숨을 걸 만큼 나약하고 어리석으며 취약하다는 반증이다. 따라서 부패는 결코 사라지지 않는다. 가난에 한이 서린 사람, 변변한 일자리 없이 떠돌거나, 임시직으로 온갖 차별과 설움을 끌어안고 사는 사람들은 돈에 대한 타는 목마름에 비례하여 돈의 유혹에 한없이 약하다.

난 "돈에 관심 없다"는 사람을 좋아하지 않는다. 백 프로 거짓말이기 때문이다. 이혼과 가정 파탄 역시 거의 돈 때문에 비롯된다. 돈에 대해 무지한 상태로 머무는 것이야말로 악이다. 돈 때문에 우리는 하고 싶지 않은 일을 계속해야 하고, 존경하지 않는 사람을 받들어 모셔야 하고, 사랑하는 사람을 떠나보내고, 사랑하지 않는 사람과 결혼해야 한다. 때론 남의 것을 훔치기도 하고, 스스로 자신을 돌보지 못해 가족이나 정부에 의지해야 하며, 모욕과 멸시를 참아야 하고 비열하고 비루하게 살아야 할 경우가 많다. 이 모든 것이 악이 아니고 무엇이란 말인가? 돈이 중요하지 않다는 생각은 시대에 뒤떨어진 생각이다.

문제는 돈을 갖고 싶다는 이유로 부정하고 악한 일을 하는 덫에 빠지면, 인간의 양심은 끓는 물에 던져진 아이스크림처럼 녹아 버릴 것이라는 점이다. 악마에게 영혼을 팔았던 '파우스트의 거래'로 영혼을 잃어버린 좀비인간처럼 살아갈지도 모른다.

생존을 위해 돈은 절대적으로 중요하다. 하지만 거기까지다. 생존과 생활을 위해 필요한 수준 이상의 돈은 인간을 감각적 쾌락과 안락함에서 헤어나지 못하게 하는 독약이다. 왜냐하면 모든 감각적 쾌락과 안락함이 주는 즐거움은 짧고, 그 고통의 시간은 길기 때문이다. 이에 핸디는 돈이란 다다익선, 즉 많을수록 좋은 것이 아니라 아리스토텔레스의 가르침처럼 어느 수준에서 '그만하면 충분한' 것이라고 보았다.

우리는 성공을 꿈꾼다. 성공의 정의는 하늘의 별만큼 다양하지만, 일반적으로 부와 명예, 권력을 얻는 것을 성공이라고 한다. 중요한 것은 성공은 내가 가지고 있는 인성이나 태도, 공감능력과 믿음을 더욱 강화시킨다는 것이다. 따라서 성공하기 전에 따뜻함과 이해심, 감사하고 나누는 마음, 즐겁게 웃을 수 있는 성격을 가지고 이를 일상에서 실천한 사람이 성공한다면 이 성공은 이런 태도나 성격을 확대하고 더욱 강하게 만드는 성공의 축복이 된다.

이처럼 착한 사람이 성공할 때 세상이 더욱 아름다워질 것임에 틀림없다. 하지만 반대로 오만하고 독선적이며 남의 아픔을 밟고서 돈과 명예와 권력을 추구하는 사람, 즉 나뿐인 사람의 나쁜 성공은 세상을 더욱 추하고 비열하고 비굴하고 병들게 만드는 성공의 저주가 된다. 왜냐하면 성공은 원래 그 사람이 가진 성격과 태도를 더욱 강화시키기 때문이다. 따라서 사회와 국가차원에서는 나쁜 성공보다는 착한 성공이 매우 중요하다.

랠프 에머슨은 "성공이란 자기가 태어나기 전보다 세상을 조금이라도 좋은 곳으로 만들어 놓고 떠나는 것, 자신이 한때 이곳에 살았음으로 해서 단 한 사람의 인생이라도 행복해지는 것"이라고 했다. 나는 에머슨의 의견에 동의하지 않는다. 가장 중요한 것이 빠졌기 때문이다. 성공은 내가 하루하루를 얼마나 즐겁게 살았는가가 유일한 기준이라 생각한다. 살면서 누구보다도 많이 웃고, 많이 즐거워했다면 가장 성공한 사람이자, 행복한 사람이다.

포도원 주인이 돈이 아니라 일꾼을 위해 포도원을 경영한다면 한겨울 오후 5시는 어둠이 깔리는 인력시장 사람들에게 게오르규의 〈25시〉처럼 절망적인 시간이다. 생존이 절박한 사람들, 기다림에 지쳐 피골이 상접한 얼굴에 피를 흘리는 시체 같은 사람들에게 5시에 찾아와서 온 하루치의 일당으로 포도원의 일자리를 제공하는 사람은 사람을 위해 포도원을 경영하는 사람이다.

나는 생각한다. 워렌 버핏도 그가 돈을 탐하는 마음이 사라진 것이 아니다. 그는 돈을 탐하는 마음을 넘어 명예, 존경을 탐하는 더 큰 이기심 때문에 돈의 나눔을 실천할 뿐이다. 이기심의 승화다.

아름다운 미래를 위한
진정한 대물림

영화배우 김부선 씨의 정의로움을 위한 몸부림은 결국 한바탕 해프닝이란 '찻잔 속의 태풍'으로 끝났다. 아파트 비리나 부패 같은 중간층, 아니 중하층의 불의에 대한 맞섬도 이렇게 버겁고 힘든데, 최상층부의 비리나 부패에 대한 맞섬은 가당치도 않은 일이다. 우리는 술잔을 기울이며 자조적으로 바퀴벌레의 생명력으로, 지배층은 계속 대물림 된다고 읊조리면서 어물쩍 잊으려 한다. 이렇게 삶도 역사도 되풀이되어 왔다고 아무것도 하지 않을까 봐 두렵다.

자연계와 달리 천적이 없는 '지배세력'과 '지배행위'가 있는 한 인간 세상의 불행은 그치지 않을 것이다. 만일 좋은 사람이 지배를 해도 지배하는 위치에 오르면 자동적으로 나쁜 사람으로 변질시키는 자본 시스템의 작동으로 세상은 결국 돈과 권력을 유지하고 대물림하는 데에만 혈안이 되어 있는 나쁜 사람이 지배하게 되어 있다.

부유층들이 자기들의 리그 안에서 대물림 지배구조를 탄탄히 할 때, 황금의 땅에서 황무지로 밀려난 나머지는 피 터지는 생존싸움에서 벗어날 수 없다. 경기장 안의 글래디에이터처럼, 케이지 안의 목숨을 건 격투처럼 가난한 자와 소외된 자, 힘없는 자들끼리의 서러운 생존싸움만 있을 뿐이다.

초기국가나 조선시대는 사농공상과 노비로 계층단계가 단순했다. 지금은 재벌로 통칭되는 부와 국가권력을 가진 지배계급 아래로 탄탄한 중소기업 사장, 밀양돼지국밥집처럼 전통과 음식 맛으로 엄청난 수익의 파이프라인을 구축한 다양한 분야의 개인사업자들, 전문직조차도 고소득에서 저소득으로, 안정적 정규직은 대기업 · 공기업 · 국가공무원 등으로 세분화되고, 그 아래 중소기업 정규직, 그리고 엄청난 슬픔의 칼날을 품고 사는 비정규직 노동자들이 위치하고 있다.

그리고 비정규직도 고층청소처럼 위험성을 동반한 고소득노동자 · 일용 · 임시노동자 · 하청노동자 · 협력업체 노동자 등 수많은 직종의 비정규직으로 세분화되고, 자영업자들 역시 고소득 자영업자에서부터 영세포장마차를 포함한 소규모 자영업자까지 직업과 계층이 씨줄과 날줄로 분화되면서 복잡해지고 있다.

국민들은 이렇게 수많은 직업으로 수많은 계층으로 모래알처럼 쪼개지면서, 그들끼리 연대하고, 단합하고, 결집하고, 응집력을 발휘할 수 있는 기반을 잃어버렸다. 상대적으로 가진 자들의 대물림 시스템이 제대로 작동하기 쉬운 시대가 된 것이다.

그들에게는 모래알들이 결집을 꾀할 때, 그들을 다시 모래알로 만들 수 있는 다양한 첨단무기들을 보유하고 개발할 능력이 있기 때문이다. 그중 하나의 전략이 최상층부를 동조하고 동경하고 동일시하는 계층을 꼭두각시나 대리인, 말하는 인형으로 내세워 총알받이, 희생양으로 이용한다.

현대국가는 계층단계가 이처럼 세분화되어 있으나, 이는 역설적으로 빈자와 약자의 계층이동을 가로막거나 한두 단계 이동만으로 제한된다. 이것이 '계층이동 단계론' 또는 '한계론'이다. 이처럼 계층의 퀀텀 점프는 현대 사회에서 불가능하다. 로또로도 안 된다. 계층이동의 가장 중요한 것이 자본임에는 틀림없지만, 자본만으로 계층이동을 할 수는 없다.

이처럼 계층의 미세한 이동만 가능하고 퀀텀 점프가 불가능에 가까운 것은 더블 트랩 때문이다. 사회가 투명해질수록 역설적으로 계층이동은 더 어렵다. 사회적 빈자나 약자들도 밥은 굶을지언정 스마트폰을 가지고 있다. 이들이 스마트폰 속에서 환상여행을 하는 동안 몸과 마음과 머리의 기능이 현저히 떨어지는데, 이는 가진 자들에 의해 자신들의 생각과 행동이 조종되고 있음을 의미한다. 그럼에도 불구하고 이를 인식하지 못하고 자신들이 자유를 누리는 자유인으로 착각한다. 이러한 착각이 위로 올라가고자 하는 열정 의지, 혁명 의지를 앗아간다.

또 다른 트랩은 지배층이 자신들의 손에 피를 묻히는 더럽고 잔인한 일을 대신해 줄 대리인들을 내세워서 불만과 분노를 드러내는 사람들과 피터지게 싸우도록 교묘하게 유도한다. 이런 약자와 약자의 대리전을 통해 피투성이가 된 양쪽은 가지고 있는 분노의 감정도, 세상을 바꾸고 싶어 하던 뜨거운 열정도 차갑게 식어 버린다. 그들은 싸우다 지쳐 힘을 잃어버린 것이다. 그래서 피라미드의 꼭대기에서 이들의 피 터지는 전쟁을 마치 게임처럼 즐기던 지배층은 한층 더 자신들의 대물림 체제를 강화하게 된다.

자본의 제로섬 법칙에 따라 가진 자는 자본을 돈과 권력, 사회적 지위, 전문가의 권위로 다원화한다. 아울러 성장의 과실이 강물처럼 복지 등 분배 파이프라인 시스템을 통해 돈이 공정하고 정직하게 흘러가지 못하도록 하고, 국민들의 불만을 잠재울 수 있을 정도의 최소한의 복지와 나눔 정책만을 유지하고자 한다.

역사는 생존과 생활의 투쟁이다. 단기적으로는 생존이 생활을 이길 수 있다. 하지만 장기적으로 생존은 생활에 백전백패다. 스파르타쿠스, 만적, 디오게네스처럼, 역사의 돌연변이가 일순간에 주인공으로 떠오를 수도 있다. 하지만 돌연변이, 역사의 이단아가 주도한 혁명의 성공 여부와 상관없이 그것은 역사의 흐름을 거스를 수 없는 하나의 사건에 머물 뿐이다.

생존은 약자이고, 생활은 강자다. 강자인 지배권력은 자본권력, 정치권력 등으로 모습을 바꾸면서 대물림된다. 그래서 역사의 흐름에서 지배세력은 항상 주인공이었고, 그들의 역사였다.

슬프지만 악어 떼가 우글거리는 강을 건너기 위해서는 악어의 먹이로 자신들의 몸뚱이를 악어의 강물 위에 던질 누에들이 있었기에 다른 누에 떼들이 무사히 강을 건널 수 있는 것처럼, 인간계도 기꺼이 자신을 부와 권력을 가진 자들의 탐욕과 욕망을 잠재워 줄 거룩한 희생이 필요한 것이다.

이를 위해서 인간계의 인간들 역시 먼저 자신이 악어인지, 누에인지를 인식해야 한다. 자연계의 먹이사슬과 달리 인간계의 먹이사슬은 복잡하고 끊임없이 변화한다. 하지만 그 변화는 매우 좁은 범위 내에서 일어나서, 인간계에서 조금 떨어져 보면 인간계 먹이사슬 체계는 변화하지 않는 것처럼 보인다.

인간계 먹이 사슬체계는 나라마다 다를 수 있지만, 우리나라 중심으로 살펴보자. 먹이사슬 피라미드 가장 밑에는 노숙자, 극빈자, 홀로 사는 장애인층이 있고, 그 위에 일용직, 포장마차로 대표되는 영세 자영업자층이 있다. 그다음엔 비정규직이 있고, 그 위에 정규직이 있고, 정규직 위에 전문직이, 전문직 위에 인기권력층, 인기권력층 위에 정치와 언론권력층이 있고, 최상층부에 자본권력이라 칭하는 재벌이 있다.

 자본주의는 주객전도의 사회다. 자본이 주인이고, 자본이 재벌이고, 자본이 국가이고 신이다. 사람은 보이지 않는다. 돈에 대한 탐욕과 사람에 대한 사랑은 물과 기름처럼 서로를 끌어안으며, 화해하고 화합할 수 없다.

 세상에서 가장 무서운 사람은 돈독이 오른 사람이고, 그들이 의리라고 말하는 것은 돈이다. 그래서 돈이란 이름의 의리로 뭉친 집단이 사회를 이끄는 세상이 가장 무섭고 잔인하다.

 "양극화는 상호손해"라고 하면서 가지지 못한 자들의 공격성과 울분은 점점 커져 결국에는 폭발할 것이고, 경제적 권력을 가진 자는 심리적 부담을 더욱더 크게 느끼게 될 것이라는 논조의 글을 읽은 적이 있다.

 이 글은 대한민국에서 꿈은 이루어진다는 말처럼 내 가슴에 스며들지 않고 최첨단 방탄복에 쏜 총알처럼 내 가슴에 닿자마자 튕겨져 나간다. 한마디로 '백설공주 독사과 깨물다 이 부러지는 소리'라고 생각한다. 결론은 양극화는 가진 자만의 이익이다.

 가진 자의 마음대로 통제하기 가장 좋은 시대가 되었다. 인간이 생각하는 능력을 잃어버릴 때가 가장 조종당하고 통제하기 쉬운 상태가 된다. 생각하는 능력을 잃어버린 인간이 생각하는 힘을 되찾기는 정말 어렵기 때문에 스마트폰의 시대는 가난의 대물림, 자본의 대물림을 더욱 공고히 할 것이다. 파편화된 서민들은 남을 지적하고 악성 댓글만 쓸 줄 알지, 그들은 분노할 줄도 모르며, 분노의 결집을 통한 혁명의 불씨를 타오르게 할 생각도 의지와 열정도 능력도 없다.

밝은 세계의 정부는 합법적으로 사행사업을 통해 엄청난 돈을 번다. 영원히 마르지 않는 돈의 파이프라인이다. 예외적인 경우를 제외하고는 사행성이 크면 클수록 사람들이 더 좋아한다는 것이다. 로또 1등 금액이 1,000억 원이 되면, 더 많은 사람들이 열광할 것이다. 밝은 세계의 기업은 합법적으로 돈이 되는 사업을 그물망처럼 남김없이 찾아낸다. 특히 재벌은 경험법칙에 따라 '돈이 돈을 번다'는 자본의 자석효과를 진리처럼 맹신하며 끝없이 사업을 확장해 간다.

밝은 세계와 어둠의 세계가 모두 '돈을 바탕으로 한 지배력' 측면에서 유사한 목적을 가지고 있다고 할 수 있다. 단 하나의 큰 차이는 합법성 유무이다. 밝은 세계는 법의 보호 아래 돈을 버는 것이고, 어둠의 세계는 법을 무시하고 돈을 버는 것이다. 크게 보면 '오십 보 백보'요, 공생의 관계다. 따라서 한쪽이 다른 한쪽을 비난하는 것은 똥 묻은 개가 겨 묻은 개 나무라는 격이다. 그 밥에 그 나물, 호박에 줄 긋기, 내 얼굴에 침 뱉기, 입에 피를 품고 남에게 뱉기다.

밝은 세계에서 버는 돈은 아무래도 어둠 속에 숨어서 버는 돈과는 그 규모나 크기에서 큰 차이가 난다. 따라서 밝은 세계에서 혜택을 받는 지배세력은 자신들의 지배력을 유지하고 강화함은 물론, 자신들에게 지워진 의무감에서 벗어나기 위해 명절이나 크리스마스, 엄청난 자연재해 등이 발생한 경우에 서푼어치의 자선으로 가난하고 고통받는 계층을 동정하고 위로하면서 점점 더 거대한 거인이 되어 간다.

합법성과 자선과 기부라는 회칠한 무덤으로 인해 밝은 세계의 위악은 더 크고 깊고 공고해진다. 분명 그들이 무너지지 않고 부와 권력을 대물림하기 위한 수많은 보호막 중의 하나가 어둠의 세력인 것만은 분명하다.

지배세력은 기득권과 기득권의 대물림을 절대로 자발적으로 포기하지 않는다. 피지배세력에게 자신들의 지배를 받으면서 사는 것이 현실의 상황을 고려하면 가장 좋은 길이라고 회유하고, 설득하고, 영입하며 돈으로 포섭한다. 이런 회유에 넘어가지 않고 저항과 공분으로 폭발된 혁명의 성공으로 전리품을 챙긴 혁명의 주체들이 새로운 지배세력에 편입되면, 그들은 새로운 지배세력에 동화되어 같은 역사를 반복한다. 그래서 역사는 무한도전을 통한 진보가 아니라, 무한반복을 통해 끝없이 다람쥐 쳇바퀴를 도는 것이다.

결국 우리가 역사 속에서 지배세력을 뒤집어엎고서 혁명이라고 이름붙인 것은 '무늬만 혁명'이었다.

생존을 위한 혁명이 한 인간과 한 시대의 운명을 바꿀 순 있어도 역사의 물줄기를, 세상을 바꿀 수는 없다. 왜 그럴까. 생존을 위한 혁명은 실패하면 실패했기 때문에 세상을 바꿀 수 없고, 성공했어도 성공을 주도한 혁명세력은 '욕하면서 닮는다'는 말처럼 그들이 몰아낸 지배층의 돈과 권력, 이데올로기와 지배 헤게모니를 그대로 답습한다. 결국 빈자와 약자인 서민들은 혁명의 들러리, 역사의 배경으로 잠시 존재하였다가 다시 원래의 자리로 돌아가는 것이다. 역사는 이런 과정의 무한 반복이다.

물론, 인간사회도 자연의 법칙에 따라 작동되기에 지배자, 가진 자, 뺏는 자, 잡아먹는 자, 먹히는 자들이 끊임없고 쫓고 쫓기고 먹고 먹히며 필사적으로 저항한다. 벼랑 끝에 몰린 늑대가 호랑이에게 달려들 듯이, 인간 사회도 벼랑 끝에 몰린 자들의 분노와 저항이 응축된 혁명은 끊임없이 일어났고, 앞으로도 일어날 것이며, 부분적이지만 지배층의 겉모습은 끊임없이 바뀔 것이다. 하지만 배고픈 토끼가 호랑이에게 달려드는 일은 일어나지 않을 것이다.

그래서 혁명은 개인의 운명을, 나아가 시대 흐름의 작은 물줄기만을 바꾸는 하나의 사건을 벗어날 수 없는 숙명을 안고 있다. 그래서 혁명은 역사의 큰 물줄기를 바꿀 수는 없다.

돈과 권력은 제로섬 게임이다. 예전에 농경시대나 농업 위주의 시대는 어느 정도 땀의 논리가 지배했다. 그것이 불공정하고 불의한 세상 속에서도 어느 정도 성과의 낙수효과가 가능했던 것이다. 하지만 자본주의에서 자본의 집중효과와 자석효과, 블랙홀효과로 인하여 낙수효과가 원천적으로 차단되는 것이다. 그래서 세상은 더욱 불공정하고 불의해질 수밖에 없다.

만약 자본 효과가 파괴되어 국민들에게 더 많은 돈과 권력이 흘러들어 가면, 지배층의 돈과 권력이 줄어들게 된다. 결국 지배층 자신들의 이익을 위해 국민들의 이익을 교묘히 짓밟아야 하는 것이다. 이것은 자본주의 하에서 인간의 본질적 속성이다.

따라서 혁명으로 새로운 지배층이 된 세력은 밤과 낮이 바뀌듯이 자연스럽게 자신들의 이익을 위해 행동하게 될 것이고, 국민들은 또다시 예전의 고단한 일상으로 돌아가는 것을 무한 반복할 뿐이다. 그래서 모든 혁명은 서민과 빈자, 사회적 약자의 삶과 철저히 유리된 그들만의 축제요, 전쟁일 뿐이다.

혁명을 통해 권력을 가진 지배층 이익과 국민의 이익은 배치되기에 빵을 움켜준 후에도 꽤 오랜 동안 빵을 움켜준 손을 놓지 않는다. 가난과 눈물 젖은 빵에 대한 고통은 짧은 시간에 잊힐 만큼 가벼운 것이 아니기 때문이며, 움켜쥔 빵을 놓쳐서 다시 가난으로 되돌아가는 것에 대한 강렬한 두려움과 공포를 가지고 있기 때문이다. 피는 물보다 진하듯이 생존의 본능은 자유보다 강하기 때문이다.

그래서 개천에서 용이 된 사람은 빈자와 약자들 세계와의 인연을 영원히 끊어 버리기 위하여 개천에서 살고 있는 사람을 대변하지 않는 것이다.

그뿐만이 아니다. 가진 자들은 역사상 가장 가진 게 많아서, 못 가진 자들은 너무도 많은 계층과 이해관계로 세분화되어 있어서 혁명을 일으킬 힘을 결집하고 연대할 수 있는 기반을 잃어버렸기에 혁명은 거의 불가능하다. 그들은 '모래알 연대'나 '깨알 연대'를 넘어서지 못할 것이다.

우리가 선진국을 지향하되, 소득 수준으로는 선진국이 되었음에도 생존에 목매는 사람들이 늘어 간다면, 그것은 가장 비인간적이고 부조리한 세상이 될 것이다.

'생존에서 생활로'의 디딤돌이 돈이다. 생존에서 생존으로 대물림되고, 생활에서 생활로 대물림되는 삶이 고착될 때, 생존은 더욱 고통스러운 생존으로 하방 추락하고, 생활은 더욱 풍요로운 생활로 상승하여 그 빈부의 격차, 생존과 생활의 격차가 도저히 건너뛸 수 없을 만큼 점점 벌어지고, 권력과 자본의 대물림이 더욱 강화된다.

대부분 기득권의 성공의 대물림은 버마재비의 자신감과 우쭐함에 지나지 않으며, 지나친 자만과 오만으로 그 빛을 잃어버리곤 한다. 하지만 인정하자. 경제적 부의 대물림은 울산바위처럼 흔들릴 것 같지만, 무너지지 않고 이어질 것이라는 사실을.

지배권력 대물림의 기저에는 '학벌'이라는 이름의 학력 대물림이 있다. 한국의 교육은 맹목적인 지식 주입과 경쟁, 평가의 덫에 빠져 있다. 시험으로 한 줄에 세운 사회적 서열이 세상 어느 나라에서보다 강하고 끈질기게 아이의 미래를 규정하기에 많은 이들이 이 나라 교육 현실을 한탄하면서도 벗어나기 힘든 이유다.

배움은 이성의 영역이지만, 배움을 이끄는 힘은 즐거움이라는 감성이다. 배움에 웃음과 즐거움이 없다면 그것은 죽은 교육이며, 헤엄을 칠 줄 모르는 아이들까지도 국어의 바다, 영어의 바다, 수학의 바다, 과학의 바다에 아이를 풍덩 빠뜨린 뒤에 "너의 미래를 위해 견뎌라" 하는 건 익사교육이다.

　아이들도, 어른들도 타인의 아픔과 선함을 공감하지 못하는 괴물이 된다. 특히 부와 권력을 가진 아이들이 괴물처럼 변해 가는 것은 그들의 부모와 지배권력이 이미 괴물이기 때문이다. 따라서 이 시대에 우리 아이들에게 가장 필요한 교육은 인성교육이며, 그 어떠한 것보다 감성과 감동의 대물림이 중요하다.

남성성과 여성성이 상호 존중되는 세상

초등학교 2학년생의 〈아버지가 왜 있는지 모르겠다〉는 시가 공감을 얻고 많은 아버지들의 마음을 찌르는 시대다. 지금의 아버지들은 많이 힘들다. 가정에서 돈과 권력을 독점적으로 가지고 있다가 이를 잃어버리면서, 그에 대한 상대적인 박탈감이 너무 커졌기 때문이다.

하지만 지금의 아버지가, 남자들이 정말 불쌍한가? 아니다. 그래도 여자가 더 힘들다. 지금 결혼적령기의 여자와 남자 중에서 누가 결혼을 더 원하는가? 얼마 전에 한 설문결과를 보면 결혼적령기 여성 인생의 우선순위에서 결혼은 4번째에 있다고 한다.

만약 결혼해서 엄마가 되고 어머니가 되는 것이 더 좋다면 분명 여자들이 더 결혼을 원할 것이다. 하지만 현실은 정반대다. 그래서 남자들이 결혼을 더 원한다.

이 말은 지금 아무리 남자가 힘들고 결혼해서도 남자대접, 아버지로서의 존경을 받지 못한다고 한탄해도 그 외침이 멀리 가지 못하는 것은 아직도 여자가 더 힘들기 때문일 것이다.

결혼이 삶에 즐거운 긴장감을 준다면 행복한 만남이다. 남성성과 여성성의 상호존중은 서로에 대한 장점을 더하고 서로의 성을 더욱 돋보이게 함으로써 더 매력적인 남성성과 여성성을 창조하자는 의미이다. 이는 서로에게 길들여지는 것이 아니라 서로의 성을 더욱 매력적으로 진화시킴으로써 서로에 대한 사랑의 관계를 깊게 하는 것이다.

아버지의 설 자리가 무너질 때, 남자는 폭력과 완력을 쓰기가 쉽다. 그러면 가정이 산산이 부서진다. 이제 힘을 쓰는 시대는 지나갔다. 남성은 명령하고 여성은 복종하는 주종관계, 노예관계, 보호관계는 끝났다. 이제는 상호이해와 존중을 통한 협력과 팀워크로 어울림의 관계로 나아가야 한다. 그것이 순정마초다.

사람은 순정에도 끌리고, 마초에도 끌린다. 하지만 순정마초에는 더 끌리듯이, 세상에는 둘 다 필요하다. 이성은 감성을, 감성은 이성을 돋보이게 한다. 이성은 어느 정도 타협과 멈춤이 가능하나, 감성은 코뿔소처럼, 초원을 질주하는 들소 떼처럼 제어나 절제가 불가능하기 때문이다. 감성과 이성의 균형 잡기는 어렵다.

감성이 강하면 이성이 약해져서 감성이 통제기능을 못하고, 이성이 강하면 감성이 약해져서 인간에 대한 섬세한 공감능력이 떨어진다. 이성과 감성은 한쪽에 치우지지 않은 균형상태가 서로를 가장 돋보이게 만드는 것이다. 이것이 이성과 감성의 경계를 포용하는 것이다.

 뱀처럼 유연하지 않으면 틀을 깰 수 없다. 뱀처럼 유연하지 않으면 모순된 역할을 요구하는 현대인의 이상적인 인간상을 닮아 갈 수 없다. 강하지만 필요한 순간 부드러워야 하고, 압도하지만 헌신적이며, 부지런하되 야심만만하고, 건강하면서도 매혹적이며, 우아하면서 스포티하고, 유혹적이며 음탕해야 한다. 이처럼 남자를 장식하는 말은 온통 모순적이다.

 여자를 장식하는 말은 부드럽지만 필요한 순간 강해야 하며, 순수하지만 헌신적이며, 귀여우면서도 당당해야 하고, 건강하면서도 매혹적이며, 우아하면서도 섹시하고, 유혹적이면서도 순결해야 한다. 이처럼 여자를 장식하는 말도 온통 모순적이다.

 여자는 한 번에 여러 가지를 생각하고 해낼 수 있지만, 남자는 한 번에 한 가지씩 집중하여 처리한다. 그래서 여자의 사고 형태를 '거미줄 사고방식(Web Thinking)'이라 하고, 남자의 사고 형태를 '계단식 사고방식(Step Thinking)'이라고 한다.

 여자는 목소리에 민감하고, 남자는 본 것만을 믿는다. 그래서 여자아이를 혼낼 때는 아이가 고개를 숙이고 있어도 상관없으나 남자아이를 야단칠 때는 눈을 쳐다보게 해야 한다고 한다.

남녀의 차이를 인정하고 존중하라. 그래야 인간의 삶이 더욱 풍성해지고 다양해진다. 남녀가 점점 비슷해져 차이가 없어질수록 세상은 더욱 단조롭고 재미없고 살맛이 사라지는 무미건조한 세상이 되어 갈 것이다.

이외수 씨는 "옥수수를 밥솥에 찔 생각을 하면 이성 중심의 인간, 옥수수를 보고 하모니카가 생각나면 감성 중심의 인간에 가깝다."고 했다. 이성은 생존과 문명이다. 감성은 생활과 문화이다. 아빠가 없으면 생존할 수 없고, 엄마가 없으면 생활이 망가진다. 그래서 이성과 감성은 다 소중한 가치이다. 하지만 지금 대한민국의 현실은 생존과 문명의 문제보다는 좀 더 나은 삶의 질과 즐거움을 추구하는 생활과 문화에 치중해야 한다고 생각하기에 감성이 더욱 요구된다.

이성과 감성의 융화, 여성다움과 남성다움의 융화, 여성역할과 남성역할의 융합, 기독교와 불교의 융합, 동양과 서양문화의 융합은 함께함이다. 함께 어울림이며, 함께 일어섬이다. 홀로 가면 빨리 가고 같이 가면 멀리 간다고 했다. 몸과 마음의 융합, 문명과 문화의 융합, 생존과 생활의 융합은 세상을 더욱더 건강하게 만들 것이다.

융합에도 법칙이 있다. 비빔밥처럼 마구 섞는다고 융합은 아니다. 여성성과 남성성의 융합에도 흔들리지 않는 기준이 있다. 여성은 여성성을 중심으로 남성성을 상황에 맞게 적절히 받아들이는 것이 조화로움으로 가는 길이고, 남성 역시 남성성을 중심으로 여성성을 상황에 맞게 적절히 받아들이는 것이 바람직하다.

　사랑은 남녀 간의 사랑이 일반적이지만, 여자가 여자를, 남자가 남자를 사랑하는 마음도 분명 존재하는 것이 현실이다. 어떤 경우에도 감성과잉이 이성을 잡아먹는 괴물로 변하고, 이성과잉이 감성을 말려 죽이는 악마로 변하지 않는다면, 결국 감성과 이성의 조화로운 삶을 위한 전제조건은 서로 다름에 대한 인정과 존중에 있는 것이다.

　거친 마초는 남자다움이고, 섬세하고 여린 감정은 여성다움이다. 남자다움과 여성다움의 결합이 남성에겐 순정마초로, 여성은 우아한 카리스마란 이름의 섬세한 자신감으로 진화한다. 음식도 옷도, 문화도, 남녀 간의 성도 가장 이상적인 조합으로 새로운 공생과 결합이 이루어지는 융합의 시대가 도래했다.

　냉정과 냉혹함 사이는 따스함과 냉정함 사이보다 훨씬 멀다. 폭염의 여름날에 따뜻하고 맑은 미소로 시원한 냉커피를 내미는 사람처럼 따뜻한 감성과 냉철한 이성으로 삶의 균형을 잡아 가는 사람에게는 버드나무보다 유연한 사고와 행동이 있다. 균형 잡힌 몸매를 가진 사람보다 더욱 매력적이지 않은가.

키높이와 눈높이,
진정한 공정이란

이젠 혁명의 시대는 막을 내렸다. 빈자와 약자, 서민들은 인간세상의 먹이 사슬을 인정하고, 주어진 지위와 역할 속에서 일상의 즐거움을 찾아야 한다. 이것은 플라톤이 말한 정의의 새로운 정립이 아니라 자본의 힘에 대한 굴복이요, 현실의 인정일 뿐이다. 왜냐하면 자본주의에서 가진 자들이 혁명을 용납하지도 않지만, 어떤 혁명도 그 과실이 빈자와 약자, 서민들에게 주어지는 일은 존재하지 않기 때문이다.

그럼 공정한 세상은 실현 불가능한 것인가? 인정하고 싶지 않지만, 그렇다. 지배세력이 말하는 공정과 정의는 사회적 약자나 빈자, 소외된 세력과 시민이 말하는 공정과 정의의 길과는 정반대이다. 서로가 원하는 공정과 정의의 잣대가 다르고 방향이 다를 때, 공정을 외치고 정의를 약속할수록 더욱 어지러운 세상이 되어 가는 비극이 연출된다.

  인생이 불공평한 것은 유치원생도 안다. 하지만 우리는 그 사실을 인정하고 받아들이려 하지 않는다. 그래서 청춘인 이십대, 삼십대에는 부와 권력을 가진 자들에 분노하고, 얼굴이나 몸매 하나로 아이돌이나 인기배우로 잘나가는 자들을 질시하고 인정하지 않는다.

  하지만 마흔 살이나 쉰 살이 되면 좀 더 현실적으로 변한다. 그러나 여전히 남들이 나보다 더 좋은 직장에 다니고, 더 좋은 집과 자동차를 타고, 비싼 음식과 양주를 먹고, 좋은 사무실에서 일한다는 사실에 화가 난다.

  우리는 여전히 세상은 공평하고 공정해야 한다는 환상을 버리지 않는다. 그래서 더 능력 있고 착한 내가 더 좋은 직장에서, 더 많은 돈을 벌고, 더 좋은 집에서 비싼 음식을 먹으면서 가족들과 행복해야 마땅하다고 생각하면서 지금 자신의 처치를 비관하고 한탄하면서 살아간다.

  우리는 지금 이 순간, 남들이 나보다 더 잘나간다는 사실을 받아들일 수가 없다. 우리는 나를 제치고 승진한 사람이, 엄청난 프리미엄이 붙은 아파트에 당첨된 사람이, 고객과 동료들이 좋아하는 사람이 내가 아니라는 사실을 참을 수 없다. 인생이 이렇게 불공평하다는 것을 도저히 견딜 수 없다. 정말 부당하다!

  더욱 받아들이기 힘든 것은 앞으로도 이러한 상황이 계속될 것이며 내 힘으로 아무것도 바꿀 수 없다는 점이다. 왜 그럴까? 답은 '세상의 이치가 그렇기 때문'이다. 그리고 앞으로도 계속 그럴 것이다. 이러한 사실을 알고 나면 세상의 불공평함에 대해 골머리를 앓거나 그 문제로 에너지를 소모하는 일이 얼마나 어리석은지 분명해진다.

우리는 태어날 때부터 사자 같은 인간, 늑대 같은 인간, 영양 같은 인간으로 태어난다. 이것을 인정할 때, 비로소 행복해질 수 있다. 사자도 먹이를 쫓기 위해서 끊임없이 뛰어야 한다. 열 번을 시도해야 한 번 성공한다. 제대로 못하면 굶어죽기 십상이다. 영양도 살기 위해서 끊임없이 뛰어야 한다.

뛰는 한, 죽을 확률보다는 살 확률이 더 높다. 사자나 영양이나 결국 '쫓느냐 쫓기느냐'의 차이일 뿐, 살아남기 위해 죽을힘을 다해 질주하는 것은 똑같다. 이처럼 사자의 삶도 겉으로 보기보다 훨씬 삭막하고 힘들다는 것이다.

결국 사자의 삶도, 영양의 삶처럼 힘들기는 마찬가지다. 대부분의 사람들이 부러워하는 돈과 권력을 가진 사람들의 삶 역시 괴롭기는 마찬가지인 것이다.

세상은 원래 불공평하다. 우리는 거기에 맞서 좀 더 정의롭고 공정한 세상을 만들기 위한 노력과 저항을 포기해서는 안 된다. 이런 식의 해법은 결코 문제를 해결할 수 없다. 일종의 사탕발림의 논리다. 불공평한 세상을 바꾸는 데 차별받고 무시당하는 빈자와 약자들의 의지와 노력만으로는 절대 안 된다.

아울러 국민들이 말하는 불공평한 세상은 지배세력에게는 공평한 세상이기에 빈자와 약자를 위한 공정한 세상 만들기와 같은 고민은 하지 않을 것이다. 설사 지배층이든 차별받는 계층이든 고민을 한다고 해도, 그저 고민에 그칠 뿐 구체적인 실천으로 나아가지 않을 것이기에, 앞으로도 불공평한 세상은 지속될 것이다.

부유층들은 흥미의 문제일 때, 밑바닥 사람들은 생존의 문제다. 러셀 크로우 주연의 영화 〈글래디에이터〉에서 검투사들의 목숨을 건 결투 장면이 떠오른다. 괴롭기는 많은 돈을 가진 자, 권력을 가진 자도 마찬가지다. 요즘은 과연 그럴까? 다시 생각하게 된다. 가난하고 고통받는 자의 괴로움과 이미 다 가진 자의 괴로움은 그 괴로움의 차원이 다르다는 것을 나이 들수록 더 절감하기 때문이다.

로마시대를 관통하면서 그 긴 기간 동안의 수많은 노예 중에서 자기 목소리를 낸 것은 스파르타쿠스가 유일하다. 그마저도 결국은 스파르타쿠스의 반란이 실패함으로써 가지지 못한 자가 신분의 벽을 넘어선 자는 아무도 없다. 그들은 다른 세상에서 산 것이다. 관건은 '과연 지금 현실의 삶에서 밑바닥 인생이나, 막장 인생, 노숙 인생이라고 불리는 사람들, 나아가 자신의 일할 거리도 찾지 못하고 길거리를 방황하는 사람들이 과연 로마시대 노예보다 나은 삶을 살고 있는가?' 이다.

같은 조건, 같은 상황에서, 생존과 생활이 맞짱을 뜨면 생존이 이긴다. 하지만 역사를 관통하면서, 지금 벌어지는 현실에서도 생존과 생활이 같은 조건에서 싸운 경우는 없었다. 귀족노조라고 비난받기도 하는 대기업이나 공공기관의 정규직 노조와 사용자와의 싸움은 평범한 생활과 최상층 생활의 투쟁이다.

생활과 생활의 투쟁에서는 무승부도 있고, 윈윈 게임이 이루어질 수도 있다. 왜냐하면 이미 생존의 두려움에서 벗어난 자들이 벌이는 투쟁은 작은 먹잇감이나 이익만으로도 은밀한 타협이 가능하기 때문이다.

하지만 처절한 생존과 생활의 투쟁에서는 장기적으로는 예외 없이 생활의 키를 쥔 자들이 승리했다. 비정규직과 시간제 노동자의 절박한 생존은 투쟁의 동력은 가지고 있지만 투쟁의 동력을 지속시킬 물적·인적 에너지가 부족하기 때문이다. 이들에게 에너지를 공급해 줄 수 있는 정규직과 안정된 직업을 가진 자들이 이들과 거리를 두고 진정성 있는 연대를 원하지 않기 때문이다.

그들은 연대가 그들의 오히려 안정적인 수입의 파이프라인을 깨뜨리며, 넉넉하지 않다고 생각되는 수입을 나누어 가지자고 할까 봐 두려워한다. 나아가 연대가 그들의 지위와 일자리를 위협할까 봐 그들은 비정규직과 함께 행동하는 것을 주저한다. 그들도 알지 못한다. 두려움 그 자체가 그들의 등에 날카로운 칼날을 박을 것임을.

정의나 공정이나 부의 분배는 실현해야 할 가치가 아니다. 그것은 지금 바로 당장 실천할 가치이기 때문이다. 외환위기 이래 일자리가 줄어들고, 정규직과 비정규직의 간극은 넘을 수 없이 넓어졌다. 건널 수 없는 강, 캐즘이 되었다.

하지만 우리는 안다. 건너기 불가능한 다리는 없기에, 소수의 사람은 그 다리를 건널 것이다. 하지만 그다음에 변하는 것은 아무것도 없다. 정부, 지배권력, 정치가들은 정규직과 비정규직의 미묘한 갈등을 즐길 뿐이다. 이들은 비정규직을 정규직으로 전환시키려는 노력보다는 은밀하고 교묘하게 정규직을 비정규직으로 만드는 일에 더 집중할 것이다.

그렇다면 국익 증가란 무엇인가. 지배계급의 이익 증가, 자본의 이익 증가, 재벌의 이익 증가, 가진 자의 이익 증가를 말한다. 기업하기 좋은 나라를 만든다며 말 잘 듣고 부려먹기 좋은 노동자, 손쉽게 자를 수 있는 노동자를 학교 시스템을 통해 기르는 데만 혈안이 된 이 나라의 자본과 권력은 몹시 간교하다.

원래 자본과 권력, 지배층, 기득권은 이기적이며, 불의한 것이다. 그들의 부와 자본의 대물림 지배구조를 공고히 하기 위해서 그들은 부려먹기 좋고, 손쉽게 버리고, 대체할 수 있는 말하는 인형들을 학교 시스템을 통해 양성하는 데만 관심을 가진다.

이처럼 정치의 본질은 오만이며, 자만이다. '내가 제일 높다'나 '내가 제일 잘났다'는 잘난 척을 넘어 오만과 자만의 뿌리 깊음을 말함이다. 그래서 더 낮은 곳에 있고, 더 어리석고 불쌍한 국민의 편에 서서 자신의 모든 것을 바치겠다고 떠벌린다. 내가 가진 힘, 권력, 능력을 그들을 위해 베풀겠다는 동정과 연민이다.

이미 가진 자가 가난하고 힘없는 약자의 슬픔과 고통에 공감하지 못하고 약간의 동정과 연민을 베푸는 것으로 할 일을 다 했다고 착각하는 사람들은 그것이 가난하고 힘없는 약자를 더욱 주저앉히고 희망의 싹을 꺾어 버리는 잔혹한 폭력이란 것을 정말 모르는 것일까?

목에 핏발을 세우며 불관용이나 제로 톨레랑스를 외치는 자일수록 자신과 자신의 가족들에게는 절대적인 관용을 적용한다. 가장 이기적인 이중 기준의 삶이다.

이는 자신과 자신의 가족은 우월한 유전자를 가진 선민으로 범죄를 저질렀어도 선의이기에 이를 바로잡아 개과천선할 수 있지만, 나를 벗어난 주변인은 범죄의 씨앗이 몸속에 있어 죽어도 이를 뉘우치고 새사람이 될 수 없기에 사회에서 근원적으로 격리해서 성 밖으로 쫓아내야 한다는 것이다. 아울러 나의 고통과 슬픔이 가난한 자들의 아픔과 고통보다 더 강렬하고 아프다고 떼를 쓰는 것이다. 인간에 대한 섬세한 감수성을 상실한 좀비의 감정이다.

큰 재난에 미리 대비하자는 것이 하인리히법칙이다. 첫째도 안전, 둘째도 안전, 셋째도 안전이라는 모토를 들고 나와도 이견이 없다. 하지만 깨진 창문 이론에는 이견이 있고, 적용에도 한계가 있어야 한다. 이것이 중용의 길이다.

이 길을 벗어나면 미다스의 손이 모든 것을 다 황금으로 만들어 버리는 지옥을 만들듯이, 깨진 창문 이론도 모든 인간관계와 사회적인 질서를 혼란스럽게 하고 파괴시키는 우를 범할 수 있다. 빈대 잡자고 초가삼간 태우는 격이 될 수 있음을 경계해야 한다. 누가 창문을 깨는가? 결국 가난하고 소외되어 절망의 막다른 골목에 이른 자들이다.

이들을 때려잡으려고 하는 것이 바로 깨진 창문 이론이다. 재벌이 창문을 깨진 않는다. 재벌은 자신들의 이익과 안전을 위하여 공정과 정의의 싹을 짓밟고, 분노로 뭉친 저항을 벽을 무너뜨리고, 법치를 박살낼 뿐이다.

하인리히법칙이나 깨진 창문 이론은 포용하는 것보다는 엄격함이 더욱 필요하다는 것이고, 상황에 따라 사소한 실수나 부주의, 규정위반을 무시할 경우엔 큰 문제로 번질 수 있다는 것에서 출발하였다. 이를 근거로 포장마차, 지하철 잡상인과 취객이나 노상방뇨만 잡아들이는 깨진 창문 이론은 서민들의 원성을 살 뿐이다.

로마제국도 결국 가진 자의 탐욕과 가난한 서민, 노예들의 폭동에 의해서 멸망한 것이다. 가난한 자의 눈에 흐르는 피 눈물을 보지 못하고 깨진 창문에 눈살을 찌푸리고 길거리 냄새에 코를 틀어쥐면서 욕만 해댄다면, 보고 싶은 것만 보는 외눈박이 괴물이며, 듣고 싶은 것만 듣는 청맹과니와 다름없다.

또 이들은 천 길이나 되는 둑도 개미구멍에 의해 무너지며, 백 척의 큰 집도 굴뚝 사이에서 새어나오는 불티에 의해 재가 되는 법이라고 말한다. 하지만 이는 깨진 창문 이론 때문이기보다는 국가의 근간을 흔드는 부와 권력을 가진 자들의 파렴치한 범죄 때문이다. 재벌이나 정치인의 범죄와 무책임한 행동으로 인해 국가 경제가 천문학적인 손실을 입고, 국민의 마음에 더할 수 없는 자괴감과 무력감, 절망감이 확산됐다면 이것이 과연 소도둑에 비할 일인가.

의리의 다른 이름은 인맥이며, 끼리끼리다. '의리'라는 말에서는 질펀한 술자리와 어둡고 은밀한 공간에서의 끈적거림이 느껴진다. 의리의 뒤끝은 그래서 심한 구린내를 풍기는 것이다.

한쪽은 배가 고파서 무기력하고 비굴한 방관자로, 한쪽은 배가 불러서 비열한 방관자가 된다. 방관자들이 넘치는 세상은 분명 불공정한 시대다.

공정과 공평이란 무엇인가? 많은 사람들이 공감하는 자본의 파이프를 통한 돈의 정직한 흐름이다. 돈과 권력을 가지면 타인을 지배하고 이용하려는 욕구가 공감의 감정을 압도하기에 공감하는 능력은 바람 빠진 풍선처럼 쪼그라들고, 한여름 밤의 꿈처럼 사라지고 만다.

경제활동의 과실이 분배시스템이란 파이프를 통해 모든 사람에게 흘러가는 것이 공정이라고 할 때, 사회적 기업이 창조경제로 가는 하나의 대안일 수 있겠다.

모든 사람에게 수돗물처럼 콸콸 자본이 흘러가는 것은 천국이 아니라 또 다른 지옥이다. 가진 자들에게는 대형 송유관처럼 거대한 자본의 파이프를 통해 돈이 흘러가고, 가난한 자들에게는 혈관처럼 가느다란 자본의 파이프를 통해 돈이 흘러가는 세상이 공정하고 공평한 세상이다.

그러나 애석하게도 이런 세상은 오지 않는다. 가장 미세한 모세혈관으로 가난한 자들에게 흘러갔던 자본의 파이프는 오래전에 막혀 버린 채, 녹슬어 버렸기 때문이다. 부와 권력을 가진 자들은 분배의 파이프라인이 아니라, 주사기를 통해 자본의 찌꺼기를 가난한 자들이 죽지 않을 만큼 주기적으로 투입해 주는 것이다.

부를 가진 한 명이 만 명을 먹여 살리는 사회가 아니라, 만 명이 먹을 것을 한 명이 다 가져가는 사회는 한없이 불행하다. 한 명의 인재가 만 명을 먹여 살릴 수 있는 것이 창조경제다.

하지만 성장의 낙수효과와 분배의 파이프라인이 작동되지 않아서 만 명이 먹을 것을 한 명이 다 가져가는 사회는 흡혈적 · 약탈적 자본주의일 뿐이다. 누군가의 말처럼, 이런 세상에서 직장은 전쟁터이고, 밖은 무간지옥이다.

인간들이 사는 세상은 넓은 의미에서 동물의 세계다. 동물의 세상은 원래 불공평한 것이다. 동물의 세상을 지배하는 법칙은 정의나 공정이 아니다. 힘이다. 하지만 그 힘은 공정한 힘이다. 얼룩말과 노루는 사자가 가진 힘을 절대적으로 인정한다.

인간의 세상을 지배하는 법칙도 힘이다. 하지만 그 힘은 공정한 힘이 아니다. 사회적 약자들은 돈과 권력을 가진 자의 힘을 두려워하고 부러워하지만 절대적으로 인정하진 않는다. 그래서 인간사회의 싸움이 동물의 세계보다 더 치열하고 비열하게 벌어지는 것이다.

키높이와 눈높이는 다르다. 키높이는 키를 맞추는 것이다. 물리적인 공평함의 추구이다. 스미소니언박물관의 노신사가 앉아서 작품을 감상하거나 어린아이와 눈을 맞추기 위해 앉아서 이야기하는 것은 단순히 물리적인 키높이를 맞춘 것이 아니다. 상대방과 눈높이, 즉 마음의 키높이를 맞춘 것이다. 그것이 공정이다.

공정한 세상 만들기를 하나의 커다란 프로젝트나 이벤트 행사와 같이 생각한다면 결코 달성하고자 하는 성과와 목표에 도달할 수 없다. 이 때문에 궁극적으로 약간의 상황이나 환경변화에 의해서도 쉽게 지치고, 쉽게 포기하게 된다. 어쩌면 시작도 하기 전에 실패로 부서지는 결과를 그리고 있을지도 모른다.

말이 헤플 때 나눔이 없고, 이벤트의 홍보에만 열을 올릴 때 행사의 알맹이는 없다. 나눔이 요란스러울 때, 진정한 나눔과 베풂이 없고, 소문난 잔치에 먹을 것이 없다. '빈 깡통이 요란하다' 혹은 '빈 수레가 요란하다'는 말은 너무나 완벽한 진리이다.

공정함도 이와 같은 과정을 겪는다. 공정을 외치는 사람이 스스로 공정하고 정의로운 삶을 살아왔다고 자만하고, 강력한 추진력으로 단기간에 공정하고 정의로운 세상을 꽃피울 수 있다는 오만과 편견에 빠져 있을 때, 공정은 시작부터 서서히 침몰해 갈 것이다.

소크라테스가 "너 자신을 알라."고 말한 것은 그것이 세상과 만인으로 통하는 유일한 통로이기 때문이다. 유아독존은 나를 인정하고 존중함으로써, 나와 다른 남을 인정하고 존중하는 것이다. 유아독존은 이해와 배려의 출발점이다. 음식 끝에 맘 상하는 것이 사람이고, 사람이 감정적으로 가장 못 견뎌하는 것이 차별받는 것이요, 무시받는 것이다. 이것이 불공평이요, 이는 이성의 영역이면서 감정의 작용이다.

현실의 처벌은 부자와 힘 있는 자들에게 너무 공정하고, 힘없고 약한 자들에게는 너무 불공정하다. 그래서 부자와 힘 있는 자들에게는 더욱 가혹하게, 힘없고 약한 자들에게는 처벌에 좀 더 관용을 베푸는 것이 균형으로 가는 길이다.

생존에 대한 고민과 노력, 저항보다 더 가치 있는 것은 없다. 공정한 세상 만들기에도 선택과 집중이 필요하다. 모든 분야에 있어서의 공정을 기대할 수 없다면, 생존이나 생계 분야만이라도 공정한 틀을 만드는 일에 집중해야 하지 않을까?

세상에서 가장
멋진 승부

동물들에게는 자기영역에 대한 애착이 본능적으로 특별하다. 늑대
의 경우, 자기 방안에 새로운 라이벌이 나타나면 영토지배권을 놓고
결투를 벌인다. 그러나 놀랍게도 인간들처럼 진짜 피를 튀기면서 사
생결단하는 잔혹하고 잔인한 싸움이 아니다. 영토지배권을 놓고 싸우
는 상징적 싸움일 뿐, 결코 상대를 죽이지도 않을뿐더러 어느 한쪽이
승리자라는 것을 인정하는 선에서 결투를 끝낸다.

우리가 일상에서 보는 것은 격투기처럼 정당한 승부이건, 일대 다
수의 비겁한 싸움이건 상관없이 패한 자나 쥐어터지고 짓밟힌 인간들
은 곧잘 분함과 참을 수 없는 모욕감에 "두고 보자, 다음엔 박살을 내
주겠다." 하면서 복수와 앙갚음을 도모하는 모습이 일반적이지만, 싸

움에 진 늑대는 깨끗하게 결과에 승복한다. 승리자가 앞에서 배를 내보이며 발라당 누워 충성과 복종을 표시하는 것이다.

드라마 선덕여왕의 마지막 장면에서 선덕여왕 이요원은 이렇게 말한다.

"미실, 당신이 없었다면 나는 아무것도 아니었을지도 모른다."

그리고 철학자 에드먼드 버크는 이렇게 말했다.

"우리와 맞붙어 싸우는 자는 우리를 더 용감하게 만들고 능력을 연마하게 한다. 적은 우리에게 도움이 된다."

하지만 현실에서 라이벌은 대부분 그렇게 멋있는 역할을 하지 못한다. 내게 가장 필요한 사람은 내 앞에서 나를 긴장시키고 자극시키는 선의의 라이벌, 나를 불태우는 사람이다. 하지만 현실속의 라이벌은 내가 나를 넘어서게 만드는 자극과 열정의 원천이 아니라 조롱과 경멸로 나를 절망하고 좌절시킨다.

멋진 승부의 전제조건은 멋진 라이벌이다. 멋진 라이벌과의 선의의 경쟁, 불타는 경쟁을 통한 멋진 승부는 서로를 끌어올리는 성장의 촉진제이자 역사 발전의 동력이 된다.

나는 액션영화를 좋아한다. 내가 좋아하는 액션영화는 브루스 윌리스의 〈다이하드〉 시리즈, 실베스터 스텔론의 〈람보〉, 클린트 이스트우드의 〈황야의 무법자〉, 게리쿠퍼의 〈하이눈〉, 아란랏드의 〈세인〉 등이다. 이들 영화에는 하나의 공통점이 있다. 주인공의 상대역인 악당들이 멋있다는 점이다.

악당들은 대체적으로 인생의 막장을 사는 사람들이다. 그래서 그들은 악한 일에 목숨을 걸고 한다. 독종들이다. 잔인하고 간교하기까지 하다. 현실의 세상에서 목숨 걸고 덤비는 독종을 당해 낼 재간이 없다. 그들은 그만큼 절박하다. 그래서 그들은 적어도 단판이나 단기적인 승부에서는 강하다. 그런 그들이 주인공의 총에, 주먹질과 발차기에 허깨비나 추풍낙엽처럼 쓰러져 가는 장면은 아무리 영화라지만 개인적으로 공감이 안 된다. 그래서 주인공만큼은 아니더라도 더없이 강하고 카리스마가 있으며, 때로는 인간적인 악당 캐릭터가 살아 숨쉬는 액션영화가 나는 더 좋다.

악당과 라이벌의 매력도가 주인공의 매력도와 위대함의 크기를 결정한다. 작용과 반작용의 법칙이다. 이현세의 불멸의 작품 〈공포의 외인구단〉에서 까치 오혜성에게 마동탁이란 멋진 라이벌이 없었다면, 공포의 외인구단이 아니라 밍밍한 외인구단으로 전락했을 수도 있다.

멋진 악당이 마초적 카리스마를 뚝뚝 흘리면서 화면을 활보하는 멋진 장면이 흡인력 강한 액션영화를 담보하듯이, 인생에서도 멋진 라이벌이나 멋진 목표가 삶을 더 매력적이고 아름답게 만드는 담보물이다.

그렇다면 현실에서는 어떨까? 당연히 현실은 영화나 만화와는 다르다. 현실에서는 앞에서 언급한 멋진 악당이나 멋진 라이벌에게 대부

• 뷰티풀라이프 88 ❷ •

분의 경우 패배하고 배반당하며, 계란으로 바위를 치는 형국 속에서 쓰디쓴 좌절과 절망을 맛볼 뿐이다. 왜냐하면 현실에서는 멋진 악당은 사실 비열한 악당을 더 닮았고, 멋진 라이벌과의 선의의 경쟁이라기보다는 나보다 돈과 권력을 더 가진 지배층들과의 기울어진 운동장에서의 불공정한 게임이 훨씬 많기 때문이다.

하지만 비록 소수이고 희소한 일이 될 수밖에 없지만, 영화나 만화처럼 멋진 악당이나 라이벌과의 승부에서 이를 극복하고 자신의 꿈을 이루거나 정상에 오른 사람에게는 결과적으로 멋진 라이벌은 그들이 삶에 있어 정말 눈물겹게 고마운 존재이다. 한번 만화 같은 인생, 영화 같은 인생의 주인공처럼 살고 싶지 않은가.

라이벌로 인해 나의 열정과 의지도 불타오르고, 나로 인해 상대방의 열정과 의지도 상승한다. 일명 '자이언트 효과'다. 하지만 인간의 어리석음과 잔인함 때문에 우리는 선의의 라이벌을 용납하지 못하기에, 모두가 패자가 되는 '난쟁이 효과'만 있을 뿐이다.

반대편이나 적, 라이벌이 필요한 이유는 내가 보지 못하는 것, 내가 느끼지 못하는 것을 보고 느끼게 하기 때문이다. 내편, 아군은 독약이 될 수 있다. 항상 달콤함만 안겨다 주기 때문이다. 좋은 약은 입에 쓰다. 달콤함으로 코팅한 언어의 유희, 언어의 마사지나 마스터베이션은 경계해야 한다. 와신상담은 현실의 역사에서도 여전히 유효하다. 절박함이 안락함보다 더 강렬하게 나를 깨어나게 하기 때문이다.

칭기즈칸의 말처럼 유목민은 성을 쌓지 않는다. 긴장감의 풀어짐,

즉 안주함의 위험성을 말한 것이다. 결국 안주함에서 나를 벗어나게 해 주는 것은 라이벌이나 적이 가져다주는 팽팽한 긴장감과 내 몸속의 열정 세포를 발딱 일어서게 만드는 절박함이다.

따라서 역설적이지만, 모든 라이벌과 적은 나를 성장시키는 디딤돌이다. 하지만 라이벌이 아무리 나의 의지를 불태워도 끝내 그를 넘어설 수 없다면, 그 좌절의 크기, 그 절망의 절벽은 너무 높고 깊다. 라이벌과의 멋진 승부가 꿈일 수밖에 없는 것이 냉혹한 현실이다.

두려움과의 멋진 승부, 공포와의 멋진 승부, 사랑과 야망과의 멋진 승부 등 우리는 영화 속에서 맞서 싸우는 장면을 좋아한다. 하지만 현실에서 사소한 것에도 맞짱 뜨기를 두려워한다. 맞짱으로부터의 도피는 책임이나 두려움으로부터의 도피처럼 본능적인 반응이다. 왜 맞짱 뜨기를 두려워하는가?

주먹싸움에서 맞짱은 깨질까 봐, 사랑 고백에서의 맞짱은 퇴짜 맞을까 봐, 고객과의 맞짱은 고객을 잃을까 봐, 목표나 꿈의 달성과의 맞짱은 실패할까 봐, 지금 일어나고 있는 감정과의 맞짱은 그 감정 속에 매몰되어 더 비참해지고 더 불쌍하고 초라해질까 봐 우리는 맞짱을 두려워한다.

하지만 두려움, 공포, 책임으로부터의 도피는 사람을 초라하게 만든다. 나아가 비참하고 삶을 너덜너덜하게 만들며, 의욕을 철저하게 상실시킨다.

•뷰티풀라이프 88 ❷

'성공의 저주', '성공신화는 독배'라는 말이 있다. 롤러코스터 인생에서 승리에의 도취, 승리에의 자만, 과거의 영광에의 집착은 무서운 대가를 치른다. '산이 높으면 골이 깊다'는 말처럼 완벽한 승리 다음엔 처절하게 완벽한 패배가 기다리고 있다.

따라서 완벽한 승리보다는 즐거운 승리를 통해 감당할 수 있는 즐거운 패배를 경험할 수 있어야 한다. 이것은 감정에 대한 이성의 담금질, 절제의 미학, 절제의 도덕이 전제되어야 한다. 돈이나 쾌락뿐만 아니라 승리나 성취의 즐거움조차도 자연스럽게 흘러가게 하지 않고 그 마지막 달콤함까지도 짜내서 취하려 한다면, 그 결과는 혹독할 것이다.

라이벌과의 멋진 승부만이 아니라 한 번뿐인 자신의 삶과의 멋지고 아름다운 승부, 나아가 사랑하는 사람들을 위한 멋진 승부를 앞두고 내 가슴은 즐거운 긴장감으로 설렌다. 자기 자신과의 싸움에서는 완벽한 승리를, 타인과의 싸움에서는 그의 마지막 자존심은 지켜 주는 즐거운 승리를, 그것이 가장 멋진 승부다.

현대사회에서
다양성의 의미

그것이 어떤 색일지라도 한 색깔로 통일된 사회, 한 색깔의 사회는 기괴하고 우울하다. 다름의 인정을 넘어 다양한 문화와 가치의 어울림이 다양성의 꽃핌이다. 강한 것보다 더 강한 것은 다른 것이다. 모두가 컬러일 때 조용한 흑백이 눈에 띈다. 그것이 단독성이고 차별성이며, 보랏빛 소가 가장 매력적인 이유이다.

자신만의 길을 절대시하여 이를 타인에게 강요하고, 추종하고, 동조하도록 하는 삶은 추악한 오만과 독단주의일 뿐이다. "새로운 것에 대한 선의, 익숙하지 않은 것에 대한 호의를 가져라."라는 니체의 말처럼, 자신의 길, 자신의 스타일, 자신의 생각과 철학이 존중받기를 원하는 만큼, 타인의 길, 타인의 스타일, 타인의 생각과 철학을 존중하는 삶이야말로 진정한 다름의 인정이며 다양성의 꽃핌이다.

지금 생각하면 어처구니없지만, 예전에는 지구가 태양의 주위를 돈다고 말했다가 죽음을 당했다. 이처럼 다른 얘기를 죽이는 잔인함은 없어져야 한다. 야만의 시대는 사라져야 한다. 다름을 인정하는 시대가 문명과 문화가 꽃피우는 시대다.

단순함에서 오는 아름다움도 있고, 획일성에서 오는 아름다움도 있다. 획일성은 빨간 장미의 축제이고, 단순함은 장미 축제이되, 빨간색, 노란색, 흰색, 파란색 등 형형색색의 장미 축제다. 다양성은 장미, 튤립 등 온갖 꽃들이 어우러진 축제다. 그래서 다양성은 다양한 꽃들의 어울림 속에서도 꽃들의 축제라는 질서가 있는 것이다. 당신은 어떤 축제에 가고 싶은가? 단순함의 아름다운 어우러짐이 바로 다양성이다.

다양성이 꽃피기 위한 뿌리는 다름의 인정이다. 우리는 다름은 나쁜 것이란 관념이 뿌리 깊게 자리하고 있다. 산업화 시대를 거치면서 목표를 향해 한 방향으로 힘을 모아 뒤도 안 돌아보고 전진하는 문화에 깊이 젖어 있어, 이로부터 빠져나오기가 어려운 것이다.

시대가 바뀌었다. 같음이 찬양되는 시대는 산업화시대와 초기 정보화시대의 대량생산 시대까지였다. 지금은 다르고 엉뚱한 생각, 기발한 아이디어, 독특한 디자인과 톡톡 튀는 개성화가 대접받는 시대다. 이런 다름을 바탕으로 한 창의성과 독특함으로 어필한 다양성만이 사람이든, 제품이든 간에 사람들의 관심을 끌 수 있다.

'첫 번째 펭귄' 효과가 '레밍효과', '원형선회이론'과 다른 점은 첫 번째 펭귄 효과는 모든 펭귄들이 살기 위해 바닷속으로 뛰어들어야 한다는 것을 알고 있지만 두려움 속에서 망설이고 있을 때, 누군가 먼저 두려움의 바닷속으로 뛰어들어 다른 펭귄도 따라 뛰어드는 것으로, 누구나 첫 번째 펭귄이 될 수 있다는 것이다.

하지만 레밍효과나 원형선회이론에서 리더를 따르는 무리에게는 자신들의 생각, 자유의지가 없다는 것이 큰 차이다. 레밍효과는 레밍이란 이름의 쥐 떼가 맨 앞에 선 쥐를 무작정 따라가다 모두 절벽 아래에 떨어져 죽는 우화 속 얘기에서 가져온 것이고, 앞선 개미가 흘린 화학물질을 따라 이동하는 습성 탓에, 선두 개미가 경로 설정을 잘못하면 무리전체가 대열에서 이탈하지 못하고 '죽음의 행진'을 계속하는 현상이 '원형선회(Circular Mill)'이다.

"앞선 자를 따르라"는 평소 개미사회를 지탱해 주던 진리였지만, 조금만 어긋나도 개미 사회 전체를 파멸로 이끄는 죽음의 행진이 될 수도 있다. 그래서 오로지 한 방향으로만 움직이는 사회는 다양한 움직임이 있는 사회보다 건강하지 못한 것이다. 획일성은 나치즘, 파시즘, 전제와 독재사회로 갈 뿐이다.

스마트폰 중독으로 고민하고 생각하는 능력, 지혜를 잃어버린 사람들은 자연스럽게 무뇌인간화, 일차원적인 인간으로 진화해 가기에

'원형선회'나 '레밍효과'에서 벗어나기가 그만큼 어렵다. 자신만의 독자적 행동이나 결정은 부재하고, 쏠림과 휩쓸림만이 난무할 뿐이다. 그만큼 스스로 결정하는 것에 자신이 없는 까닭이며, 자신의 판단보다 휩쓸림에 따른 집단의 의사결정이 더 옳을 거라는 착시 때문이다. 하지만 심리학자 어빙 재니스가 지적하듯 다양성을 거부하는 집단사고는 흔히 원형선회의 비극에 빠지고 만다.

집단사고는 일반적으로 옳은 결정을 위해서라기보다는 책임회피의 목적, 심리적 위안 목적이 더 강하다. 더불어 모든 집단사고는 동일한 이해관계로 이루어진 집단의 경우에는 집단이 내린 결정과 내 판단이 일치한다고 믿는 착각과 함께 '우리가 남이가'의 끼리끼리나 패거리 집단에서 배제되거나 배척되는 것에 대한 두려움이 너무 커서 필연적으로 획일적인 소통, 획일적인 결론에 도달할 수밖에 없다.

나라와 지역의 문화를 가장 잘 드러내는 다양한 음식 앞에서 음식에 대한 당신의 취향을 무례한 방식으로 드러내지 않고, 당신 입맛에 맞건 안 맞건 간에 인상을 찌푸리지 않듯이, 다른 사람들의 다양한 의견 앞에서 인상을 찌푸리지 말라. 다양한 국가의 다양한 음식을 그들만의 삶의 문화로 인정하고 존중해 주어야 하듯이, 다양한 사람들의 독특한 의견을 인정하고 존중해 주어야 한다.

로열패밀리나 상위 1%는 다름을 지향하는 것이 절대가치이다. 그들은 명품을 구매하지 않는다. 자신만을 위해 디자인된 자동차, 자신만을 위해 만들어진 명품 옷과 구두, 핸드백, 액세서리 등을 위해 천문학적인 돈을 아낌없이 소비한다. 이것이 과시적 소비의 극단적 형태다. 하지만 서민들은 그렇지 않다. 그들은 본능적으로 다름도 지향하지만, 그것이 자신들이 동경하고 부러워하는 계층의 생활문화일 경우에는 오히려 같음을 지향하는 이중성이 있다.

새로 산 옷이 너무 튀는 것 같아 마음에 계속 걸렸다. 하지만 입고 나온 옷을 벗을 수도 없어 그냥 입고 다니는데, 길거리에서 우연히 외제 승용차에서 내린 귀부인이 자신과 같은 디자인의 옷을 입고 있는 것을 발견한 내 아내는 놀라면서도 자신이 신분이 상승된 것 같아 기분이 붕 뜬다. 하지만 그 부인은 본능적으로 인상이 찌그러지면서 화가 치민다.

이처럼 위로 향한 동경과 아래로 향한 허영의 욕망 사이에는 건널 수 없는 간격이 있다. 자신의 사회적 위치에 따라 위로 향한 선망의 바라봄과 아래로 향한 악마의 비웃음을 흘리는 것처럼 모든 것에는 이중성의 잣대가 있다. 법의 적용은 말할 것도 없고 옷차림도, 먹는 것도, 말하는 것도, 음악이나 미술 등 예술 관람도, 사는 곳도, 여행하는 것도, 종교활동도, 스포츠나 취미활동도, 일하는 방식에서도 그렇다.

같고 싶고 닮고 싶을 때가 있고, 다르고 싶을 때가 있다. 칼로 무자르듯 분명한 기준은 아니지만 분명히 있다. '끼리끼리 어울린다'는 말처럼 같은 부류 혹은 나보다 높은 단계에 있는 부류와는 같고 싶고 더 나아가 닮고 싶다. 옷차림도, 심지어는 머리스타일까지도 말이다. 이 것이 '매칭이론'이다.

획일화된 교복마저도 일부 학교에서는 잘 디자인 된 비싼 옷으로 맞춘다. 이것은 일부 부의 과시란 측면에서 수준이 떨어지는 학교와 의 차별화를 위한 것도 있다. 같은 맥락에서 신분이나 재력을 가진 자 는 다른 사람이나 계층과는 달라야 한다. 같으면 창피하기 때문이다. 이런 다름을 통해 빈자나 서민들과 구별됨으로써 우월감과 '내가 더 잘났어!'라는 선민의식을 온몸으로 드러내고 싶어 한다.

자본은 끌어안고 자신과 다른 계층의 사람은 배제하는 사회다. 사람 은 경제적으로 나와 비슷한 사람을 제외한 다른 모든 사람을 그들만의 울타리에서 밀어낸다. 아파트로, 옷차림으로, 명품으로, 외제차로, 외국어로, 값비싼 공연 관람이나 감상으로, 고급음식으로……

부와 권력을 가진 자들끼리 어울려 사는 세상이 낙원이고 사람들이 모두가 천사라면 얼마나 재미있을까? 하지만 아니다. 그것은 또 하나 의 지옥이다. 획일성의 함정이다. 지적질하는 자는 지적질 당한다. 배제하는 자는 배제당한다. 재떨이로 흥한 자는 재떨이로 망한다. 이 것이 배제의 역설이다.

남다름이 만능은 아니다. 나만의 멋과 개성과 삶을 지향하되, 남 의 눈총을 받지 않아야 한다. 남에게 피해를 주지 않아야 한다. 무엇 보다도 내가 편하고 즐거워야 한다. 그런 남다름만이 아름답다. 그렇 지 않은 남다름은 괴팍스러움, 눈살을 찌푸리게 하는 행동이 될 수 있다. 타인으로부터 거부되고, 배제되며 나아가 지탄의 대상이 되기도 한다.

　사람들이 성공한 사람, 권력을 가진 사람, 인기가 많거나 매력적인 사람과의 연결고리를 공개함으로써 자신의 이미지를 고양시키는 것을 '반사된 영광 누리기(Basking in reflected glory)'라고 한다.
　이와 같은 위를 향한 동경과 선망, 동일시는 자연스런 감정이지만, 이런 감정은 길을 잃기 쉽다. "그 도의원, 나와 같은 고향 사람이야."라는 가벼운 동일시와 반사된 영광을 통한 자기과시는 "나 청와대에서 일하는 사람이야."라는 사기로 이어진다.
　경제학에 무차별곡선이란 재미난 것이 있다. 하지만 세상엔 무차별이란 것은 없다. 어차피 세상은 지문이 같은 사람이 없듯이 모든 사람에게 차별적이다. 이왕 다를 바에는 확 다른 것이 더 눈에 띈다. 마치 누렁소들이나 얼룩소들 가운데 초록빛 소처럼 혹은 보랏빛 소처럼 차별화하려면, 사람들의 관심을 끌고 이목을 집중시켜야 한다. 주목을 받지 못하는 차별화는 실패한 차별화다. 예를 들어, 각설이와 슈퍼맨은 특이한 외양이나 눈을 끌 수 있는 몸매로, 특이한 행동과 능력으로, 특이하고 놀라운 삶의 경험과 이룸을 통해 사람들의 관심을 집중시킨다.

　케네디가 시와 권력의 관계에 대해 언급한 다음과 같은 말은 다양성에 대해 주목할 만하다.

"권력이 인간을 교만으로 이끌 때, 시는 그의 한계를 일깨워 줍니다. 권력이 인간의 관심영역을 좁힐 때, 시는 인간존재의 풍부함과 다양함을 일깨워 줍니다."

이 시대 법치사회가
가야 할 길

가장 아름다운 소리 중의 하나가 밥상에 수저 놓는 소리라고 한다. 대부분의 사람들이 법을 말하고 법을 떠올릴 때 크리스마스트리처럼 반짝이는 기대와 희망보다 징그러운 벌레를 본 것처럼 인상을 찌푸리거나 웃음이 사라진다면, 분명 법이 밥값을 못하고 있는 것이다.

"법이란 휘두르는 자의 창이요, 방패가 아니더냐. 그래서 모순투성이인 것이고"라는 〈구가의 서〉란 드라마 속 대사가 있다. 공감할 줄 모르는 심판관과 공감하지 못하는 정치인이 '법대로 한다'는 말은 내 맘대로, 내 생각과 내 이익을 최우선으로 한다는 말과도 같다.

이성의 영역인 법의 집행이 엄격할수록 감정의 영역은 더욱 오그라든다. 법의 잣대로 보면 임꺽정도, 로빈훗도 범죄자이다. 하지만 역사에서 그들을 영웅이라고, 의적이라고 말하는 것은 그들의 행동이 법을 넘어선 정의와 공정이라는 세상과 가깝기 때문일 것이다.

법의 세계가 이성의 세계라면, 정의나 공정의 세계는 감정과 감성의 세계다. 그러면 왜, 감성의 영역인 정의나 공정은 이성의 영역인 법에 무릎을 꿇을까? 그것은 가진 자들이 그들만의 공정, 그들만의 정의라는 감성의 영역과 그것을 단단히 유지시킬 수 있는 법이라는 이성의 영역을 모두 지배하기 때문이다.

부와 권력을 가진 자들이 법을 짓밟는 전가의 보도 중 하나가 "당시에는 관행이었다."는 말이다. 관행은 누가 만드는가? 빈자와 약자가 관행을 만드는가?

아니다. 이미 누리는 자, 가진 자가 더 많은 것을 갖기 위해서 관행이란 이름으로 자신의 지위와 권력과 부를 크게 하는 것이다. "우리가 남이가"라고 내 집단끼리 서로의 이익을 크게 하고 보호막을 만들려는 꼼수에 불과한 것이다. 이것이 법 위에 법을 이용하고 농락하는 보이지 않는 힘이다.

극단으로 가면 사람을 죽이고 나서도 떳떳하게 국가의 존립과 안정을 위한 관행이라고 항변한다. 부와 권력을 가진 자신들이 하는 것은 관행이고, 사회의 밑돌인 빈자와 서민들이 하는 것은 범죄다. 자신은 천사고 타인은 악마라고 착각하는 것과 다름없다. 미망에서 깨어나기를 바라는 것은 난망한 기다림이다.

그런 의미에서 관행이란 회칠한 무덤이며, 범죄를 범죄가 아니라고 우기는 뻔뻔함일 뿐이다. 그때는 다들 그랬다는 것은 거짓이다. 가진 자들만이 그랬다. 이런 식으로 오히려 법을 집행하는 기관에서 그들에게 관행이란 이름으로 면죄부를 주는 것은 관행이 더 활개 칠 수 있도록 날개를 달아 주는 꼴이다.

이런 '눈 가리고 아웅' 하는 식의 비난과 솜방망이 처벌로는 관행을 이겨 낼 수 없다. 그래서 관행을 타파하기 위해서는 관행이란 범죄에 대해서는 더 강한 철퇴로 내려쳐야 한다. 물론 이러한 행위로 관행을 근절시킬 수는 없을지라도 말이다.

역사는 전쟁으로 점철되어 있다. 전쟁의 역사에서 가장 많이 인용되는 말들이 조국과 민족에 대한 사랑, 충성, 애국심, 희생정신 등이다. 이제는 이런 말들이 역사가 되어 간다. 인터넷 등장과 함께 폭발적으로 일어난 정보 혁명은 국가와 사회를 날줄과 씨줄로 세분화 · 파편화시킨다. 말로는 조국과 민족을 위한 봉사 · 희생 · 충성이라는 말이 넘쳐나고 애국심 고취를 호소하지만, 이미 '죽은 자식 불알 만지기'다. 이젠 누구도 조국에 대한 충성과 희생을 최우선으로 하지 않는다. 할 수 있다면 자신의 가족을 위한 희생만 있을 뿐이다.

배부른 국가가 배고픈 국민에게 충성을 요구하는 것은 너무 뻔뻔하고 파렴치한 행동이다. 배고픈 국민의 마음에 공감하는 배불뚝이 국가의 파격적인 변신이 비만인 성인이 다이어트에 성공하는 것처럼 열심히 노력하면 도달할 수 있는 수준이라면 얼마나 좋을까.

누가 군대에 가는가? 가난하고 힘없고 많이 배우지 못한 사람들은 밥숟가락 들 힘만 있어도 군대에 간다. 가난한 가족과 더 불확실하고 어두운 자신의 미래를 저당 잡힌 채, 권력과 돈이 있고 많이 배운 자들은 눈부신 건강과 육체를 지니고 있어도 군대로부터 도피할 수 있다.

풍요로운 가족과 빛나는 미래를 더욱 눈부시게 할 미래를 보장받기 위하여 국가는 누군가를 노예로 만들고, 누군가는 주인이 된다. 그래서 우리는 국가를 괴물이라고 부를 수밖에 없는 것이다. 가난한 자는 절대로 국가의 족쇄로부터 탈출하여 노예의 삶을 벗어날 수 없다. 이것이 현대인의 비극이다.

법은 힘이다. 힘은 원래 강한 자의 이익을 보호하기 위한 역사적 사명을 띠고 있다. 힘은 자석의 N극과 S극처럼 강한 자, 지배세력의 이익은 끌어당기고, 약자와 빈자의 이익은 가차 없이 밀어낸다. 만약 힘이 약자의 이익을 위해 발 벗고 나서고, 힘없는 자의 고통을 덜어주는 데 그 역할을 더욱 충실히 한다면, 그 힘은 법의 반란이며 법을 넘어선 정의로움이다.

법이란 무엇일까? 현실에서 법은 명문상으로는 약자의 권리를 최우선으로 보호하게 되어 있지만 현실은 강자의 이익을 보호하는 데 온 힘을 기울인다. 국가란 지배세력이 지배를 합리화하기 위해 만들었고, 법이란 지배세력의 지배를 유지하고 보호하기 위한 보호막으로 만들었다. 따라서 법은 피지배세력으로부터 지배세력을 보호하기 위한 고도의 전략이다. 힘없는 자들이 법의 보호를 받는 것은 태생적으로 불가능한 이유다. 가끔씩 법이 힘없는 자의 편에 서는 것처럼 보이는 것도 지배세력의 세습체계를 공고히 하기 위한 고도의 유인술이자, 책략에 불과하다.

예로부터 법은 가진 자의 수호천사이자, 보호무사며 경호원이다. 자신의 지배권력에 저항하는 사회적 약자나 생존에 내몰린 사람들, 돌연변이 같은 혁명세력으로부터 자신의 지배권력을 지켜 주기 때문이다.

법을 지키도록 하는 가장 좋은 방법은 예외를 두지 않는 것이다. 법이 예외에 휘둘리면 이미 법이 아니다. 힘 있는 자의 밥이 될 뿐이다. 관행이라는 이름의 예외, 전관예우, 경제발전이나 정치발전 공헌이라는 이름의 예외 등을 들이대면 법은 이미 설 자리를 잃는다. 관행이라는 이름의 전가의 보도를 박살내라. 그것이 법치의 출발이다.

사회적 약자나 생존이 급급한 사람들 앞에서 관행이라는 말을 들먹이는 것은 뻔뻔함을 넘어 참기 힘든 역겨움이 목구멍을 타고 넘어온다. 관행은 오로지 이미 충분하고도 넘치는 자본과 권력, 사회적 지위를 차지한 자들이 더 쉽고 편하게 자신들이 가진 것을 지키고 유지하기 위해서 만들어 놓은 편법이고 악법일 뿐이다. 관행은 범죄이다.

올바름이 정의가 아니고 힘이 정의다. 기득권에게 이익이 되는 것이 정의로움이기 때문이다. 하지만 지배권력의 이익을 위하는 무늬만 정의라고 해도, 실질적으로 지배권력의 이익이 국민의 이익에 어느 정도 부합되고 서로의 이익을 촉진하는 촉매제로 작용할 때, 우리는 그 지배자나 지배세력에 환호하고 뜨겁게 받아들일 수 있다. 그런 통큰 도둑의 단계와 시대를 딛고 넘어서야 우리는 문화대국을 실현해 나갈 수 있는 것이다.

우리에게는 법치보다는 밥치가, 즉 생존이 최우선이다. 우선 먹고 사는 문제, 일자리 문제부터 해결해야 한다. 법치도 생존에 우선할 수 없다. 인권도 종교도, 이념도 생존을 넘어설 수는 없다. 그다음이 법이다. 법치 다음에 정의와 공정의 단계로 나아간다.

그래서 '법대로 하자'나 '법으로 하자'는 말에는 인간의 따뜻한 감정이 느껴지지 않는다. 믿을 수 있지만 차갑고 메마른 이성, 합리적인 잣대의 휘두름만 있다. 법에 전적으로 의존하는 법 만능 사회, 변호사가 득세하는 사회는 감정이 메말라 버린 사회다. 감동과 공감이 스며들 여지가 없어 숨이 막힐 것 같이 답답한 사회다.

일제시대 권력과 금력을 누렸던 100명 중 99명은 일본을 어떻게 생각하느냐는 질문에 답변을 피할 것이다. 지금 가난한 자와 사회적 약자들 누구라도 그 자리에, 그 상황에 있었더라면 100명 중 99명에 속했을 테지만, 분명한 것은 지금 부와 권력을 누리고 있는 그들은 살아남기 위해서, 더 정확히는 자기 보존을 위해 조국을 등졌다는 사실이다. 누구나 그 상황이나 위치에서는 그렇게 될 수 있다고 해서 친일로 독립의 걸림돌이 된 행위가 용서되는 것은 아니다. 왜냐하면 그들은 많은 것을 가졌고 누렸으며 지금까지도 누리고 있기 때문이다.

고단하고 힘겨운 삶을 살아온 100명 중 99명은 친일을 할 수 있는 자리에 있었다면 똑같은 행동을 했을 사람들일지라도, 그들은 결국 가지지 못했고 누리지 못했으며 오히려 비참하고 가난한 삶을 살았고, 지금도 살고 있기에, 가진 자, 누린 자들에게 침을 뱉고 욕을 할 수 있다. 왜냐하면 그들 중 1퍼센트는 정말 그런 자리에 있었더라도 자신의 안위보다는 조국을 위해, 독립을 위해 조국을 등지지 않고, 좀 더 정의롭고 공정한 세상을 위해 자신을 불태울 사람이기 때문이다.

법은 엄격하고 가혹하게 적용되어야 한다. 일부의 특수한 경우를 제외하고 법의 유연성은 지배권력을 가진 사람들을 위해 남용과 왜곡이라는 이름으로 악용된다. 이 때문에 법은 지배층에게 더욱 엄하게 적용되어야 법의 형평에 맞음에도 불구하고, 그것을 기대하는 것은 너무도 순진하고 어리석은 생각이 된다. 따라서 적어도 모든 사람에게 똑같이 엄하게 적용되도록 감시의 눈길을 쏘아야 할 것이다.

법치가 무너지면 하류사회이고, 법치가 작동하면 법치사회이고, 법치를 넘어서면 문화대국이 된다. 다양한 문화가 함께 어울리는 문화대국은 정의로운 사회, 공정한 사회의 토대이다.

56

사소함이 창조하는
위대함이 아름답다

우리는 세상에 사소한 것은 없다는 것을 안다. 어떤 일이든 작고 사소하게 생각할 때, 마지막에는 사소한 것들의 역습을 받아 몰락하게 된다. 삶의 성패는 디테일에서 결정되고, 사소한 것의 위대함은 결국 디테일의 중요성을 말함이고, 이는 현실과 상상의 경계를, 익숙함과 새로움의 경계를 포용함이다.

백무산 시인은 〈거대한 것인 줄 알지만〉에서 "거대한 것인 줄 알지만 세상을 지배하는 것이 가파른 벼랑 끝 거대한 바위는 사소한 쏠림이 그의 존재성이다. 위험한 노동이나 고된 작업을 해 본 사람이라면 목숨이 옷의 실오라기 단추 하나에도 매달린 것을 안다."라고 했다.

'사소한 것이 큰 차이를 만든다'는 말은 사소한 것이 결코 사소한 것이 아니라는 말이다. 몸무게 100킬로그램의 사람이 1킬로그램을 줄이는 것은 정말 사소하다. 하지만 체급별 경기에서 몸속의 땀 한 방울까지 빼서 계체량을 맞춘 권투선수가 그 상태에서 몸무게를 1킬로그램을 더 뺀다는 것은 과연 사소한 것일까.

최고의 기록을 내기 위해 몸의 지방을 최대한 없애고 근육으로만 만든 마라톤선수가 풀코스를 자신의 최고 기록으로 완주하고 나서 뛰어온 속도로 다시 1킬로미터를 더 달리는 것은 과연 사소한 일일까. 숫자상으로는 사소하다. 하지만 그 숫자가 의미하는 상황을 이해한다면, 사소한 것이 결코 사소한 것이 아니라는 것을 우리는 안다. 그것은 엄청난 차이이며 결국 사소한 차이가 아니라, 죽기 살기로 넘어선 사람만이 그 차이를 극복하는 것이다.

가족과 함께 밥을 먹기, 아들에게 사랑한다고 말하기, 아들과 손잡고 걷기, 아침 밥상 차리기, 아내의 말에 따라 아들과 함께 앉아서 오줌 누기, 약속시간 10분 전에 도착하기, 강의나 교육 시 맨 앞에 앉기, 죽을힘을 다해서 놀기 등은 사소하지만 사소하지 않은 것들이다.

인간은 음식 끝에 맘 상한다는 말처럼 사소한 감정에 자신의 인생을 불구덩이에 처넣는 어리석은 존재다. 이런 어리석은 존재를 사람답게 만드는 것은 역설적이지만 따뜻한 한마디의 말이나 격려와 위로다. 반면에 잔인한 말 한마디는 무덤 속에서까지 사람들을 흐느끼게 만든다.

큰소리로 먼저 인사하는 것은 먼저 인사함으로써 상대방의 반응에 대한 스트레스를 없애고, 작은 소리로 인사했을 때 상대방의 무반응에서 '내 인사하는 소리를 듣지 못했나?', '나를 무시하는 건가?' 등 불필요한 상상으로 인한 찜찜함이나 불편한 마음을 없애 줄 뿐 아니라, 큰 목소리가 주는 생동감이 내 몸과 마음을 자신감과 당당함으로 물들게 한다.

빠름은 승부를 가른다. 서부 영화 속에서 뿐만 아니라 전쟁터에서도 총을 누가 먼저 뽑는가가, 100미터 달리기에서는 우사인 볼트처럼 번개 같은 질주가 승부를 가른다. 이처럼 스포츠나 전쟁 같은 극한의 상황뿐만 아니라 일상에서도 생활의 달인 등을 보면 빠름은 성공을 향한 중요한 능력의 하나임에 틀림없다.

하지만 빠름이 과욕을 부려 성급함과 조급함으로 변질되면 전혀 다른 상황이 펼쳐진다. "3초 먼저 가려다 30년 먼저 간다."는 말처럼, 조급함에 그림자처럼 따라오는 초조함, 불안감은 오히려 일을 혼란스럽고 뒤죽박죽으로 만들어 서두르다가 접시를 깨듯이 일을 더디게 만들고 망친다.

빠름은 성공의 지름길일 수 있지만, 서두름과 조급함은 실패의 지름길이다. 서두름과 빠름의 차이를 예로 들면 싸움질에 있어서 마구잡이로 주먹을 휘두르는 것은 서두름이고, 순간의 여유를 갖고 상대방의 움직임과 얼굴을 보면서 주먹을 잽싸게 날리는 것은 빠름일 것이다.

시작을 하면 관성의 법칙에 따라 앞으로 간다. 어느 정도 가다 보면 관성의 법칙이 점점 약해진다. 그때부터 역관성의 법칙이 작동한다. 마치 슈퍼 태풍의 강한 바람 속으로 걸어가는 것과 같다. 따라서 이때 역 관성의 법칙 즉, 멈추려고 하는 강력한 힘을 이기고 한 걸음 더 나아가기 위해서는 초강력 슈퍼 울트라 에너지를 발동시켜야 한다.

이 때문에 마지막 지푸라기 하나, 마지막 한걸음 더 뛰기, 마지막 한 방울의 땀이 소중하고 가치 있는 것이다. 같은 길이의 한 걸음, 같은 무게의 한 방울의 땀이지만 이를 실천하기 위해서는 관성의 법칙이 작용하고 있을 때보다 수십, 수백 배의 강력한 에너지와 의지가 필요하기 때문이다.

화룡점정, 완벽한 것은 디테일에서 온다. 그렇기에 디테일은 보잘 것 없고 사소한 것이 아니다. 평범과 비범의 차이, 실패와 성공의 차이, 스타와 슈퍼스타의 차이, 마지막 지푸라기 하나를 더 얻는 사람, 마지막 한 걸음을 더 간 사람, 마지막에 땀 한 방울을 더 흘린 사람이 비범한 사람이 되고, 성공한 삶이 되며, 슈퍼스타의 영광을 누린다.

인간과 유인원의 유전자 차이는 겨우 2%이다. 하물며 같은 인간이면서 1%의 차이가 난다는 것은 사소한 차이가 아니라 엄청난 차이다. 끌리는 사람, 성공하는 사람은 1%가 다르다고 했는데, 이는 사소한 다름이 아닌 엄청난 차이를 말하는 것이다.

실제적으로 1% 차이가 아닌 지푸라기 하나의 차이, 미세한 차이, 100미터 달리기에서 100분의 1초가 승부를 가르듯 0.1% 차이가 운명을 가른다. 우사인 볼트와 2인자들의 명성을 비교해 보라. 국보 2호나 보물 2호처럼 누구도 두 번째는 잘 기억하지 못한다. 세 번째는 이미 관심 밖이다.

1% 차이는 '잘한다'와 '매우 잘한다'의 차이이고, '만족한다'와 '매우 만족한다', '사랑한다'와 '매우 사랑한다', '고맙습니다'와 '정말 고맙습니다'의 차이다. 하지만 이 사소한 차이가 뜨내기손님과 단골을, 그냥 아는 사이와 절친한 관계를 나누는 기준이 되며, 평범과 비범을, 아마추어와 프로를, 스타와 슈퍼스타를 가르는 넘을 수 없는 차이다.

사소함이 목숨까지 구한 일이 있다. 지난 2001년 9·11테러의 생존자 가운데 한 사람은 한 달에 한 번 세계무역센터 빌딩의 꼭대기까지 계단으로 오르내리는 운동을 해왔다. 테러가 일어난 날, 그는 계단으로 내려와 목숨을 건질 수 있었다. 남들이 하지 않는 사소하고도 보잘것없어 보이는 평소의 운동이 그의 생명을 구한 힘이 된 것이다.

한 점 차이로 대학 합격 여부가 결정되고, 10년 고시공부한 사람이 빈민층이 되거나 판사가 되는 갈림길은 한 점 차이다. 삶과 죽음, 살인과 용서는 단 1초를 참느냐, 참지 못하느냐가 결정한다. 가장 위대한 사람은 작은 일에도 있는 힘을 다해 최선을 다하는 사람이고, 가장 행복한 사람은 일상 속에서 작은 즐거움을 우습게 보거나 지나치는 사람이 아니라 만끽하는 사람이다.

상식이 통하고 정의가
살아 있는 세상을 꿈꾸며

상식이 통하고 정의가 살아 있는 세상은 이상사회다. 크게 보면 상식과 정의는 같은 선상에 있지만, 굳이 구분하면 상식을 넘어선 세상에 정의가 있다. 플라톤은 〈국가론〉에서 정의에 대해 통치자나 수호자, 보조자 등이 각자 자신들의 역할을 성실히 수행할 때 정의가 실현될 수 있다고 했다.

플라톤의 '동굴의 비유'에서처럼 자신의 몸을 묶고 있는 사슬을 끊고 뒤로 돌아 본질을 보고 밖으로 나가 태양을 보아야 한다. 환영과 환상을 끌어안고 주어지고 보이는 것을 진리로 알고 사는 무뇌인간의 삶, 길들여진 노예의 삶을 탈출하기 위해서는 끊임없이 질문하고 고민하고 생각하는 삶을 살아야 지혜를 얻을 수 있다.

왜 지혜가 필요한가? 우리는 지배세력을 바꾸는 혁명을 기대할 수는 없지만, 김성근 교수의 말처럼 지혜로운 국민들은 동굴에서 두 번 방향 전환하는 지도자, 즉 사슬을 끊고 밖으로 걸어가 태양을 보고, 다시 동굴 속으로, 어둠 속으로, 낮은 곳으로 들어가는 지도자, 통치자를 뽑아서 지금보다는 좀 더 정의로운 세상으로 변화하게 만든다.

드라마 〈모래시계〉의 결혼식 장면에서 주례사 중에 '상식'이란 말이 등장한다. 거리에 휴지가 떨어지면 주어서 휴지통에 넣는 것도 상식이고, 신호등을 지키는 것도 상식이다. 가족끼리는 서로 믿고 내 편이 되어 주는 것도 상식이다. 죄를 지으면 벌을 받고, 공을 세우면 상을 받는 것도 상식이다. 국가의 임무가 국민들이 일상의 즐거움을 맛볼 수 있도록 최소한의 인간적인 삶을 보장하는 자본 분배의 파이프라인을 구축하는 것도 상식이다.

상식이 통한다는 것은 어느 정도 예측이 가능하다는 것이며, 납득이 된다는 것이다. 기성세대, 특히 자본권력을 가진 자들의 상상력은 상상을 초월할 정도로 단순하다. 문제가 생기면 고작해야 두더지 게임처럼 때려잡고 감추는 데에만 집중할 뿐이다. 문제를 따라잡고, 대안을 제시하고, 고민하고, 책임지며, 해결하는 쪽으로는 생각조차 하지 않는다. 상식으로 이해가 되지 않는다. 답이 없는 사람들이다.

상식을 뛰어넘는 사람은 기대를 뛰어넘는 사람이고, 새로운 세상, 새로운 가능성을 찾는 사람, 세상을 변화시키고, 새로움을 창조하려는 혁명가이다. 하지만 상식을 벗어난 사람은 몰상식한 사람이고, 질서의 파괴자일 뿐이다. 그는 사회의 기본 원칙과 규범을 무시하는 사람이다.

　정의를 실현해야 할 사람은 없다. 오직, 지금 당장, 여기서 정의를 실현하는 사람만이 빛난다. '패배한 정의'란 말은 모순이다. 원래 완벽한 정의란 존재할 수 없는 이상향이기에 역사 이래로 국민을 위한 정의, 서민의 정의, 백성의 정의는 존재하지도 존재할 수도 없기 때문이다. 다만, 정의를 기득권 이익의 강화를 위한 것으로 한정할 때, 정의는 불멸이고 신성불가침이다.

　사랑과 정의는 정보다 뜨겁다. 하지만 정은 푸른 소나무처럼 변하지 않고 강물처럼 마르지 않지만, 사랑과 정의는 한순간에 뜨겁게 일어났다가 거품처럼 사라지기 쉽다. 개인적으로 나는 불같이 뜨겁게 타오르거나 운명적인 사랑, 즉 완벽한 사랑이나 완벽한 정의는 실현될 수 없다고 생각하기에 영원한 사랑이라는 무지개를 잡으려고 방황하다가 무리수를 두기보다는 푸른 소나무처럼 변하지 않고 오래 사랑할 수 있는 사람과 하는 것이 더 좋다고 생각한다. 불타는 사랑은 시간이 지나면 꺼지지만, 괜찮은 사랑, 즐거운 사랑은 시간이 지나면 강물처럼 흐르는 정으로 변해 바다에 이른다.

　상식과 정의도 마찬가지다. 우선 국민들에게 먹고살 만한 생존기반을 마련해 준 다음에 각자 주어진 능력과 역할을 인정하고, 주어진 역할을 잘 수행하도록 하는 것이 자본주의 사회에서 정의가 강물처럼 흘러가게 하는 길이라 생각한다. 특히 성장의 낙수효과가 사라져 빈자와 약자, 서민에 대한 생존기반이 붕괴될 때 증오와 분노의 분출효과, 돌팔매질 효과만 높아진다.

자본주의의 피는 자본이다. 생존기반인 자본이 아래로 아래로 흐르지 않을 때 감정과 공감도, 상식과 정의도 흐르지 않고, 사람도, 세상도 죽는다. 정의로운 세상은 분명 부자들을 더욱 부유하게 만드는 것이 아니라, 가난한 사람들이 풍요로워지는 세상이다.

그러나 마지막 승자는 언제나 불의한 세력이다. 마지막에 불의가 승리하는 것은 불의가 지배세력의 대물림이라는 생존에 더 적합하기 때문이다. 그들에게 정의는 빈자와 약자, 서민에겐 불의이기 때문이다. 지배층은 언제나 자신들의 이익을 우선하며, 지배층의 생존과 이익에 부합되는 것은 약한 자의 입장에서는 불의와 불평등, 불공정과 부당이며 거짓과 위협이기 때문이다.

의리는 어둠의 건달 세계에서나 밝은 의원들 세계에서나 강자의 힘을 낭만화시킨 말이다. '우리가 남이가'란 말로 술잔을 부딪치며 의리란 말이 난무할수록, '우리는 봉이다'란 말과 함께 벽에 던져진 유리잔처럼 무참히 짓밟히고 깨져 버린 정의는 큰 신음을 토해 낼 것이다.

가진 자들의 원칙은 나만의 원칙, 나를 위한 원칙이다. 이러한 원칙은 돌덩어리처럼 딱딱하다. 생존에 목매는 서민들은 원칙이 뭔지도 모르고 별 관심도 없다. 많은 사람들이 옳은 의지, 옳은 생각이라고 말할지라도 생각과 신념은 찰고무처럼 탄력 있고 말랑말랑해야 한다. 그래야 부러지지 않고 포용할 수 있다. 하지만 지배세력의 신념은 바위처럼 단단해지면 자만하고 오만방자해진다.

십수 년 간 좁은 골방에서 사법시험을 준비한 끝에 판사가 된다고 해도, 그런 그가 누군가의 잘잘못을 따질 때 판결받는 사람의 처지를 전혀 이해하지도 공감하지도 못한다면, 나는 그 판결에 동의할 수 없다. 그럴 바에는 차라리 생년월일을 입력하면 사주풀이가 나오는 기계를 개조해서 5천 원을 넣고 저지른 범죄를 입력하면 형량이 술술 나오는 기계에 맡기는 것이 차라리 나을 수 있다. 정의의 실현은 경험과 따뜻함, 인간에 대한 깊은 이해와 공감을 바탕으로 하기 때문이다.

기업인이 국가경제에 대한 기여를 들먹이고, 정치인과 권력자가 국가에 대한 기여를 들먹인다면, 서민들 역시 소비를 통한 국민경제에 대한 기여와 공로를 인정해 주어야 한다. 4만 원에 1년 6월, 현대판 장발장 같은 처벌은 힘없는 약자의 가슴에 상처를 주고, 힘없는 약자들의 자존심에 깊은 상처를 준다.

사람은 칼에 베인 상처보다 자존심을 베인 상처가 더 깊고 오래 간다. 그래서 법은 약자보다 강자에게 더욱 추상같아야 한다. 그것이 정의다. 왜냐하면 정의는 균형이고 따뜻한 법치이기 때문이다. 법이 강자에게 더욱 엄격하고 분노가 강한 자를 향해 폭발할 때, 힘과 권력이 한 걸음이라도 균형으로 다가갈 수 있기 때문이다. 법이 이성의 영

역이라면, 정의는 감성이라는 마음의 영역이다

그래서 정의가 없는 사회는 정이 없는 사회다. "흐르는 강은 막을 수 있지만, 흐르는 정은 막을 수 없다"고 한다. 쏟아내는 말을 막을 수 있지만 솟구치는 감정을 막을 순 없듯이, 말의 오고감에는 불통이 있을 수 있지만, 진실한 마음의 오고감에 불통은 없다.

사람 사이에 정이 흐르는 것은 피가 통하고 숨 쉬는 것처럼 자연스러운 것이다. 하지만 피가 제대로 통하지 않고, 산소가 부족한 곳에서는 생명이 살 수 없듯이, 사람 사이에 정이 흐르지 않는 것은 죽은 사회, 병든 사회, 비정한 사회가 되는 것이다.

모든 사람들이 만족하는 완전한 정의는 존재한 적도 존재할 수도 없다. 왜냐하면 국민에게 정의는 기득권에게는 불의이기 때문이다. 어떤 기득권층도 자신들에게 불의한 정의를 수용하지는 않는다. 일시적으로나마 정의로운 세상을 만들기 위해서는 아래로부터의 혁명에 의한 새로운 세상을 만드는 것인데, 이러한 새로운 세상도 어느 정도 시간이 흐르면 자연스럽게 새로운 기득권층이 만들어져 빈자와 약자, 서민들에게 정의로운 세상, 즉 기득권층에게 불의한 세상은 절대로 오지 않는다. 인간의 사고와 행동은 의식적으로 또는 무의식적으로 자신의 처한 집단이나 입장에서 자유로울 수 없다. 슬프지만 이것이 인간의 굴레이며, 벗어날 수 없는 운명이다.

사회는 걸어 다니는 지뢰밭 같은 인간들로 득실거릴 것이다. 법의 상실시대다. 따라서 법은 가혹하리만큼 엄하고 정의롭게 집행되어야 한다. 법의 상실보다 두려운 사회는 개념의 상실이다. 개념의 상실보다 위험한 사회가 양심의 상실이다. 우리는 법의 상실을 넘어 개념의 상실, 양심의 상실 시대에 살고 있다.

그렇다면 정의로운 사회란 무엇일까. 그 말의 현란함과 아름다움보다는 그 허망함과 공허함이 더 크게 느껴지는 말이다. 원하지 않는 자유, 지리멸렬한 자유처럼 지리멸렬한 정의, 고여 있는 저수지처럼 아래로 아래로 흐르지 않는 정의, 설 자리를 잃어버린 회칠한 정의는 타락하고 부패하며 곪아 썩어 가는 사회를 만든다.

정의에도 단계가 있다. 1단계의 정의는 원시적 정의, 시혜적 정의로 임꺽정, 홍길동, 로빈후드 같은 영웅에 의해 실현되는 정의다. 1단계의 정의는 독재국가나 후진국에서 꿈꾸는 정의이자, 의적과 선의의 독재자가 만들어 가는 정의로, 자갈밭의 유리컵처럼 언제 깨질지 모르는 위태롭고 불안정한 정의이다.

2단계의 정의는 나눔의 정의, 착한 자본주의 사회에서 꿈꾸는 정의이고, 3단계의 정의는 위대한 문화국가에서 실현이 가능한 정의이다. 김구 선생의 〈백범일지〉 중 "내가 원하는 우리나라"의 첫머리는 언제나 나를 설레게 한다. 그는 말한다. 우리나라가 세상에서 가장 부강한 나라가 되기를 원하는 것이 아니라, "우리나라가 세계에서 가장 아름다운 나라가 되기를 원한다."고.

역사 이래로 이런 사회는 없었고, 앞으로도 오지 않을 것이다. 하지만 이와 가까이 갈 수 있은 사회를 꿈꾸는 것이 역사의 창조적 진화 과정이다. 따라서 3단계의 정의로운 사회는 도래할 가능성이 거의 없다. 만약 3단계의 정의로운 사회가 도래하면 현재의 자본주의는 새로운 체계로 바뀔 것이다. 자본주의는 정의로움이 들불처럼 번지는 사회와는 양립할 수 없기 때문이다.

〈작은 꽃〉이나 〈키다리 아저씨〉의 자발적으로 나누는 삶의 확산이 2단계의 정의가 살아 있는 사회이며, 나누면서 다 같이 더불어 잘사는 길을 찾고 지원하는 사회가 3단계의 정의가 실천되는 사회로 살맛나는 세상이다. 마이크로 크레딧 운동은 이런 상급 단계의 정의 실천을 위한 현재 진행형의 사례라 할 수 있다.

재벌총수나 정치인에 대한 국가 경제에 대한 기여, 국가 발전에 대한 기여를 고려하여 감형하고 집행유예를 선고하는 일이 관행이 된 사회다. 그들이 적법한 방법으로 지위와 영향력에 걸맞은 사회적 기여를 했을 때, 그들은 사회적인 관심과 존경을 한 몸에 받는다. 이는 그들이 자신의 지위와 영향력에 걸맞지 않는 행동이나 지위 남용 등을 통한 범죄를 저질렀을 때는 그만큼 사회적으로 영향력이 큰 해악을 끼쳤기에 훨씬 더 무거운 처벌을 하는 것이 사회적 형평에 부합된다.

잘할 때는 온갖 칭찬과 관심, 존경을 한 몸에 받고, 잘못할 때도 그에 걸맞지 않는 솜방망이식 가벼운 처벌을 받는 데 그친다면, 사회적 형평 운운하기에도 낯부끄럽다. 그것은 사회가 정의롭지도, 공정하지도 않을뿐더러 부와 권력에 따라 사람의 가치가 정해지는 불평등하고 야만적인 사회임을 드러내는 것에 다름없다.

힘을 가진 범죄자들이 법을 두려워하는 사회가 정의사회다. 힘이 없는 범죄자들이 법을 두려워하는 사회는 법치사회다. 힘을 가진 범죄자들이 법을 두려워하지 않는 사회는 공포사회다. 힘이 없는 범죄자들이 법을 두려워하지 않는 사회는 무법사회다.

정의로운 세상은 다윗이 골리앗을 항상 이기는 세상처럼 불가능하다. 다윗이 골리앗을 이긴 경우가 인간의 역사 속에서 극히 적었던 것처럼, 생존이 생활을 이기는 일은 거의 일어나지 않을 것이다. 하지만 적어도 빈자와 약자, 서민이 자신들의 생존기반을 지키기 위한 저항과 투쟁은 가열하게 지속되어야 한다.

우리는 절대적으로 정의로운 사회, 공정한 사회는 존재하지 않으며, 정의나 공정은 안타깝게도 중간이 없다는 사실을 알아야 한다. 정의롭고, 공정하지 않다면 부정의하고 불공정하기에 우리는 정의로의 길을 포기할 수도, 포기해서도 안 된다.

정의로운 세상이 되기 위해서는 정의가 흘러온 구석구석에 스며들어야 한다. 그렇다. 정의가 비처럼 내려 구석구석에 스며들지 않으면 극한 가뭄에 마른 논바닥이 쩍쩍 갈라지듯이 우리는 날마다 죽음을 목도할 것이다. 사람들의 죽음을, 정의의 짓밟힘을……

시스템이 제대로
작동하는 사회

브라질 로마 가톨릭 교회 대주교 돔 헬더 까마라는 이렇게 말했다.

"내가 가난한 이들에게 먹을 것을 나눠 주게 하자 사람들은 나를 성인이라 불렀다. 그런데 내가 가난한 이들에게 왜 먹을 것이 없는지 따져 물으면서, 그런 사회구조를 바꿔야 한다고 하자 사람들은 나를 사회주의자라고 부른다."

이것이 현실이다. 인간 피라미드 모형에서 인간 피라미드에서 가장 아래 있는 사람들이 가장 강하다. 인간 피라미드의 최상층부에 있는 사람들은 아래 있는 사람들을 짓밟고 올라선 사람들이다. 어떻게 보면 가장 약한 사람들이 가장 최상층부에 있는 것이다. 자연계의 먹이 사슬처럼 인간계의 먹이사슬인 인간 피라미드 모형에서 인간들은 각자의 역할을 충실히 수행한다. 피라미드의 가장 밑바닥에 있는 빈자와 약자, 서민들은 어깨를 짓누르는 어려움에도 불구하고 무너지지도, 주저앉지도 않았고, 앞으로도 피라미드가 무너지지 않도록 끝까지 견뎌 나갈 것이다.

부와 권력을 가진 자본권력은 밑돌이 무너지지만 않는다면 밑돌이 웃고 있는지, 울고 있는지 관심이 없다. 그들에게 밑돌은 피라미드의 밑을 받치는 역할을 하는 밑돌 그 이상도 그 이하도 아니다. 우리는 우선 행복한 밑돌, 웃는 얼굴의 밑돌이 되어야 한다.

일상의 혁명과 생존에 대한 뜨거운 외침과 저항, 생존을 위한 절박하고 강렬한 연대와 행동을 통해 분배의 파이프라인을 건설하고 이를 통해 자본이 밑돌들에게 흘러가는 시스템을 구축해야 한다. 분명한 것은 빈자와 약자들의 저항과 단결로 이를 쟁취하지 않을 때, 자본권력은 절대로 분배의 파이프라인을 만들어 주지 않을 것이란 사실이다.

"열심히 일하면 잘살 수 있다. 허리띠를 졸라매면 잘살 수 있다. 희망을 가지라."고 말한다. 어쩌면 그들의 말대로 열심히 일하고, 허리띠를 졸라매면 경제적으로 돈을 좀 더 모을 수 있을 것이다. 이것은 한 줌의 진실만 있을 뿐이다.

대부분의 사람들은 주위의 아름다움과 즐거움을 포기한 채 모든 에너지를 오로지 파리를 잡기 위해 집중하면서 사는 개구리처럼 일상의 즐거움을 포기한 채 오로지 돈을 모으기 위해 일만 하다가 결국 몸과 마음이 병들어, 그동안 모아 놓은 돈을 관절염과 치매 등 병원비로 사용하여 가진 자의 주머니를 채워 주거나, 삶의 고단함에 지쳐 어쩔 수 없이 빠져들게 되는 도박이라는 마지막 도피처에서 죽음을 유혹하는 도박에 중독되어, 남아 있는 주머니의 먼지까지 탈탈 털어 가진 자의 주머니에 넣고, 죽기 전까지 도박을 굴레를 벗어나지 못하다가 마침내 좀비처럼 죽어 간다.

정부의 사행산업이나 빈자의 경제학은 결국 배고픈 소크라테스를 죽음의 벼랑으로 밀어 버리는 악마의 유혹이다. 흡혈적이고 냉혈하고 비열한 자본주의다.

자본주의는 시스템에 의해 작동되는 체계다. 시스템에 의해 돈이 잘 돌아가고, 돈 시스템에 의해 작동되는 사회다. 시스템은 돈이라는 금융시스템을 축으로, 감시와 통제, 권력과 정치, 행정과 사법시스템이 거미줄처럼 가진 자의 이익 창출과 대물림 강화를 위해 작동한다.

자연의 역사는 먹이사슬이라는 엔트로피 법칙에 의해 움직이지만, 인간의 역사는 '힘'이라는 가진 자의 이익이라는 엔트로피 법칙에 의해 움직인다. 이에 따라 정의와 공정, 자유보다는 부정과 불의, 거짓과 힘이 지배하는 역사가 무한 반복하면서, 인간의 역사는 몰락이란 종착역을 향해 가는 브레이크가 고장 난 기차의 운명과 같다.

소설가 공지영 씨는 〈도가니〉에서 "가진 자가 가진 것을 빼앗길까 두려워하는 에너지는, 가지지 못한 자가 그것을 빼앗고 싶어 하는 에너지의 두 배라고 한다. 가진 자는 가진 것의 쾌락과 가지지 못한 것의 공포를 둘 다 알고 있기 때문이다."라고 했다.

가진 자가 자신의 것을 지키려는 의지는 상상을 초월할 정도로 강하다. 그래서 가진 자는 자신의 가진 모든 힘과 시간을 자신의 것을 지키기 위해서 사용한다. 그것이 국가라는 시스템을 만들고, 그들만의 리그를 형성하며, 절대로 무너지지 않을 성벽과 보호막을 갖추고서도 반역을 꿈꾸는 사회적·경제적 약자들의 움직임을 끊임없이 감시하고 회유하고 조종하는 이유다.

시스템이 공정하고 제대로 작동한다는 말은 자본주의 사회에서 늘어난 부가 모든 사람들에게 골고루 배분된다는 의미이다. 하지만 시스템의 작동으로 부와 권력이, 이미 부와 권력을 가진 자들에게는 나이아가라 폭포처럼 흘러가고, 빈자와 약자들에게는 병아리 오줌 누듯이 찔끔찔끔 흘러간다면 그것은 세상에서 가장 슬픈 시스템의 작동이다. 왜냐하면 시스템이 제대로 갖추어지지 않은 사회에서는 사회 곳곳에 빈틈이 있어 소위 '개천에서 용난다'는 말도 통용이 되었지만, 시스템이 가진 자들만을 위해 작동될 때는 가지지 못한 대다수의 국민들에게는 그 조그만 빈틈조차도 허락되지 않기 때문이다.

영화는 말한다. 국가 시스템은 정당하다고, 다만 소수의 부패한 관료들이 있을 뿐이라고. 과연 그럴까? 보이지 않는 세계(시스템이라는 괴물)를 헤라클레스 같은 영웅이 홀연히 나타나서 이를 부숴 버릴 수 있을까? 가진 자, 힘 있는 자, 지배세력의 최후 보루는 국가 시스템이다. 가진 자, 힘 있는 자는 수많은 방화벽과 보호막을 만들어 놓고 있다. 긴 역사를 통해 가진 자, 힘 있는 자의 방화벽을 깨부수고 새로운 세상을 열었던 세력도, 시간이 지나면 단 한 번의 예외 없이 국가 시스템이란 괴물의 아가리에 한입으로 먹히거나 그들이 새롭게 가진 자, 힘 있는 자로 자리바꿈을 하거나, 이전의 세력에게 다시 밀려나게 된다.

역사에서 혁명 등의 이름으로 정의와 국민이 승리하고 역사의 주인공으로 나선 경우도 있다. 이것은 역사 속의 찰나와 같은 하나의 점이며 사건일 뿐이다. 결국 부정과 불의, 불공정이 곧바로 역사의 전면에 다시 등장한다. 이것은 당연한 결과이다. 왜냐하면 바퀴벌레보다 강한 생명력으로 지배층의 생존에 대한 의지가 부정과 불의, 불공정을 앞세워 지배층끼리의 '우리가 남이가'라는 끈끈한 연대를 되살아나게 하기 때문이다.

불행하게도 국민이 주인이 되는 정의롭고, 공정한 국가작동 시스템은 존재한 적도, 존재할 수도 없을 것이다. 역사는 국민이 결정하는 것이 아니고 불의와 부정, 부패와 불공정이라는 철갑옷으로 무장한 지배층이 최후의 승리자이자 역사의 주인공으로 역사를 만들어 가고 해석하는 힘을 가지고 있기 때문이다.

시스템은 약속이며, 시스템은 예측가능성이다. 안타깝게도 지배계층만을 위한 약속의 보증이고 예측가능성이다. 그래서 가진 자들을 위해 작동되는 국가 시스템은 가진 자들에 의한 자본과 권력의 영속적인 대물림을 보장할 것이라는 것을 예측할 수 있으며, 국가의 대형 참사에서 보듯 빈자나 사회적 약자에 대해서만 제대로 작동하지 않는 시스템은 사람의 이성을 마비시키고, 사람들의 감성을 황폐화시키는 어이없는 국가의 모습으로 다가온다.

우리는 나누어진 세상에 살고 있다. 우리는 세상을 이승과 저승, 이 세상과 저 세상으로 구분한다. 하지만 상품도 세분화되듯이, 이승의 세상도 초세분화 되어 간다. 상품도 명품과 브랜드, 중저가와 재래시장의 저가 상품으로 구분되고, 이들 간의 이동은 현실적으로 불가능에 가깝듯이, 우리가 사는 세상도 구분된다. 명품의 명성이 이어지듯이, 경제적 · 정치적 · 문화적 지위와 권력을 세습하면서 자기들만의 명품 세상과 그들의 비위를 맞추면서 명품 세상으로의 편입을 갈구하는 브랜드 세상, 그리고 이제는 점점 홀쭉해지는 서민들의 세상인 중저가 세상과 빈자와 약자가 살고 있는 저가의 세상과 가장 밑바닥 하층에 싸구려 세상이 있다.

당신은 어떤 세상에서 살고 있는가. 불행하게도 내가 사는 세상에서 다른 세상으로의 이동, 다른 말로 계층이동, 사회적 신분이동이나 상승은 점점 불가능해져 가는 세상이 되었다. 돌려 말하지 않는다면, 빈자와 약자, 서민들 대부분은 죽을 때까지 중저가와 저가의 세상에서 벗어날 수 없다는 말이다. 이런 세상에서 적어도 당신은 구조적

악, 시스템의 악마성을 볼 줄 알아야 한다.

시스템은 근본적인 해결은 아니지만, 지속적이고 합리적인 해결이다. 하지만 대다수의 국민을 위한 국익이라면 그 국익에는 국민의 땀과 노력에 대한 대가가 포함되어 있어야 한다. 대다수 국민의 공감을 얻지 못하는 국익이라면, 이는 허울뿐인 국익이며, 미명에 불과하다. 오히려 지배권력을 위한 사익의 탈을 뒤집어썼을 뿐이다.

그렇다면 시스템이 제대로 작동한다는 의미는 무엇을 말하는가. 피라미드의 대부분을 차지하고 있는 깜깜한 부분에서는 희망고문과 탈락의 불안이 넘실거린다. 그 피라미드 위에는 거만한 별이 반짝인다. 이 별은 너무 멀어 다가갈 수 없는 세계에 존재한다. 그 피라미드의 정점에서 내려다보면, 까마득한 아래의 어둠 속에서 깜박깜박 빛나는 부분은 게임이나 장난감 속의 캐릭터에 불과하다. 그들의 손에 의해 조종되고 통제되는 말하는 인형들일 뿐이다.

말하는 인형들 간의 피 튀는 싸움은 말하는 인형들에겐 생존을 위한 치열한 전쟁이지만, 저위 에서 거만하게 빛나고 있는 별들에게 물어보면 이들은 "재미있다"고 말한다. 말하는 인형들 간의 전쟁은 이들에겐 무료함을 달래주는 놀이일 뿐이다.

모든 시스템은 태생적으로 시스템을 만든 사람을 위해 작동하게 되어 있다. 누가 시스템을 만들었는가? 기득권이, 권력과 재력을 가진 세력이다. 따라서 시스템이 국민을 위해 작동되지 않는 것은 너무도 당연하다.

하지만 시스템이 권력과 재력을 가진 기득권층의 이익만을 위해 작동할 때, 기득권층의 입장에서는 시스템은 너무 편리하고 효율적인 마법의 램프일 수 있지만, 시스템의 지배를 받는 소외되고 힘없는 자들의 입장에서시스템은 킹콩이나 티라노사우루스와는 비교도 할 수 없을 만큼 강하고 무시무시한 괴물일 뿐이다. 이젠 헤라클레스나 삼손이 환생한다 해도 도저히 이길 수 없다. 이것이 시스템의 두 얼굴이며, 시스템의 역설이다.

대한민국의 주권은 국민에게 있다. 하지만 국민은 주권을 갖는 대신에 권력과 금력을 잃어버렸다. 권력과 금력은 국가를 통치하는 정치와 경제, 사회와 문화 영역의 지배세력에게 있다. 따라서 국가의 이익은 지배권력의 이익이며, 이것이 국익이다. 불행하게도 국익은 자본과 같은 제로섬 게임이기에 지배세력의 이익이 늘어날수록 일반 국민의 이익은 줄어들 수밖에 없다.

제로섬 사회는 피 튀는 경쟁 사회이며, 정글의 법칙이 지배하는 사회이다. 힘센 자, 가진 자가 왕이 되는 사회이다. 힘없는 자들은 기득권층으로 통칭하는 지배권력의 먹잇감이 될 수밖에 없는 비정한 사회다. 불공정하고 불의가 득세하는 사회다. 국익이 Non-zero sum 게임이 될 때, 우리는 이를 공정한 사회, 정의로운 사회라고 한다. 지배세력의 이익이 늘어날수록, 일반 국민의 이익도 비례하여 늘어나는 사회이다.

이처럼 지배세력의 이익이 늘어날수록, 일반 국민의 이익이 늘어나는 사회는 이상사회, 유토피아다. 하지만 현실처럼 지배세력의 이익과 못 가진 자들의 이익이 트레이드오프 관계에 있는 사회는 잘못된 세상이다. 이것은 마치 절망으로 가는 기차를 탄 것과 같다.

"상류층의 삶은 기나긴 일요일이다. 농부의 삶은 기나긴 평일이다."라는 말처럼 가난하고 소외된 사람을 고단하고 비참하고 비열하며 비굴하게 만드는 사회라면, 그것은 하나의 거대한 폭력이다.

보이는 계급이 존재하는 사회에서는 역사적으로 호수가 뒤집어지듯이 기존 계급의 뿌리를 뒤흔드는 커다란 혁명이 가능했고 실제로 일어났다. 하지만 분명히 존재하지만 안개 속이나, 어둠 속에서 대상이 어릿어릿하게 보이는 것처럼 무너뜨려야 할 계급이 잘 보이지 않는 현대사회는 지배계급의 뿌리를 흔드는 커다란 혁명이 불가능하다.

혁명의 대상과 목적이 잘 보이지 않기에 혁명의 에너지, 분노의 에너지를 결집할 수 없다. 삶에 지친 자들의 살기 위한 무기력한 저항만이 존재할 뿐이다. 문제가 보이지 않는다. 적이 보이지 않는다. 타깃이 보이지 않는다.

적이 보이지 않는 세상, 타깃이 보이지 않거나 사정권에서 벗어나 있는 세상은 혁명이 사라진 세상이다. 이제 혁명은 역사 속에 화석이 되어 갈 것이다. 우리가 최상위층, 지배층이라고 이름붙인 집단은 실제 지배층의 빙산의 일각이다. 그들은 투명망토의 찢어진 틈으로 보이는 지배층의 극히 일부일 뿐이다.

가끔 너무 탐욕스럽거나, 정신이 나갔거나, 가진 자의 영속 시스템을 강화하기 위한 희생양이 필요할 때, 투명망토를 쓰고 있던 타깃이 망토를 벗어던져 그 실체를 드러내게 된다. 하지만 이처럼 사막의 오아시스처럼 희귀하게 눈에 띄는 보이는 타깃조차도 겹겹으로 둘러싼 총알받이와 불멸의 방어시스템으로 보호받고 있어, 미션 임파서블을 가능하게 하는 톰 크루즈도 쉽게 뚫을 수 없다.

　현대사회의 복잡한 계층의 밑바닥에는 암흑 속에 존재하면서 영향력이 전혀 없는 사람들이 있다. 이들은 누구의 관심도, 두려움도 불러일으키지 못하는 존재이다. 철저하게 소외되고 버려지고 격리된 존재다. 노숙자와 부랑자, 정신이상자나 홀로된 노인과 병자, 중증장애인 등이다.

　그 위에 있는 계층은 사회로부터 낙오된 존재로, 일부는 낙오의 책임을 타인을 향해 적개심과 증오를 폭발시킨다. 이들은 하루벌어 하루를 먹고사는 사람들로, 대표적인 예가 도시와 농촌의 빈민이나 철거민, 윤락녀, 단속원을 피해 다니는 생계형 포장마차들이다. 이들은 자신들이 살아 있음을 드러내기 위한 마지막 몸부림으로 일탈과 범법행위를 저지르기 쉽다.

　존재감이 없는 사람들, 유령 같은 사람들, 보이되 보이지 않는 사람들, 쓰레기처럼 함부로 취급되고 버려지고 조롱당하는 존재들, 스스로를 버러지라고 자조하면서 사는 사람들, 그들에게는 이 세상 어디에도 비상구는 없다. 그래서 때때로 그들은 저 세상으로의 탈출을 시도한다.

그다음 단계가 비정규직, 영세한 자영업자, 사회로의 진출구가 막혀 버려 사회생활을 하기도 전에 학자금 대출 등을 통한 부채의 무게에 어깨가 부서질 것 같은 학생 등이다. 이들은 집단화된 저항이 가능하고 어느 정도 사회에 영향력을 미칠 수 있다. 이들에게는 먹고사는 생존의 영역과 아울러 최소한의 인간다운 삶을 요구하는 생활의 영역이 중첩된다.

다음 단계는 정규직, 일정 규모와 수입을 창출하는 자영업자 등이다. 이들이 내건 노동자란 이름은 허울일 뿐이고, 내심은 지금 누리는 생활의 유지 확대에 있다. 따라서 이들은 아래 계급과의 제휴나 협력에는 등 돌리고 궁극적으로 계급사회의 상위단계에 있는 사람들과 전략적인 제휴로 돈의 권력 앞에 타협할 가능성이 높다.

이들의 위 단계는 구별이 무의미하다. 다만 돈과 권력과 명예를 뒤섞은 다음 상위 5%, 상위 1%, 상위 0.1%니 하는 기득권 세력의 세분화만 있을 뿐이다.

자본과 권력을 가진 자도 양심이 있고, 관용이 있고, 공감할 줄 알며, 사랑도 베풀 줄 안다. 하지만 그들이 자신들의 지배를 대물림하기 위해 만든 국가 시스템에는 양심도, 관용도, 사랑도 없다. 오로지 광기만이 존재할 뿐이다. 개인에게는 관용이 있지만, 집단에게는 관용이 없다. 개인에게는 공감이 있지만, 집단에게는 광기가 있다. 개인에게는 이해가 있지만, 집단에게는 불신이 있다. 개인에게는 사랑이 있지만, 집단에게는 증오가 있다. 보편적 인간들에게 양심과 관용과 이해와 사랑이 있지만, 1%의 지배집단에게는 자신들의 이익과 기득권 유지라는 집단적 광기가 있을 뿐이다.

사람 위에 법이 있고, 법위에 권력이 있다. 이때 권력은 정치권력, 경제권력, 한마디로 '힘'이라고 할 수 있다. 이런 대단한 힘 위에는 무엇이 있을까? 힘 위에는 부패와 이권과 사리사욕이 얽힌 이해관계가 있다. 이런 이해관계의 정점이 정경유착이다. 여기에 언론의 이해관계까지 얽히면, 어떤 경우에도 그 이해관계의 핵심에 접근할 수 있는 길은 차단된다.

권력, 지배층의 이익과 국민의 이익은 배치될 수밖에 없기에 그들은 지배 권력의 유지와 강화를 위해 온갖 교묘한 술책과 교언영색으로 국민을 현혹하고 기만하고 조종한다. 불행한 것은 국가 권력, 경제 권력의 기만이 워낙 교묘하고 은밀하게 시스템 상에서 이루어지기에 대부분의 국민들은 자신들이 기만당하고 있다는 사실을 모른다는 점이다.

국민이 국가를 위해 존재하는 것이 아니라, 국가가 국민을 위해 존재해야 한다. 가진 자, 힘 있는 자는 약하고 가난한 자를 위해 존재해야 한다. 부모의 역할이 가족을 즐겁고 가슴 뭉클하게 하는 것이고, 국가나 정치인의 역할은 국민을 즐겁고 가슴 뭉클하게 하는 것이다. 고속도로에서 역주행하는 차처럼 빈자와 사회적 약자, 서민들이 오히려 가진 자, 힘 있는 자를 위해 존재하는 사회나 세상은 이미 지옥이다.

시스템이 숫자를 조작할 때 무서운 함정이 된다. 시스템은 원칙을 매뉴얼화하고 체계화한 것이다. 그래서 시스템에도 원칙처럼 융통성과 따뜻함이 함께해야 한다. 결국 시스템을 살아 숨 쉬게 하는 것은 감정의 흐름, 감정의 교류다. 아래쪽으로, 즉 약자와 빈자, 서민과 지배세력에 저항하는 자들에게만 바위처럼 단단하고 강력한 감시와 통제가 존재하고, 위로의 감시나 통제가 존재하지도 작동하지도 않는 시스템은 불공정한 시스템일 뿐이다.

위에 언급한 위험성이 있음에도 불구하고 시스템이 필요한 이유는 인간의 본성 때문이다. 인간은 감정의 동물이다. 감정은 본질적으로 비합리적이고 예측불가하며, 특히 집단 감정은 극단적인 방향으로 변질될 위험성을 잉태하고 있다.

따라서 통제와 예측이 불가능한 감정보다는 집단이성의 무수한 시행착오를 거친 시스템에 따라 움직이는 세상이 훨씬 예측가능하고, 삶의 안정성을 유지하게 만든다. 특히 현대사회처럼 복잡한 이해관계와 갈등이 씨줄과 날줄로 얽혀 있는 시대에는 다른 어떤 시대보다도 제대로 된 시스템에 의한 지배와 작동이 요구된다.

적어도 나는 모든 국가 시스템은 태생적으로 괴물의 DNA를 가지고 있다고 본다. 국가 시스템이 천사가 될 수는 없다. 우리가 해야 할 일은 시스템이 괴물로써 악행만 자행하는 것이 아니라 선한 괴물이 되게 개조하는 일이다. 그것이 그나마 현실적으로 가능한 접근방식이다.

　내가 '지금, 여기'에서 지배계급의 이익을 향유하고 있지 않는 한, 우리는 성장을 통한 국익의 증대를 기뻐해서는 안 된다. 역사적으로 지배계급이 더욱 부유해질수록 가난하고 소외된 계층의 아픔과 슬픔에 공감하는 능력은 더욱 떨어진다. 부와 권력의 크기와 공감의 크기는 반비례하는 공감 체감의 법칙과 공감상실의 효과 때문이다.

　빈자와 약자와 서민들은 생존을 위한 최소한의 자본 파이프라인 구축을 위해 모래알처럼 부서지는 연대가 아니라 바위처럼 단단한 연대와 격렬한 저항으로 성장의 과실이 모든 사람에게 돌아갈 수 있는 분배시스템이 구축되고 작동할 수 있도록 해야 하며, 우선 올바른 투표권 행사 등을 통해 그런 시스템을 만들어 줄 수 있는 사람을 선택해야 한다.

　최상층부 사람들이 밑바닥의 국민들을 짓밟고 올라감에 있어 나눔과 배려, 존중과 책임의 마음을 가지고 최소한의 경제적인 삶을 누릴 수 있는 자본의 파이프라인을 만들어 줄 때, 빈자와 약자, 서민들은 배고픈 소크라테스가 아니라 생존의 공포, 가난의 공포로부터 어느 정도 벗어난 행복하고 행동하는 소크라테스의 삶을 살아갈 수 있을 것이다. 이럴 때, 피라미드를 지탱하는 그들의 어깨는 더욱 강해지고, 그들의 얼굴에는 힘든 가운데에서도 일말의 웃음과 즐거움이 피어날 것이다.

세상의 작은 꽃으로
피어나는 삶

'작은 꽃'은 남미 출신의 작은 체구를 가진 전설적인 법관인 라과디아의 애칭이다. '작은 꽃'은 빈자와 사회적 약자에 대한 공감과 사랑을 바탕으로 타인을 도울 수 있는 힘과 능력을 가진 자가 베풂을 실천하는 모습을 비유한 것이다.

장 루슬로는 〈너무 작은 심장〉에서 "작은 바람이 말했다. 내가 자라면 숲을 쓰러뜨려 나무들을 가져다주어야지 추워하는 모든 이들에게. 작은 빵이 말했다. 내가 자라면 모든 이들의 양식이 되어야지 배고픈 사람들의. 그러나 그 위로 아무것도 아닌 것 같은 작은 비가 내려 바람을 잠재우고 빵을 녹여 모든 것들이 이전과 같이 되었다네. 가난한 사람들은 춥고 여전히 배가 고프지. 하지만 나는 그렇게 믿지 않아 만일 빵이 부족하고 세상이 춥다면 그것은 비의 잘못이 아니라 사람들이 너무 작은 심장을 가졌기 때문이지."라고 했다.

옆에 있는 사람에게, 이 순간에 최선을 다하는 것은 무척이나 자연스럽다. 아무리 존경한다고 해도, 죽은 김구 선생님보다, 바다 건너 오바마보다는 옆에 있는 친구와 아내와 아들이 더 소중하고 아름답지 않은가. 내가 지금 누구에게 최선을 다하고, 누구에게 가장 큰 애정과 관심을 보여야 하는가는 자명하다.

도스토예프스키는 〈카라마조프 형제들〉에서 "인류에 대한 사랑을 말하는 사람일수록 구체적인 인간은 사랑하지 못한다. 개개인의 인간을 독립된 인간으로서 사랑하기 어렵다."라고 했고, 테레사 수녀는 각국으로부터 캘거타에서 일하겠다고 자원봉사자들에게 "여러분 모두 자신들이 살고 있는 곳으로 돌아가 가족 가운데 이웃 가운데서 캘거타를 찾으십시오. 멀리 있는 사람을 사랑하기는 쉽습니다. 그러나 가까이 있는 배고픈 이웃에게 밥 한 그릇을 주기는 어려운 일입니다. 봉사하기 위해 일부로 캘거타에 오지 마십시오. 같은 말, 같은 문화를 가진 사람에게 우선 말하기 시작하십시오. 그럼 다음에 캘거타에 오십시오."라고 했다.

추상성과 개체성, 이상과 현실의 차이다. 하늘을 동경하는 의지가 땅에 내려오면 그 의지는 날개가 꺾인다. 그래서 현실의 아픔을 사랑하는 사람, 현실의 아픔을 몸으로 끌어안는 사람이 아름다운 것이다.

하늘을 동경하는 의지가 왜곡되고 비틀려 권위에 대한 무조건적인 복종과 숭배가 크면 클수록 발밑에 소외되고 힘없는 사람들을 더욱 잔인하게 짓밟는 것이다.

자연스런 인간의 본성이라고 치부하기에는 현실을 사는 국민들이 너무 불쌍하고 불행하다. 그래서 크고 거창한 말의 잔치보다는 작지만 따뜻한 말과 함께 내미는 따뜻한 손이 눈물겹도록 더 그리운 것이다.

'작은 꽃'이란 애칭으로 불린 라과디아 판사는 "할머니가 손녀에게 먹일 빵을 훔쳐야만 하는 이 비정한 도시, 비열한 도시의 시민들에게도 잘못이 있다."고 말했다.

아름다운 자본주의는 누군가 내 옆에 있어 주는 사람이 존재하는 사회다. 힘들 때 우렁각시처럼, 램프의 거인처럼 마법처럼 누군가 내 옆에 있어 주는 사람이 존재하는 사회는 아름다운 사회다. 그런 존재가 국가라면, 가장 정의롭고 아름다운 국가이고 아름다운 민주주의가 꽃피운 사회다.

도구, 중독, 천민자본주의는 누군가 나의 이익을 위해, 나를 보호하기 위해 내 아래, 내 뒤에 존재하는 사회다. 누군가가 희생되어야 할 상황에 내 차례가 오기 전에 내 앞과 뒤에서 나를 위해 희생될 제물인 총알받이, 희생양을 만드는 약육강식의 사회다.

약탈적 · 야만적 자본주의는 누군가 내 앞에 있어야 안심이 되는 사회다. 맨 앞에 있으면 먼저 총을 맞기에, 선봉에 서는 것을 피한다.

배후와 막후에서 누릴 것은 다 누리면서 선봉의 위험성을 피하고자 한다. 하지만 밑에서 치고 올라오는 것도 용납하지 않는다.

비열·냉혈·흡혈 자본주의는 나의 이익을 위해서라면 내 주위에 있는 모든 존재를 피도 눈물도 없이 잔인하게 짓밟고 배신한다. 눈앞에서 살이 찢기고 피가 튀는 와중에도 등 뒤에서는 비열한 음모가 은밀하게 난무하는 자본주의다.

세상을 바꾸는 사람은 포도원 주인이다. 힘과 권력을 가진 자가 차별을 철폐하고 세상을 바꿀 수 있다. 가진 자가 바뀌어야 세상이 바뀌기에 세상은 결코 바뀌지 않는다. 가진 자에게는 지금 이대로가 더없이 좋기 때문이다. 다만 우리는 좀 더 정의로운 세상으로 나아가기 위해서 돌연변이나 오드리 헵번, 김혜자 씨 같은 '착한 꽃'들이 늘어남으로써 가진 자의 선한 욕망, 착한 욕망이 확장되기만을 기대할 뿐이다.

스스로가 바뀌어야 세상을 바꿀 수 있는 사람들이 자신들은 바뀌려 하지 않고 세상을 바꾸려 하기에 세상은 더 비틀리고 꼬일 수밖에 없다. 선한 욕망은 실현되기 어렵다. 우리를 더욱 슬프게 하는 것은 선한 욕망은 그 자체의 한계를 가지고 있다는 사실이다. 부와 권력, 능력을 가진 자들의 선한 욕망의 실천은 이기심과 탐욕이라는 인간의 본성으로, 낙타가 바늘구멍 들어가기만큼 어렵다. 이 때문에 구조적·체계적·사회적 운동으로 확장되거나 진화할 수 없고, 개별적인 감동스토리에 머물 수밖에 없다.

가진 자들이 못 가진 자들을 이해한다는 것은 거짓이다. 거짓말을 하려고 해서 거짓이 아니고, 사람은 자신이 경험해 보지 못한 세상을 이해한다는 것이 불가능한 존재이기 때문이다. 선한 욕망, 착한 욕망은 이런 이해를 넘어선 차원이다. 이해하지는 못하지만 사회적 지위와 권력과 전문적인 능력을 가진 자 중에서 타인에 대한 측은지심, 수오지심이란 본능적 감성이 강하게 솟구치는 사람이 있다. 상대공감의 확장능력을 타고난 사람들이다.

나는 세상과의 눈높이 맞춤에는 세 가지 경우가 있다고 생각한다. 첫째는 이해와 공감과 학습의 맞춤이다. 이해의 눈높이는 키높이를 맞추듯이 같은 선상, 같은 상황에서 바라보아야 한다. 스미소니언박물관의 노신사 얘기가 있다. 이 노신사는 박물관의 전시물의 감상할 때 앉아서 감상했다. 사람들이 의아해하면서 왜 그러느냐고 묻자, 그 노신사는 아이들의 눈높이에서 이해하려고 이렇게 키높이를 맞추어 감상한다고 답했다.

두 번째는 꿈의 눈높이다. 꿈의 눈높이는 위로 향한 눈맞춤이다. 희망과 열정과 미래에의 기대는 현재보다 더 높고 가치로운 것이어야 한다.

세 번째는 사람을 향한 눈높이다. 이것은 아래로 향한 눈맞춤이다. 사람, 정의, 공정, 배려, 사랑, 봉사의 눈높이는 아래를 향해야 한다. 이는 돈과 권력과 힘을 가진 사람에 초점을 둔 것이지만, 돈과 힘이 충분하지 않은 중산층도 자신보다 어려운 이웃을 향한 아래로의 눈맞춤은 마찬가지로 중요하다.

키다리 아저씨는 빌게이츠나 워렌 버핏처럼 자본의 기부, 자본을 토대로 한눈에 드러나는 선행을 한다. 그에 비해 작은 꽃은 공정하고 정의로운 세상의 씨앗을 뿌리는 사람들이다. 돈에 의한 기부보다는 전문적인 능력, 권력과 권위, 사회적 위치를 기반으로 씨앗을 뿌린다.

함께 어울려
춤추는 세상

　나해철 시인은 〈꿈〉에서 "이슬처럼 맑은 눈의 사람들끼리 손잡고 춤추며 살아가리라는 꿈을 버릴 수 없어라. 외로운 이들끼리. 초롱히 앞을 보는 야윈 이들끼리. 잡은 팔 놓지 않고 그렇게 한없이 가면 환한 빛 속에 얼굴이 깨끗한 사람들이 한 마을을 이루리라는 꿈을 깨일 수 없어라."라고 노래했다.

　다르다는 것이 미움을 낳을 때 잔인한 세상이 되고, 다르다는 것이 창조를 낳을 때 문화강국을 만든다. 이는 가진 자들과, 행동하는 소크라테스, 자신들이 가진 것에서 어린 왕자처럼 일상의 소소한 즐거움과 행복을 느끼면서 살아가는 빈자와 약자, 서민들, 그리고 이중으로 차별당하는 다문화가족 등 다른 계층, 다른 문화적 배경을 가진 사람들이 서로 마음으로 소통하고 공감하면서 어울리는 세상이다.

마틴 루터 킹 목사의 명연설 내용처럼 "백인아이와 흑인아이가 함께 손을 잡고 어울려 사는 세상"이 지금 실현되었는가? 나는 아니라고 생각한다. 함께 어울려 춤추는 세상은 정의와 공정을 넘어선 세상으로, 도달할 수 없는 이상향이다. 이것은 마치 사자와 토끼가, 호랑이와 노루가 함께 뒹굴고 어울리는 세상보다 더 실현되기 어려운 세상이다.

홀로 피는 꽃보다 무리지어 어울릴 때 꽃들도 더 아름답듯이, 분명 사람들도 가진 것은 다를지라도 우리는 함께 웃고, 춤추고 노래하며 도와주고 나누면서 흘러가는 것이 더욱 아름답다는 것은 부인할 수 없기에 우리는 그 꿈을 차마 버릴 수 없다.

드라마나 영화 속 가진 자들의 고통에 민감하고 예민할수록 실제 고통받는 자들의 고통에 둔감해지는 것은 아이러니다. 드라마 속 돈 많은 왕자의 슬픈 사랑에 눈물을 흘리면서 공감한 사람은 오늘 아침 마주친 지하철 걸인의 더러움에 몸을 피하고 고통에 눈을 감고, 스마트폰의 환상 속으로 빠져든다.

가진 자들과 행동하는 소크라테스, 어린 왕자들이 공존하는 시대가 바로 국민행복시대다. 그러나 그런 세상은 오지 않는다. 행동하는 소크라테스들이 사회의 중추인 세상은 가진 자들이 가진 자본을 복지와 배분시스템을 통해 국민들에게 흘러가도록 해야 하기에, 부와 권력을 가진 자들은 결코 자신들이 가진 몫을 희생하고 나누면서 사람들이 행복하고 행동하는 소크라테스가 되길 원하지 않기 때문이다.

　독점하고 독식하는 자는 자신들의 부와 권력을 빼앗길까 봐 불안할 수밖에 없고 이를 지키려고 무력에 의지할 수밖에 없다. 하지만 독점하고 독식하는 자를 떨게 만들지 못하는 세상에서 빈자와 사회적 약자, 서민들의 생존기반은 무너질 수밖에 없다.

　가진 자들의 원칙이나 법치는 돌덩어리처럼 딱딱하다. 먹고사는 데 급급한 국민들은 원칙이, 법치가 뭔지도 모르고 관심도 없다. 살아가다가 어느 순간 갑자기 날아온 원칙이란 돌멩이, 신념을 가장한 독선과 오만이라는 돌팔매와 법치라는 망치에 머리가 깨져 피를 흘릴 뿐이다. 성장의 낙수효과를 기대한 그들에게 오히려 하늘에서 칼날처럼 사나운 우박들이 비처럼 내리는 것이다.

　〈미생〉이란 드라마에서 계약직인 주인공이 명절 선물로 식용유를 받고, 정규직은 햄세트를 받는다. 어떤 회사는 가로명찰과 세로명찰로 정규직과 비정규직을 구분한 적이 있다는 기사를 읽은 적도 있었다.

　'음식 끝에 맘 상한다'는 말처럼 동일한 노동과 일을 하는 사람에게 다른 임금, 그것도 격차가 많은 임금을 주고, 거기에다 신분상의 불이익까지 주는 것은 가장 비열한 차별이다. 차별을 당하는 자에게 씻을 수 없는 모욕감과 모멸감, 수치감을 심어 줌은 물론, 그들을 생존에 목매는 자본의 노예로 만듦으로써 삶의 소박한 여유와 즐거움을 앗아간다.

누가 사람들을 정규직, 비정규직 등 수많은 계층관계로 나누고 쪼 갰는가? 부와 권력을 가진 자들이다. 그들은 구사대와 무소불위의 공 권력이란 보이는 힘과 더불어 수많은 계층의 분화를 통한 못 가진 자 들끼리의 선망과 비교, 갈등과 투쟁을 통해 생존과 돈에 대한 타는 목 마름을 부추겨 교묘하고 은밀하게 자신들의 대물림 체계를 공고하게 한다.

최상류층의 지배 헤게모니에 융합하지 못하고 빈자와 약자를 위해 서 일을 하고, 그들을 위한 봉사하고, 그들이 더 나은 삶을 살 수 있 도록 자신의 모든 것을 던지는 사람들은 지배층의 헤게모니를 위협하 고 퇴색하게 하는 장애물이며, 그들의 생각과 신념은 전염성이 너무 강하고 체제 유지에 걸림돌이 되기 때문에 가차 없이 그들을 지배층 에서 쫓아낸다. 이런 현상을 '악화가 양화를 구축한다'는 그레셤의 법 칙에 빗대어 '그루섬(Grusome)의 법칙'이라고도 한다.

이런 분열과 갈등을 그대로 두고 함께 어울려 춤추는 세상은 오지 않는다. 불행하게도 계층의 세분화와 파편화를 통한 분열과 갈등은 더욱 심해질 것이기에 사람들이 일한 능력과 노력만큼 보상을 받는 공정한 세상, 상식이 통하고 정이 강물처럼 흐르는 정의로운 세상, 마틴 루터 킹 목사가 꿈꾸는 만인이 어울려 춤추는 세상은 당신이 살 아 있는 동안에 볼 수 없을 것이다.

가진 자들의 세상과 못 가진 자들의 세상은 물과 기름처럼 섞일 수 없다. 억지로 섞으려 해 봐야 점점 지저분하고 분명하게 구별될 뿐이다. 기름이 기름이고, 물은 물이다. 천지가 개벽해도 기름이 물이 되고, 물이 기름이 될 수는 없다. 함께 어울려 춤추는 세상은 물과 물감처럼 가진 자와 못 가진 자가 함께 버물려져 어울리는 세상이다.

우리가 흔히 속는 것이 '평균의 함정'이다. 평균은 내용이 아닌 결과만을 강조하기 때문이다. 백억 자산가 한 명과 부채만 천만 원씩 가지고 있는 아흔 아홉 명이 있다하더라도 평균은 개인당 9억의 자산을 가지고 있는 것으로 나온다. 개인당 평균소득을 보면 아주 살 만한 집단이지만, 내용을 들여다보면 전혀 그렇지가 않다. 게다가 빈자와 사회적 약자들이 이 돈으로 살아갈 수 있을까? 살아갈 수는 있을 것이다. 하지만 그런 걸 인간다운 삶이라고 하지 않고, 연명이나 생존에 목매는 찢어지게 가난한 삶이라고 한다.

"혼자만 잘살믄 무슨 재민겨."라고 말한 전우익 작가의 말도 어울려 사는 삶, 서로 돕고 사는 삶의 즐거움을 의미한다. "다윈도 이타주의적으로 진화하는 동물들을 관찰했습니다. 흡혈박쥐는 먹이를 나눠먹고, 돌고래는 아픈 친구를 수면으로 밀어 올려 숨을 쉬게 한답니다. 코끼리도 다친 동료를 구하려고 최선을 다한다지요. 그것이 곧 자신을 위하는 길인 걸 아는 겁니다." 굶주린 동료를 위해 자신이 먹은 것을 토해 내어 먹여 준다는 개미의 얘기와 일맥상통한다.

제 구실을 잘하지 못한다는 이유로 '깨진 유리창 이론'을 신봉하여 경범죄자까지 저인망으로 전부 감옥에 집어넣고, 장애인은 거리의 활력과 생기를 죽이고 정상인에게 불편함을 주기에 가급적 집이나 시설에서만 지내라고 하며, 집 없이 지하철 역 등에서 노숙을 하는 부랑인도 다 몰아내고 기득권자와 잘사는 자만 남는다면, 그 사회는 정말 활기차고 살아 있는 사회가 될까?

가슴이 먼저 움직이지 않는 사람의 모든 언어는 사막의 신기루처럼 사람들을 현혹하는 말장난일 뿐이다. 나는 경험했다. 그래서 안다. 지금의 현실은 절대로 바뀌지 않는다는 사실을.

사회적 약자도, 빈자도, 장애인도, 꼴찌도 우리 공동체의 일원으로 끌어안아야 한다고 부와 권력을 가진 자들은 자신의 목에 핏대를 세운다. 하지만 그들은 목에 핏대를 세운 후, 자신이 말한 것을 까맣게 잊고서 폭탄주를 마시면서 거칠어진 목을 가라앉힌다. 그들이 말이 아닌 마음과 행동으로 이 땅의 약자와 빈자, 꼴찌들을 배려하는 모습을 기대하기보다는 로또 복권에 당첨되기를 바라는 것이 더 가능성이 높다.

그럼에도 불구하고 신에게 손을 내밀기 전에 인간에게 자연에게 먼저 손을 내밀어야 한다. 신과의 화해, 화합보다 자연과의 화해나 화합이 먼저이고, 무엇보다도 인간과의 화해가 최우선되어야 어지럽게 헝클어져 있는 계층과 세대 간의 실타래 같은 관계망을 풀 수 있는 길을 찾을 수 있다.

'산은 산이요, 물은 물이고, 바람은 바람이며, 구름은 구름이다.'라는 말은 여성은 여성으로서, 남성은 남성으로서 각각 그 본분을 다하는 공존과 조화이자, 다름의 포용이며, 어울림의 합창이다.

청춘이, 젊음이 저주가 되는 세상은 없어야 하는 것처럼 나이 듦이 저주가 되는 세상은 없어야 한다. 젊음도 나이 듦도 생존의 올가미에 목매달지 않고 살 수 있을 때 젊음이 인정받고 존중받을 수 있는 것처럼, 나이 듦도 인정받고 존중받을 수 있다. 그것이 다른 세대가 함께 살아가는 사회이고, 공감이 이루어지는 세상이다.

무지개가 아름다운 것은 빨주노초파남보가 엷은 변화를 통해 서로를 더욱 빛나게 하기 때문이다. 여러 가지 색이 어우러질 때 '컬러풀하다'고 한다. 컬러풀은 곧 어울림이다. 사람들이 자신만의 색깔을 뽐내고 드러내는 세상이 컬러풀한 세상, 즉 다채로운 세상이고, 그런 세상이 조화롭게 어울리는 세상인 것이다. 그것이 어떤 색일지라도 한 색깔로 통일된 사회, 한 색깔의 사회는 기괴하고 우울하다.

1980년대 우리 사회를 풍자했던 노래 가운데 〈작은 연못〉의 가사를 한번 음미해 보자.

"깊은 산 오솔길 옆 자그마한 연못엔 지금은 더러운 물만 고이고 아무 것도 살지 않지만, 먼 옛날 이 연못엔 예쁜 붕어 두 마리가 살고 있었다고 전해지지요. 깊은 산 작은 연못, 어느 맑은 여름날 연못 속에 붕어 두 마리 서로 싸워 한 마리는 물위에 떠오르고, 여린 살이 썩어

들어가 물도 따라 썩어 들어가 연못 속에선 아무것도 살 수 없게 되었죠. 깊은 산 오솔길 옆 자그마한 연못엔 지금은 더러운 물만 고이고 아무것도 살지 않죠."

행동하는 소크라테스가
아름답다

행동하는 소크라테스는 인간을 인간답게 만드는 최소한의 생존 기반을 마련하기 위한 저항이고 투쟁이고 뜨거운 연대이다. 적어도 가난 때문에 인간의 즐거움이 질식되는 세상이라면, 끝까지 싸우고 저항해야 하지 않겠는가.

행동하는 소크라테스는 어느 정도 경제적 기반을 가지고 행복한 삶을 추구하거나, 빈자와 사회적 약자들의 경제적 기반 구축을 위해 함께 연대하고 행동하는 사람들이다. 행동하는 소크라테스는 두 가지 유형으로 구분할 수 있는데, 개인차원에서 일상의 재미와 즐거움을 만끽하는 삶만을 추구한다면 행복한 소크라테스이고, 빈자와 약자들이 행복하게 살 수 있는 경제적 기반을 마련하기 위해 함께 저항하고 연대할 때 행동하는 소크라테스라 부를 수 있다. 이는 자본주의 사회에서 돈이 없으면 일상의 즐거움을 만끽할 수 없기에, 어느 정도 돈이 있어야 행동하는 소크라테스가 될 수 있고, 행동하는 소크라테스 만이 여유와 자유가 있는 삶을 살 수 있다는 냉정한 현실인식이다.

대부분의 행동하는 소크라테스는 고독한 삶을 살았다. 그것은 그가 그 시대 지배세력의 생각과 달랐고, 그들의 결정에 저항했으며, 지배세력은 자신들과 생각과 삶이 다른 그들을 그냥 놔두지 않고 짓밟고 쫓아냈다. 하지만 그들은 기꺼이 자신의 신념에 따라 좋아하고 하고 싶은 삶의 길을 가는 행복한 고독자, 행동하는 소크라테스였다.

행동하는 소크라테스는 부와 권력을 가진 지배계층이 도달할 수 없는 삶이다. 그것은 어느 정도의 생존 기반을 갖춘 섬세한 감수성과 만인에 대한 공감능력이 탁월한 사람들이 살아갈 수 있는 삶이기 때문이다.

가진 자들이 "우리가 남이가?"를 속삭일 때, 못 가진 자들은 "우리가 봉인가?" 하면서 자조하고, 행동하는 소크라테스의 삶을 살 수 있는 조건을 갖춘 식자들이 가진 자, 지배세력을 향해 "쟤들이 그렇지, 뭐." 하면서 경멸하고 얕잡아 보는 마음에는 정의와 공정, 도덕에 대한 상대적 우월감을 넘어, 거만과 오만, 자만이라는 딱딱한 신념이 내재되어 있다.

하지만 조금 왼쪽으로 치우친 식자들이 가져야 할 마음은 쇠뭉치처럼 단단한 지배세력의 탐욕과 오만과 독선을 향해 행동이 아닌 생각 속에서 도덕적 우월감으로 뭉친 자만과 거만의 돌멩이를 던지는 일이 아니다. 그럴 때, 그들은 가진 자와 '쇠뭉치냐 돌멩이냐'의 차이요, '그 밥에 그 나물'일 뿐이다.

오히려 '우리가 봉인가?'라고 자조와 슬픔에 빠진 사람들의 마음을 끌어안고, 그들에게 함께 일어설 수 있는 힘과 용기를 줄 수 있는 행동의 대담함과 희생과 책임으로 물들인 선한 영향력을 확장해야 한다. 그들이 몰입하고 관심 갖고 시선을 주어야 하는 사람들은 서민들, 빈자와 사회적 약자, 소외받은 사람들이다. 그것이 세상과의 제대로 된 협력과 연대의 출발점인 것이다.

배부른 돼지는 너무 배가 불러서, 배고픈 소크라테스는 너무 배가 고파서 생의 의지를 잃어버리고 주저앉는다. 오로지 기분 좋은 배고픔 상태가 주는 긴장감이 살아 숨 쉬는 행동하는 소크라테스만이 벌떡 일어설 의지를 갖는다.

어떤 감정이나 절망보다도 다급하고 절실한 것이 배고픔이다. 아무리 큰 슬픔도, 나를 집어삼킬 것 같은 절망의 아가리도 눈이 뒤집어질 정도의 허기짐 앞에서는 눈물을 흘리면서 무릎을 꿇는다. '밥상에 수저 놓는 소리가 가장 아름답다'는 말은 눈물 젖은 빵을 먹어 본 사람에게는 진실이다.

가난이 가져다주는 허기와 배고픔, 모멸감과 열등감은 상상을 초월한다. 그것이 가난한 자의 슬픔이다. 자본에 조종당할 수밖에 없는 말하는 인형으로 가진 자가 주는 돈을 먼저 움켜쥐기 위해 한쪽은 몽둥이를 들고 공격하고 한쪽은 모래알 같은 연대로 무기력하고 허망한 저항을 한다.

생존기반이 무너졌을 때, 행복이 들어설 자리는 없다. 그들이 갈 수 있는 가장 높은 곳이 '배고픈 소크라테스'로 장렬하게 전사하는 길이다. 정의로, 의리로, 애국으로, 생존으로, 명분으로, 인류애로, 꿈으로, 공동 목표로 뭉침도 물론 힘이 있다. 하지만 자본으로 뭉친 사람들 앞에서는 고양이 앞에 쥐일 뿐이다.

그중 정의로 뭉친 사람들의 결속의 힘은 가장 약하다. 정의가 힘을 가지려면 반드시 생존의 절박함과 연대해야 한다. 그럴 경우에 번짐의 힘은 시대와 상황에 따라 상상을 초월할 정도로 강한 것이다. 국가에 대한 분노, 무책임과 탐욕에 대한 분노, 탐욕으로 쌓아 올린 가진 자에 대한 분노, 정의가 짓밟히고 자신들이 벌레처럼 무시되고 조롱당하고 있다는 자괴감까지 더해서 일순간에 폭발하는 것이다.

해고, 구조조정에 대한 연대는 생존에 대한 연대다. 그래서 거칠고 절박하고 강력하다. 임금투쟁은 생활에 대한 연대다. 그런데 자본주의 시대에 생활에 대한 연대는 점점 약화될 수밖에 없다. 생존에 대한 욕망이 더욱 커지기 때문이다.

성 밖에 사는 사람들과 성안에 사는 사람들, 보이지 않는 사람들과 밤하늘의 별처럼 언제나 빛나는 사람, 보이기를 바라지 않는 사람과 늘 사람들의 스포트라이트를 받고자 하는 사람, 늘 참고 사는 사람과 항상 참지 못하는 사람들, 이들은 서로 다른 세상에 살고 있다. 이들은 영원히 만날 수 없는 평행선이다. 이런 사람들이 같은 세상에서 어울려 함께 사는 것처럼 보이는 것은 착각이다. 이들은 서로 다른 세상에서 산다.

그래서 현실은 잔혹한 동화이며, 역사는 되풀이된다. 끝없이 반복되는 역사에서 오랜 시간을 거치면서 조금씩 넓어지고 있는 것은 가진 자와 못 가진 자, 힘 있는 자와 힘없는 자의 간극이다. 이제는 힘없는 자의 무리 중에 특출한 자가 태어난다고 해도 이 간극을 뛰어넘을 수 없게 되었다. 개천에서 용이 나는 시대는 이제 전설이 되었다.

약자는 가진 것이 너무 없고 배가 너무 고픈 까닭에, 밑바닥에서 다시 일어설 수 있는 의지와 열정을 불태우지만 곧 열정의 불꽃은 사그라지고 그 자리에 털썩 주저앉거나 안주한다. 강자는 가진 것이 너무 많고, 배가 너무 부르고 몸이 무거워져서 그 자리에 주저앉는다.

제발 인간을 향해서 열심히 일하라고 벼랑 끝으로 밀지는 말자. 그 대신, 제발 이제는 좀 쉬라고 말하자. 이미 고단함에 온몸이 파김치가 되도록 열심히 했다. 생존을 위해 매일매일 자신의 몸과 영혼을 떼어내어 살아가는 사람에게 '도전하라고', '열정적으로 살라고', '끝까지 버티고 견디라고', '조금만 더 참으라고' 얘기하지 말라. 그들은 이미 살이 찢어지고 뼈가 부러지는 아픔을 견디면서 하루하루 살아가고 있기 때문이다.

그들은 열심히 일해야 하는 사람들에겐 침묵하거나 고생했다고 말하면서 쉬라고 하고, 이미 죽을 만큼 힘든 삶을 살아가고 있는 사람에게 더 달리라고 한다. 가는 말에 채찍질 정도가 아니라, 벼랑 끝에서 미는 행위다. 현실은 이토록 비정하고 잔혹하다.

하지만 시선을 돌려 다시 생각해 보자. 다 잘될 거라는 말을 하지 않으면 어떤 말을 하는가? 그냥 침묵하는가, 아니면 잘 안 될 것 같다고, 버티다 힘들면 그만두라고, 하고 싶은 대로 마음대로 하면서 살라고, 쉬고 싶을 때 쉬라고, 현실에 만족하면서 평범하게 살라고 해야 하나? 아무리 생각해도 그건 더더욱 아닌 것 같다.

그대가 비록 사회와 세상을 바꿀 수 있는 막강한 부와 권력을 가지고 있지 않더라도, 그대가 가난하고 힘없는 사람들을 도울 힘이 있음에도 불구하고, 약자들의 아픔에 공감하지 못하고 그들에게 어떤 도움도 주지 않는다면, 결국 그대는 나쁜인 삶을 살다간 별 볼일 없는 사람이다.

보이지 않는 것을
보는 사람들

머리가 깨질 것 같고 배신감에 치가 떨려도, 보아야 할 것은 그 먹물 같이 컴컴한 어둠의 끝자락에서라도 보아야 한다. 그래야 해결의 빛을 만날 수 있다.

〈빌리 엘리어트〉란 영화에서 우리는 빌리만 보아서는 안 된다. 빌리는 성공했지만, 비슷한 처지의 다른 빌리들은 그렇지 못했다. 정치가 잊지 말아야 할 것은 영웅서사나 성공스토리로 구원받지 못하는, 무수히 많은 익명의 다른 빌리들이다. 그들의 인간적 존엄을 지켜 주려는 노력이야말로 사회통합의 첫걸음이 아닐까.

빌리에 가려져서 보이지 않고, 누구의 관심과 인정도 받지 못한 채사라져 가는 숨은 꽃들, 비슷한 처지에서 핏기 없는 얼굴로 삶을 지탱해 가고 있는 수많은 다른 빌리들을 볼 수 있는 따뜻한 혜안을 가져야 한다. 이것은 모래 속의 진주처럼 측은지심을 가진 사람, 따뜻한 마음을 가진 사람만이 볼 수 있는데, 빈자나 약자에 대한 공감을 오래전에 잃어버린 지배층으로 인해 오늘도 우리 주위에서 수많은 빌리들이 꿈을 접은 채 사라지고 있는 것이다.

타인의 아픔과 고통에 대한 섬세한 감수성과 측은지심이 없는 사람들의 눈에는 현실 속에서 고통받는 구체적인 인간이 보이지 않고, 사회적 약자들, 빈자들이라고 칭하는 추상적인 인간만 보일 뿐이다. 따라서 그들의 얼굴과 손 마디마디에 새겨진 아픔과 고단함을 볼 수도 없고, 슬픔과 고통에 가슴으로 공감할 수도 없기에, 공감하는 척하는 유사공감이나 사이버공감이라는 신기루를 좇고, 사이비공감에 매몰된다.

세상에 공짜는 없듯이, 스마트폰으로 우리는 많은 것을 잃는다. 순수성과 보이지 않는 즐거움을 만끽하는 마음, 즉 어린 왕자의 마음을 잃어버린다. 스마트폰에서 빠져나오지 않는 한, 스마트폰에 갇혀 버린 어린 왕자의 순수함을 구할 수 있는 방법은 없다.

어른들은 어린아이들이 스마트폰에서 빠져나올 수 있도록 죽을힘을 다해야 한다. 그래도 스마트폰이란 괴물을 이길 수는 없을 것이다. 우리가 할 수 있는 것은 스마트폰의 감옥에서 탈출하여 조정래 선생처럼 글 감옥에 빠지든, 좋아하고 하고 싶은 일을 하는 '조아' 감옥에 빠지든, 자신이 원하는 자유의 구속, 자유의 굴레라는 삶의 긴장감 속에서 더 큰 즐거움을 만끽하는 것뿐이다.

스마트폰은 영원히 빠져나올 수 없는 삶의 굴레다. 스마트폰은 〈백설공주〉에서 마녀 여왕의 거울처럼 사람들을 착각과 환상에 빠지게 한다. 사람들은 스마트폰을 손 안에 쥐고 있으면 마치 알라딘의 램프를 쥔 것 마냥 내가 세상의 중심이고 주인공인 것처럼 착각하는 것이다. 그것은 스마트폰을 벗어난 세상에서는 오히려 더 타인의 시선을 의식하는 속박의 삶, 굴레의 삶을 살아가는 현대인의 도피처 역할을 한다.

현실의 각박한 삶과 환상 속으로의 도피가 무한 반복되는 악순환의 사이클이 고착되는 것이다. 그들이 스마트폰에 빠져들수록 유사공감, 사이버공감으로 무게중심이 이동하고, 이런 사이비공감이 확대될수록 인간에 대한 조롱과 경멸, 지적질, 증오도 함께 확대될 것이다.

국가가 침몰해도, 부와 권력을 가진 자들은 자신들의 부와 권력을 지키고 생존을 위해서 자신들의 민낯을 보여 주지 않는다. 이것이 가능할 수 있는 것은 자본주의는 위에서 아래로의 일방적인 감시와 통제만 있기 때문이다. 반면에 아래에서 위로의 감시는 없는 자들은 먹고 살기에 바쁠 뿐만 아니라, 할 의지도 능력도 없기에 이러한 일이 불가능하다.

가진 자들이 자신들의 의지대로 하지 않는 세상은 없었기에, 한순간이라도 꼭대기부터 시작해서 가진 자들이 그들의 품위를 보여 준 세상은 존재하지 않았다. 다만 꼭대기만 돼먹은 세상은 있었다. 우리는 그런 세상은 요순시대니, 세종대왕의 시대라고 부른다. 하지만 세종대왕 시대조차도 정의로운 시대라고 할 수 있는가.

자본은 무지막지하고 무시무시한 폭력과 폭압, 고문과 눈에 보이는 감시와 통제가 아니라 그들의 음흉하고 교활한 의도를 알아챌 수 없는 회유와 포섭, 질서와 법, 책임과 의무 같은 부드럽고 달콤한 유혹과 힘과 의지를 무너뜨리는 중독으로의 초대를 통해 가난한 사람들의 주머니에서 자신들의 금고로 끊임없이 돈이 흘러들어오게 하는 파이프를 만들어 가난한 사람들을 더 가난하게 만들고 자신들의 부를 더욱 크게 늘린다.

죽을 만큼 일해도 죽을 수밖에 없는 이런 자본주의하에서 법도 상식도 양심도 사치가 된다. 청춘이 생존에 목매고, 청춘이 저항 대신 침묵하고, 청춘에게서 생기 있는 웃음 대신 깊은 신음만 들리는 세상은 미래가 없다.

사람들은 더는 부와 권력을 가진 자들이 뻔뻔하게 떠벌리는 "법적인 문제는 없다."는 말을 믿지 않는다. 이 말은 오히려 법 위에 군림, 법의 악용, 법의 사유화가 일상화되었다는 말처럼 들린다. 할 말을 잊게 만드는 말이 '결정적 하자는 없다', '법적인 문제는 없다'는 뻔뻔함이다.

그래서 나에게 이는 상식과 도의적인 책임의 문제는 있지만 법적으로 문제될 것은 없다는 말이 아니라 도덕적인 결함 외에 법적인 문제까지도 있다는 말로 들린다.

지금 우리 사회는 출구 없는 생존 경기장에서 서민이 서민을 할퀴고 뜯어먹으며, 약자가 약자를 증오하고 빼앗고 훔치는 처절하게 잔인한 사회다. 같은 경험 속에서 공감해야 할 사람들이 구사대와 노동자, 학생과 전경, 생계형 상인과 단속반으로 생존의 밥그릇을 차지하기 위해 치열한 전투를 벌일수록 지배계층과 피지배계층 사이에 놓인 벽이 점점 두껍고 높아져 간다.

한국의 일상과 현실은 공포 영화보다 더 공포스럽다. 단순화하면 한국은 '공포사회'다. 도처에 지뢰밭이다. 울리히 벡이 말한 '위험사회'이자, 노동자의 절반이 비정규직인 '불안사회'이고, 언제 동영상의 주인공이 될지 모르는 '공포사회'다.

이상하고 미친 행동을 하는 사람만 동영상의 주인공이 되는 것이 아니다. 극히 평범한 사람이 어처구니없는 상황과 만나 뻥 터진 시점에 스냅사진처럼 찍히고 교묘하게 편집되면, 누구나 동영상의 엽기적인 주인공이 되는 것이다. 누군가의 말처럼 현대사회는 15분이면 누구나 유명해지는 사회가 되었지만, 그 유명세는 대개 사람들의 조롱거리, 놀림감이자 비난의 대상으로서의 유명세다.

그야말로 '악명'이다. 구체적으로 파렴치한 인간, 이상하고 기괴한 사람으로, 변태 성욕자로 낙인찍힐 수 있다. 물론 이는 동전의 양면처럼 기회의 창이 넓어진 사회일수도 있지만, 속을 들여다보면 더러운 현실이 꿈틀거린다. 대부분은 위험사회, 불안사회에서 덜덜거리다 너덜너덜해지고 거덜 난 가슴을 끌어안고 살다가 천재일우의 기회라고 유혹하는 썩은 동아줄을 타고 오르다 떨어져서 유리처럼 산산이 부서진다.

용역경비, 경호원, 정치깡패들은 현대판 귀족들의 사병역할을 한다. 그들의 잘못이 아니다. 그들도 갈대의 운명이다. 그저 흔드는 대로 흔들릴 뿐이다. 그래도 현실에서 눈을 돌리지 마라. 어둠의 세력과 밝은 세계의 세력이 서로를 필요로 한다.

　위로 올라갈수록 어둠 속에서 밝은 세계의 공적인 권력을 가진 악마와 어둠의 정기를 흡수하면서 사는 악마들의 거래가 그 은밀함과 교묘함을 더해 간다. 이 둘의 공생관계는 악어와 악어새보다 더 끈적끈적한 관계를 유지하면서 누구도 알아채지 못하는 뿌리 깊은 운명공동체와 같은 관계로 묶여 있기에, 누구도 뿌리 뽑을 수 없는 악마들의 춤판이 세상을 집어삼킬 듯이 요란하다.

　악마의 심장을 씹어 먹을 용기와 힘을 갖기는 어렵다. 하지만 악마들이 춤추는 더러운 세상에 침을 뱉을 수 있는 용기는 가져야 한다. 어둠의 악마는 폭력과 사이코패스이며, 밝음의 악마는 야만이고 소시오패스다. 어둠의 악마는 사람들을 두려움에 휩싸이게 만들지만, 밝음의 악마는 사람들의 심장을 얼어붙게 만든다. 어둠의 악마는 더 강한 힘으로 억누를 수 있지만, 밝은 세계의 악마는 그 실체를 드러내지 않을 뿐만 아니라, 설령 그 실체가 드러난다 해도 너무 강하고 거대한 불사의 존재로만 인식할 뿐이다. 그래서 우리는 희생양으로 만만한 어둠의 악마나 자식들을 처단하면서 쌓인 울분을 푸는 것이다.

　가진 자들의 꼭대기는 너무도 눈이 부셔 눈이 멀 것 같고, 못 가진 자들의 밑바닥은 너무도 가슴 저리고 아파 눈물이 앞을 가려서 어릿어 릿하게 보인다. 하지만 우리는 가진 자들의 위선을 똑바로 쳐다보고, 못 가진 자들의 아픔을 가슴 깊이 새겨야 한다. 차마 눈뜨고 볼 수 없고, 마음이 너무 불편하고 고통스러워서 시선을 피한다면, 세상은 단한 발짝도 앞으로 나아가지 못할 뿐만 아니라 뒷걸음질 할 것이다.

사람을 똑바로 바라보지 못하는 사람은 현실을 똑바로 직시하지 못하며, 사람을 따뜻하게 바라보지 않는 곁눈질의 사회는 올바른 사회, 공정한 사회로 나아갈 수 없고, 분노와 폭력이 증폭되는 위험한 사회가 된다.

그러나 현실을 직시하는 것은 두렵다. 현실은 항상 현실의 괴물이라는 그림자를 달고 다니기 때문이다. 그래서 영화나 드라마가 만들어 내는 환상의 세계가 사람들의 마음을 잡아두는 것이다. 앞으로도 환상의 세계를 창조하는 산업은 더욱 번창할 것이다. 왜냐하면 현실의 괴물이 더욱 무섭고 점점 거대해져 갈 것이기 때문이다.

상상해 보자. 사자가 고라니를 잡아먹지 못하는 세상이, 늑대가 사슴을 잡아먹지 못하는 세상이 평화로운가? 그렇지 않다. 이러한 세상은 공멸이다. 사자와 고라니가 함께 뛰노는 세상, 늑대와 사슴과 하이에나가 같이 뒹구는 세상, 뱀과 개구리가 함께 씨름하고, 표범과 토끼가 달리기 시합을 하는 세상이 행복해 보이는가? 오히려 이것은 죽음의 세상이다. 자연의 먹이 사슬이 붕괴될 때, 자연의 생명체는 사라지는 것이다.

인간 세계에도 엄연히 먹이 사슬이 존재한다. 정의와 공정, 공평함과 나눔, 공유가 최선의 가치로 행해질 때, 같이 일하고 같이 먹고 같이 나누면서 모두가 웃고 즐기며 행복한 세상이 될 것이라 생각하는가. 이것이 공산주의가 아니더라도, 이런 사회는 인간의 멸망을 초래할 것이다. 고여 있는 물이 썩듯이, 긴장감이 사라진 삶이나 세상은 엔트로피의 법칙에 따라 진행될 수밖에 없다.

건강한 삶을 위해서는 순결한 마음보다는 조금은 오염된 부분이 있는 것이 더 건강한 마음을 유지할 수 있듯이, 건강한 사회는 완벽하게 정의롭고 공정한 사회보다는 사회 곳곳에 조금은 부패하고 잔인한 부분이 살아 숨 쉬는 것이 더 건강한 사회를 유지하게 만드는 빈틈이라고 생각한다. 이것은 공정한 사회, 정의로운 사회를 만들어 가기 위한 역설이다.

약육강식과 적자생존은 지구가 생존하기 위한 가장 자연스러운 과정이며 지켜야 할 법칙인 것처럼, 인간 세계의 먹이 사슬을 인정하는 지점에서 인간 세계의 자연스러운 조화가 꽃피는 것이다. 가장 잔혹하게 보이는 것이 가장 자연스러운 것이다. 그것이 삶의 역설이다.

사람들은 현실이 얼마나 잔인하고 참혹한가를 잘 안다. 하지만 신문이나 방송을 통해 드러나는 잔인함은 현실에서 보이는 잔인함의 극히 일부일 뿐이다. 이처럼 현실이 잔혹하고 참혹할수록 잔혹무비가 더욱 인기를 얻는다. 잔혹무비나 드라마가 신문이나 뉴스에서 보여 주지 않는 현실의 잔인함을 더 적나라하게 보여 주기 때문이다.

이를 통해 현실은 〈잠자는 숲 속의 공주〉 같은 동화가 아니라 TV 시리즈물인 〈그림동화〉와 같다는 것을 알게 된다. 하지만 현실을 직시하기가 불편하고 두렵다고, 잔혹무비나 드라마에 매몰될 때는 결국 혜안을 가려, 환상 속에서 방황하는 삶을 벗어나지 못한다.

가진 자는 명령하고 못 가진 자는 노예처럼 일하고, 힘센 자가 힘없는 자를 괴롭히고, 권력을 가진 자가 권력이 없는 자를 짓밟고 살아가는 사회가 오히려 사회와 세상을 굴러가게 하고 원활하게 작동하게 하는 모멘텀이란 불편한 진실을 응시할 때, 우리는 오히려 가진 자와 못 가진 자가 함께 살아갈 수 있는 세상을 만들 수 있을 것이다.

몽상적 이상주의자보다는 현실에 발을 굳건히 딛고 선 현실적 이상주의자가, 잔인한 현실에 눈을 돌리는 사람보다는 현실을 응시할 줄 아는 사람이 현실의 고단함 속에서도 웃음과 즐거움을 잃지 않는 거인인 것이다.

3천여 년 전 중국 은나라의 이야기다. 은나라를 망하게 한 주왕의 곁에는 기자라는 현명한 신하가 있었다. 어느 날 주왕이 상아로 젓가락을 만들 것을 명하자, 이를 두려워한 기자는 결국 주왕의 곁을 떠났다.

기자가 생각하기를, "상아 젓가락이라면 질그릇에 얹어 놓을 수 없으며 옥그릇을 써야 될 것이다. 상아 젓가락과 옥그릇이라면, 콩잎으로 국을 끓일 수 없으며 반드시 코끼리 고기나 어린 표범 고기라야만

될 것이다. 코끼리 고기나 어린 표범 고기라면 해진 짧은 옷을 입거나 띠지붕 밑에서 먹을 수 없으며, 반드시 비단옷을 겹겹이 입고 넓은 고대광실"이라야만 될 것이다. "나는 그 마지막이 두렵다. 그래서 그 시작을 불안해한다."고 하였다.

"오 년이 지나 주왕은 고기를 늘어놓고 포락잔치를 펼치며 술지게미 쌓은 언덕을 오르고, 술로 채운 연못에서 놀았다. 결국 은나라는 그 때문에 멸망하였다. 여기서 기자는 상아 젓가락을 보고 천하의 화근을 미리 알 수 있었다." 그러므로 노자가 말하기를 "작은 것을 꿰뚫어 보는 것을 가리켜 명이라고 한다."고 했다.

보이는 1차원의 세계에만 집착하는 사람들이 대세다. 이런 시대는 창조적으로 고민하는 사람, 지혜로움과 통찰력이 있는 혜안을 지닌 사람을 만나기 힘들다. 반면에 1차원적이고 단세포적인 인간, 무뇌 인간만 넘쳐난다. 이런 1차원적 인간의 전형적인 모습이 인터넷에 자극적·엽기적인 동영상을 올리는 데에 혈안이 되어, 타인의 불행에서 위안을 찾고 결핍의 보상을 받으려 한다.

예전에 들짐승 사냥꾼은 짐승을 사냥했지만, 현대 사회에서는 손안에 기기를 들고 일상 속에서 복잡한 상황에 따라 수많은 감정의 변화나 일어나는 인간의 모습 중에서 화제가 될 만하고 자극적인 내용만을 인터넷 동영상에 올릴 먹잇감으로 사냥한다. 평상시 사냥꾼임을 숨기고 다니면서 그 존재를 드러내지 않기에, 이들에 대한 위협과 공포는 대단히 광범위하고 일상적이다.

하지만 그들은 착각한다. 자신들이 마치 사회의 추함을 깨끗하게 만드는 청소부이며, 사회 정의를 실현하는 파수꾼이고, 불의와 잘못된 행동을 고발하는 휘슬블로우이자, 용감한 시민이라고.

착각은 본능이다. 누구도 죽음을 피해 갈 수 없듯이 착각의 함정에서 벗어날 수 없다. 사람에게서 결점을 찾을 수 없다면 이는 착각이며, 자신이 완벽한 인간이라고 생각된다면 이 또한 착각이다. 사람은 보고 싶은 것만 보고, 보이는 것만 볼 수 있으며, 자신의 처지와 위치, 경험한 것에 의해서만 판단하고 세상을 보기 때문이다.

장애인이 수백만 명인 우리나라에서 대부분의 사람들은 거리에서 식당에서 공연장에서 장애인을 만나지 못한다. 장애인이 없어서가 아니다. 그들이 밖에 나와 돌아다닐 수가 없기 때문에 볼 수 없는 것이다. 그들은 사람들에게 보이지 않는 세상에서 그림자처럼, 유령처럼 숨어 있다. 그래서 우리는 그들의 슬픈 얼굴을, 그들의 아픔과 고통과 눈물겨운 사연을 볼 수도 들을 수도 없다.

역사의 도시 경주에 산다는 것과 경주의 숨결을 깊이 느낀다는 것은 다르다. 삶은 내가 보고 느끼는 대로 펼쳐지는 풍광이며 여행이다. 보고 느끼는 것이 많으면 많을수록 삶의 여행길은 더 풍요롭고 즐거움으로 가득 차게 되는 것이다. 비싼 양주를 먹었다고 고급문화의 느낌을 더 잘 누렸다고 말할 수 없는 것처럼, 바닷가에 산다고 바다의 고요함을 잘 느끼는 것도 아니고, 비싼 음식을 먹는다고 음식의 맛과 느낌을 더 잘 느끼는 것도 아니다.

결국 바닷가에 살거나, 비싼 음식을 먹거나, 비싼 양주를 마신 것보다 더 중요한 것은 그것을 누린 사람이 얼마나 가슴 시리게 느끼고 가슴에 담아두고, 즐거움을 만끽했는가에 달려 있는 것이다.

착각은 본능이기에, 착각하지 않고서 사는 사람은 없다. 다만 착각하고 있다는 사실을 스스로 인식하고 자각하고 있는지 여부가 중요한 것이다. 착각을 얼마나 철저하고 분명하게 인식하느냐가 타인과 함께 즐겁게 살아갈 수 있느냐의 척도가 된다. '내가 오만하다'는 착각, '내가 제일 잘나간다'는 착각, '나의 생각은 항상 옳다'는 착각에서 깨어날 때, 나는 비로소 타인과의 진정한 소통과 공감을 넘어 함께 어울리고, 함께 일어서고, 함께 일함이 가능하다.

사람들은 현실을 얘기할 때 무섭고 두렵고 어두운 표현을 덧씌운다. 말이 현실이 되는 것이다. 과연 현실이 그렇게 두렵기만 한 것일까? 어쩌면 현실은 내가 살아 있는 유일한 시간이며, 가장 즐거운 시간일 수 있다.

보이는 세계에서 보이지 않는 세계로 패러다임이 변하고 있다. 분명한 것은 보이는 세계에서의 두려움보다 보이지 않는 세계의 두려움이 더 크다는 사실이다. 보이는 세계의 두려움은 분명한 실체가 있지만 보이지 않는 세계에서 밀려오는 두려움은 분명한 실체가 없기 때문일 것이다.

보이는 세계 너머에 보이지 않는 세계가 있다. 보이는 세계를 향해 화살을 쏘아야, 보이지 않는 세계에 존재하는 과녁을 맞힐 수 있다. 보이는 세계에서 사는 사람을 평범한 사람이라 한다. 보이는 세계에서 보이지 않는 세계로 넘어가는 사람을 '비범한 사람' 혹은 '초인'이라고 한다. 인간은 누구도 보이는 세계를 거치지 않고 보이지 않는 세계로 넘어갈 수는 없다. 따라서 우선 보이는 세계에서 보이는 과녁을 향해 화살을 쏘아라. 그래야 보이지 않는 세계의 과녁을 맞힐 가능성을 높일 수 있다.

보이는 추함 속에 빛나는 아름다움이 있고, 보이는 아름다움을 한 꺼풀 벗겨 내면 추함이 도사리고 있는 현실을 직시할 때, 승자의 환한 얼굴 뒤에 감추어진 더럽고 야비한 얼굴을 볼 수 있고, 패자의 슬픔 어린 얼굴 뒤에 빛나는 아름다움이 보이는 것이다.

보이지 않는 것을 보는 사람들, 따뜻한 마음, 감성, 감수성을 가진 사람들은 사람들의 소리 없는 외침을 들을 수 있다.

"내게 슈트를 팔려고 하지 말고, 멋진 스타일과 매혹적인 외모를 돋보이게 해 주세요."

"내게 자동차를 팔려고 하지 말고, 자유로움과 스피드와 나 만의 공간이 가져다주는 상쾌함, 나 홀로 삶을 즐길 수 있는 편안함을 느끼게 해 주세요."

"내게 책에 있는 지식을 팔려고 하지 마시고, 책을 읽는 즐거움과 웃음을 가져다주세요."

아름다운 행동

Part 5.

모든 것들의 경계를
포용하는 삶

외줄 타기를 하는 광대는 보는 사람을 불안하게 하긴 하지만, 절대 외줄에서 떨어지지 않는다고 한다. 외줄 위의 사람은 어쩜 외줄에서 내려와 있을 때가 더 불안하고, 외줄 위에서가 더 안전한지도 모르겠다.

현실을 살아간다는 것은 외줄 위를 걸어가는 것과 같고, 삶의 경계는 항상 변하기에 이를 포용하는 단 하나의 해답은 없다는 것이다. 만일 있다면, 깨어 있음을 통해 경계를 포용하려는 열린 마음과 팽팽한 긴장감을 놓지 않는 것이다. 분명한 것은 외줄 위를 걸어가는 긴장감을 놓칠 때, 우리는 순식간에 잔혹한 현실의 늪에 빠지거나 끝이 보이지 않는 낭떠러지로 추락한다는 사실이다.

긴장감은 미꾸라지와 같은 역할을 한다. 일상의 편안함과 안락함 속에서 몸과 마음의 긴장감이 유지될 때 환희도, 웃음도, 성취도, 즐거움도, 행복도 경계에서 팝콘처럼 터져 나오는 것이다.

인간은 원래 자신이 보고 싶은 것, 자신이 말하고 듣고 싶은 것, 자신이 믿고 싶은 것만 듣고 보고 말하고 믿는 불완전한 존재이며, 남의 눈에 티끌은 잘 보면서 자기 눈에 들보는 보지 못하는 이기적인 존재이다. 마치 터널 시야를 가진 말처럼 말이다. 어쩌면 이것이 우리의 모습에 가깝다.

모든 인간은 독선적이고, 이기적이며, 오만하고, 자만심으로 가슴이 부풀고, 죽기 전에도 꺾을 수 없는 고집불통이다. 하지만 내가 다 옳고, 내가 다 안다고 생각할 때, 진정한 소통이나 관계맺음, 생각다운 생각은 존재할 수 없다. 그래서 독선과 자만의 결과는 분명하다.

그러나 인간은 곧은 모습보다 비틀리고 꼬여 있는 모습이 정상적이다. 이 말은 곧 인간은 불완전하게 태어난 존재란 뜻이다. 비틀린 나무를 대나무처럼 곧게 펴려고 하는 노력은 나무를 부러뜨리고 만다. 그냥 비틀리면 비틀린 대로, 꼬여 있으면 꼬여 있는 그대로 나무의 아름다움을 느끼면 된다.

결점을 먼저 본다면 세상에 맘에 드는 사람은 존재하지 않는다. 왜냐하면 모든 인간은 결점이 있기 때문이다. 분명한 것은 처칠도, 간디도, 빌 클린턴도, 이순신조차도 이들의 결점만 보고 이들을 발탁하지 않았다면, 역사 속에서 이름 없는 존재로 사라져 갔을 것이다.

　그러므로 단점보다는 장점을, 어둠보다는 밝음을 더 많이 찾아내는 사람이 되자. 인간에게서 신의 모습을 찾으려 하지 말고, 인간의 모습을 찾는 것이 가장 자연스럽다. 그것은 인간의 단점보다는 장점을 나아가 단점과 장점의 경계를 포용하는 삶이다. 아울러 약점을 고치려고 하기보다는 강점을 더욱 빛나게 하는 것이, 경제적 의미에 있어 최소비용으로 최대의 효과를 얻는 길이다. 왜냐하면 강점 강화는 성과 체증의 법칙이 작용하는 반면, 약점 극복에 치중하는 경우에는 약점의 비례적 감소만이 일어나기 때문이다.

　단점과 장점의 경계를 포용하는 것뿐만 아니라, 욕망의 경계를 포용하는 것 또한 세상을 밝게 만든다. 먹을 것에 대한 간절한 욕구는 정말 참을 수 없는 유혹이다. 거부하기 어렵다. 왜냐하면 먹고 싶은 것을 먹는 것은 일상의 고단함을 이기는 가장 쉽고도 간단한 방법이기 때문이다. 하지만 먹을 것에 대한 욕망을 절제하지 못하면 뚱뚱한 몸을 얻게 된다.

　욕망이 길을 잃을 때, 그것은 광기다. 삶이 공허할수록 집단최면과 집단 무의식에 걸리기 쉽고, 광기 상태에 빠질수록 내 편이 아닌 적을 만들어 희생양과 제물로 삼아 공허함을 달래려는 욕망이 강해진다. 욕망이 길을 잃을 때, 인간은 금지되고 억압된 것을 강렬하게 욕망하고, 중독된 욕망에 더욱 빠져든다. 하지만 그 욕망은 신기루처럼 충족됨과 동시에 사라지고 만다. 이것이 욕망의 신기루 효과다.

로미오와 줄리엣의 사랑은 금지된 욕망이었다. 그 욕망이 사라지지 않은 것은 충족되고 이루어지지 않은 채 그대로 멈춰 버렸기 때문이다. 금지된 욕망은 위험하다. 합법적이고 정상적인 방법으로 욕망을 충족하기 어려워 잔인하고 불법적인 방법을 사용할 경우가 많기 때문이다. 아울러 그 욕망을 충족했을 때, 만족과 기쁨은 기대만큼 강렬하지도 오래 유지되지도 않는다. 왜냐하면 금지된 욕망은 강렬할 것이라는 환상으로 욕망의 크기가 부풀려졌기 때문이다.

제임스 딘 주연의 영화 〈이유 없는 반항〉에서는 벼랑을 앞에 두고 목숨을 건 자동차 경주를 한다. 이른바 '치킨게임'이다. 감정이 나의 행동을 지배할 때, 우리는 현실에서 매일매일 치킨게임을 하고 있는 것이다. 브레이크가 고장 난 자동차를 타고 다니는 것처럼 말이다.

나를 치킨게임으로 달려가게 만드는 감정이 일어나면, 차가운 이성의 폭포에 뛰어들어 감정을 죽여야 한다. 이성으로 제어할 수 없다면, 더 강한 감정으로 감정의 흐름을 거꾸로 돌리는 수밖에 없다. 크게 소리를 지르든, 강하게 책상을 치든, 벽을 잡고 울든, 어떤 방법을 써서라도 감정의 늪 속에서 빠져나와야 한다. 서푼어치의 자존심 때문에 인생을 포기하는 자는 어리석다. 진정한 용기는 서푼어치밖에 안 되는 체면과 자존심을 넘어서 존재한다.

건강한 욕망, 즐거운 욕망, 선한 욕망이 활개를 치기 위해서는 절제라는 이성의 친구가 그림자처럼 동행한다. 차가운 이성이 조종당하거나 힘을 잃어 절제의 끈이 풀릴 때, 타락한 욕망, 위험하고 추한 욕망만이 구더기처럼 들끓을 것이다. 이처럼 절제는 인간의 욕망과 동물의 본능을 구별시키는 가장 큰 차이점이다.

채워지지 않는 욕망이란 말처럼 욕망은 원래 밑 빠진 독처럼 끝이 없다는 것이 욕망의 블랙홀 이론이다. 욕망은 채울수록 더 목마르고, 태울수록 더 불타오른다는 것이 욕망의 부채질 이론이다. 인간에 대한 사랑과 앎에 대한 타는 목마름이 아니라, 세속의 욕망, 자본에 대한 탐욕으로 자신의 몸을 서서히 말라비틀어지게 만들고 있다.

세상이 밝은 만큼 어둠도 짙듯이 어둠과 밝음은 공존하는 것이다. 다만 어둠이 밝음을 갉아먹는 것이 문제다. 다시 말해, 어둠의 힘이 밝음보다 지나치게 강해 공존을 밟아 버리고 밝음의 세계를 쪼그라들게 만드는 것이 문제라는 것이다. 욕망과 이성은 어둠과 밝음처럼 공존해야 한다. 이것은 삶의 자연스러움이다.

욕망과 이성이 공존하지 못하고 욕망의 괴물이 이성의 목줄기를 쥐고 꼼짝 못하게 할 때, 추악하고 더러운 욕망만 살아남고 건강한 욕망은 발붙일 곳을 찾지 못해 너무 쪼그라들었다. 역사적으로도 선과 악의 대결에서 악이 승리하는 경우가 많은 것처럼, 좋은 욕망과 나쁜 욕망의 게임은 나쁜 욕망이 압도적으로 승리를 해왔다. 이것은 욕망의 그레샴 법칙이라 할 수 있다. 너무도 도달하기 어려운 길이지만, 음과 양의 조화처럼, 선한 욕망과 나쁜 욕망이 균형을 유지할 때, 상황에 따라 자유자재로 음양의 이치처럼 서로가 서로를 강화하고, 때로는 억제하면서 상생의 진화를 할 수 있다.

배려는 상호존중이고, 상호존중의 전제는 상대방의 영역을 인정하는 것이다. 부부 간이나 부모자식 간에도 넘지 말아야 할 선이 있다. 개인의 은밀한 부분은 인정하고 존중해 주어야 한다. 그것이 상호 존중이다. 남녀 간, 가족 간에도 친밀도와 상황에 맞는 거리 두기는 서로의 인격을 존중한다는 의미다. 그 거리 두기를 잘 못하는 경우, 성적 희롱으로 고소나 고발이 일어나기도 하고, 가장 가까운 사이끼리 잔인한 싸움과 심지어는 살인까지도 벌어지는 것이다.

왼손과 오른손의 경계를 포용하는 것 역시 배려다. 나는 왼손잡이다. 서구에서는 중세 때부터 왼손을 '악마의 손'이라고 불경시했다는 기록이 있다고 한다. 세상에 존재하는 물건들은 대부분 오른손잡이를 위해 만들어졌다. 마이너리티인 왼손잡이들은 차를 탈 때도, 글을 쓸 때도, 음식을 먹을 때도 불편하다. 나 역시 회식자리에서 음식을 먹을 때, 옆 사람의 팔을 쳐서 뜨거운 물을 엎지른 경험을 하고 난 뒤에는 습관적으로 테이블의 가장자리에 앉는다.

물론 왼손잡이에 대한 국가와 국민들의 배려와 관심을 요구하는 것은 아니다. 하지만 다문화가정, 장애인, 동성애자와 같은 사회적 소수자들에 대한 국가와 국민들의 배려와 책임 있는 행동은 그 사회의 전반적인 문화와 인식 수준을 나타내는 중요한 기준의 하나라고 본다.

"세상은 모범생이 아니라 모험생이 바꾼다."는 말보다는 세상은 모범생과 모험생이 함께 어우러질 때 바뀐다고 생각한다. 모험생이 감성이라면, 모범생은 이성이다. 감성과 이성의 융합, 감성과 이성의 경계를 포용하는 곳에서 창의가 싹트고, 웃음꽃이 피어나는 것이다.

64

감성을 깨우는
부드러운 스킨십

감성을 깨우는 가장 빠른 방법은 시를 읽고 쓰기이고, 인간의 감성
을 깨우는 가장 쉬우면서도 행하기 어려운 것이 스킨십이다. 팍팍하
고 생존에 목매는 현실에서 시인도 시를 쓰기가 어렵고, 사랑하는 사
이나 가족 간에도 스킨십은 어렵다.

만지고 부비고 안아 주는 것을 넘어 사랑하고 그리워하는 사람에게
한 걸음 더 다가가는 감성의 깨움, 감성의 울림도 스킨십이라 생각한
다. 가족과 함께 밥을 먹기, 아들과 아내에게 사랑한다고 말하기, 아
들과 손잡고 걷기, 아침 밥상 차리기, 아내의 말에 따라 아들과 함께
앉아서 오줌 누기, 약속시간 10분 전에 도착하기, 강의나 교육 시 맨
앞에 앉기, 있는 힘을 다해서 아이와 같이 즐겁게 놀기도 그런 의미에

서 스킨십이라고 할 수 있다.

특히 가족과 함께 식사하기는 내가 가장 소중하게 생각하는 일상이다. 마치 공기의 소중함을 우리가 잊고 있듯이 가족의 소중함을 잊고 지낼 때가 많다. 가족은 함께할 때에 그 의미와 가치가 더욱 크다. 같이 밥을 먹고, 같이 자고, 같이 생활하는 것이 가족이다. 만약 따로 밥을 먹고, 따로 자고, 따로 생활한다면, 그것은 가족이 아니고 세상에서 가장 먼 타인일 뿐이다.

1인 가구의 시대가 도래했다. 누구나 하루의 일이 끝나면 홀로 자신만의 공간으로 들어간다. 그들은 감정이 메말랐기에 감정을 갈구하지 않는다. 대신 감정의 자리를 차지한 쾌락을 위하여 인터넷의 야동과 악성 댓글을 탐닉하고, 자극과 쾌락, 엽기를 찾아다닌다. 충족되지 않은 육체적 욕망을 위해서 돈과 사기와 거짓으로 섹스 파트너를 물색한 후, 쾌락을 위해 몸을 부빈다.

결국 1인 가구의 시대가 대세라는 것은 고독과 단절의 시대가 도래했음을 말한다. 누구의 눈치도 보지 않고 사랑할 자유는 넘쳐나되 진정한 사랑과 자유로움은 점점 질식해 가는 어두운 사회가 되어 가는 것이다.

스마트폰으로 대변되는 터치의 시대와 삭막하고 황량한 도시의 시대가 겹쳐진다. 키보드나 자판 위에서 눈으로 따라잡을 수 없을 정도의 빠른 터치는 감동보다는 나를 숨 막히고 막막하게 만든다. 터치가 일상을 지배할수록 감정 세포 하나하나를 살아 숨 쉬게 만드는 접촉과 포옹은 설 자리를 잃는다. 거리에는 접촉이 그리운 사람들이 진정한 소통을 잃어버린 채, 자기가 원하는 것만 듣고 보는 시대, 편애와 편식의 시대에 몸만 자란 정신의 난쟁이들만 좀비처럼 손바닥만 한 가상현실의 세계에서 참새처럼 조잘거린다.

왜 이미지의 세계에 몰입하는가? 잃어버린 자유를 스마트폰과 인터넷을 통해 보상받으려는 심리에서다. 현실에서 내 마음대로 할 수 없기에, 나의 기대와 마음을 수없이 배반하고 기만하는 사람들과의 관계로부터 도피하여 내 마음대로 할 수 있고, 어떤 경우에도 나의 믿음과 기대를 배반하지 않고 충실하게 내 곁을 떠나지 않는 친구로 애완견을 키우고, 스마트폰과의 끊임없는 접촉에 매달리는 것이다.

사람들은 접촉에 굶주려 있다. 부부간에도 섹스에 대한 의무적인 부벼댐만 있고, 감정을 만져 주는 부드러운 접촉이나 포옹은 점점 사라진다. 스마트폰의 터치도, 룸살롱에서의 터치도 진정한 접촉은 아니다. 하지만 우리는 접촉 결핍으로 인한 마음의 사막화를 방지하기 위한 최소한의 터치와 대화를 위해 오늘도 술집을 찾고, 스마트폰에 매몰된다. 이러한 현상은 점점 심해질 것이다.

하지만 스마트폰 등 가상세계와의 사이버관계나 돈으로 관계를 사는 유사관계는 결국 배신과 짓밟음이 지배하는 냉혹한 현실 관계처럼 염증과 환멸로 끝날 것이다. 결국 가족이나 사랑하는 사람들과의 따뜻한 스킨십과 포옹, 대화를 통한 진실한 관계의 회복만이 유일한 길이다.

　스마트폰은 인간관계의 사막화를 가중시킨다. 스마트폰이 가져올 환상만을 옹호하는 자들로 인해 감정과 정신의 황폐화 속도는 걷잡을 수 없이 빠르게 진행될 것이다. 지구의 허파인 초원이 먼저 사막화 되느냐, 인간의 푸른 마음이 먼저 타들어 가느냐는 시간문제일 뿐, 누구도 그 흐름을 되돌릴 수는 없다. 지구가 모두 사막으로 변한다면 지구는 멸망할 것이다.

　푸르른 감정의 샘이 메마를 때, 생명 역시 존재하지 않을 것이다. 사막의 사막화를 막기 위해서는 녹색사업이 필요하듯이 마음의 사막화를 막기 위해서는 진정한 스킨십의 번짐이 필요하다.

　만짐에는 몸의 만짐이 있고, 마음의 만짐이 있다. 사랑이 없는 섹스는 몸의 만짐이고, 따뜻한 대화를 통한 위로는 마음의 만짐이다. 사랑하는 애인이나 배우자와의 포옹은 몸의 만짐을 통한 마음의 만짐이다.

　스탕달은 애인의 손을 잡는 것에서 연애가 시작된다고 했다. 적절한 스킨십은 연애뿐만 아니라 가족, 친구, 동료 간의 관계맺음을 기쁘고 즐거운 관계로 오래 지속시키고 깊게 만드는 데 중요한 역할을 한다. 스킨십에는 부드러운 스킨십과 거친 스킨십이 있는데, 이는 서로가 느끼는 마음의 상태에 따라 구분한다. 태국마사지는 꺾고 누르는 힘이 장난이 아니다. 심하게 말하면, 고문하는 것 같기도 하다. 그래도 사람들은 좋아한다. 왜일까?

터치에 있어 중요한 것은 '느낌'이다. 상대방이 즐겁게 받아들이고 행복감을 느꼈다면 내가 아무리 거친 스킨십을 했더라도 그것은 부드러운 만짐이다. 반대로 내가 아무리 부드럽게 스킨십을 하더라도 상대방이 마치 뱀을 허리춤에서 내던지듯이 격한 반응이나 혐오감을 표현한다면, 그것은 폭력에 지나지 않는다.

다시 말해 기분 좋고 즐거운 기분이 드는 스킨십은 부드러운 스킨십이고, 강도와 상관없이 스킨십에 대해 벌레가 스멀스멀 기어 다니는 느낌이 들거나 찝찝하고 귀찮은 느낌, 나아가 폭력처럼 생각이 된다면 이는 거친 스킨십이다.

스킨십은 터치나 포옹이라는 개념과 유사하며, 우리말로 '안음', '만짐'이라고 할 수도 있다. 이런 스킨십은 인간의 감성을 깨우고 삶의 활력을 불러일으키는 행위인 반면에, 가상공간에서 타인에 대한 지적질, 난도질, 돌팔매질은 송장 같이 음울하고 삭막하고 막막한 삶 속에서 존재감과 일상의 즐거움을 잃어버린 좀비들이 익명성이란 갑옷을 입고 할 수 있는 마지막 광기이자, 뿌리칠 수 없는 자극과 쾌락으로의 유혹이다.

터치의 시대다. 하지만 사람과 사람 사이의 터치는 점점 사라지는 반면, 사람과 기계와의 터치, 사람과 애완동물과의 터치가 그 갭을 매우고 있다. 터치에도 우선순위가 있다. 사람과 기계와의 터치보다는 사람과 애완동물의 터치를, 애완동물의 터치보다는 사람과 사람사이에 따뜻함이 흐르는 터치가 더 흘러넘치는 것이 터치 시대의 조화로운 균형이다.

앞으로는 발마사지, 코칭, 상담, 인문학 강의 같은 마음의 터치와 관련된 사업은 번창할 것이다. 감정이 메마른 사람들에게 터치는 거친 것을 부드럽게 만들고, 성냄을 온화함으로, 뜨거운 것을 시원함으로 만들어 주는 마법이기 때문이다.

포옹은 '얼싸안는 것'이다. '얼을 감싸 안는다'는 뜻이 포함되어 있다. 가슴뿐 아니라 그의 영혼까지 감싸 안는다는 것이다. 처음에는 누구나 쑥스러워한다. 그러나 자꾸 하다 보면 '얼싸안는' 그 따뜻함의 힘을 온몸으로 느끼게 된다. 한 번의 포옹이 인연을 만들고, 사람을 운명을 바꾸고, 기적을 일으킬 수 있다. 먼저 나 자신을 포옹하고 가족을 포옹하자.

관용으로 따뜻하게
감싸 주는 사람

관용의 기준은 받아들임이다. 내가 베풀어도 상대방이 받아들이지 않으면 그것은 관용도, 용서도, 사과도 아니다. 진정한 사과하기나 따뜻하게 관용으로 끌어안기는 히말라야 등반보다 더 어려운 일이다.

관용으로 따뜻하게 감싸 준다는 것은 용서하고 용서받음으로써 화해하는 것이고, 다름을 끌어안고, 잘못과 실수에 대해 너그럽게 이해하는 것이다.

목에 핏발을 세우며 불관용이나 제로 톨레랑스를 외치는 자는 자신과 자신의 가족들에게는 절대적인 관용을 적용한다. 이는 자신과 자신의 가족은 우월한 유전자를 가진 선민이므로 범죄를 저질렀어도 이를 바로잡아 개과천선할 수 있지만, 나를 둘러싼 중심을 벗어난 주변인은 범죄의 씨앗이 몸속에 있으므로 죽어도 이를 뉘우치고 새사람이 될 수 없기에 사회에서 근원적으로 격리해서 성 밖으로 쫓아내야 한다는 것이다.

이런 이기심에 뿌리를 둔 인간의 이중성으로 '깨진 유리창 이론'의 주대상인 빈자와 약자, 서민에 대한 불관용을 외치는 자는 우선 의심해야 한다.

가벼운 죄를 범하여도 처벌을 받지 않는다면 백성들은 죄를 짓는 것을 쉽게 생각하게 될 것이고, 가진 자들이 큰 죄를 범하여도 제대로 처벌을 받지 않는다면 그들은 자신이 가진 것을 더 크게 만들기 위하여 법을 짓밟는 행위를 쉽게 생각할 것이다. 바늘 도둑이 소도둑 된다고 한다. 있을 수 있다. 하지만 설령 소도둑이 되면 어떤가. 재벌이나 정치인의 범죄와 무책임한 행동으로 인해 국가경제에 천문학적인 손실을 입히고 국민의 마음에 더할 수 없는 자괴감과 무력감을 확산시켰다면 이것이 소도둑에 비할 일인가.

따라서 깨진 창문 이론은 뒤집어 보아야 한다. 이는 기본적으로 무관용의 원칙이고, 차갑고 냉혹한 법의 잣대만 들이대는 것이기 때문이다. 물론 강력범죄는 엄단해야 한다. 하지만 경범죄나 생활범죄의 엄단을 통해 사회 안전을 지키겠다고 사회의 인정과 훈기를 다 얼려버리는 것이 인간다운 사회, 따뜻한 사회를 만드는 데 얼마나 도움이 될까?

깨진 창문 이론의 적용에는 한계가 있어야 한다. 이것이 중용의 길이다. 이것을 벗어나면 미다스의 손이 모든 것을 다 황금으로 만들어버리는 지옥을 만들 듯이, 깨진 창문 이론도 모든 인간관계와 사회적인 질서를 혼란스럽게 하고 파괴시키는 우를 범할 수 있다. 부와 권력을 가진 자가 국가의 근간을 흔드는 범죄에는 눈뜬장님이 되고, 생계형 포장마차나 지하철 잡상인과 성 접대부, 좀도둑과 노상방뇨만 잡아들이는 깨진 창문 이론의 신봉은 재고되어야 한다.

현실적으로 누가 창문을 깨는가? 결국 가난하고 소외되고 절망의 막다른 골목에 이른 자들이다. 하지만 가난하고 소외된 자들이 창문을 깨도록 상황을 만든 것은 국가의 무능이고, 이들을 때려잡으려고 하는 것이 깨진 창문 이론이다. 분명 재벌이 창문을 깨진 않는다. 하지만 그들은 사회의 신뢰를 깨고, 정의를 박살내고, 공정을 짓밟으며, 경제의 주춧돌을 깬다.

가난한 자의 눈에 흐르는 피 눈물을 보지 못하고 창문 깨는 것에 눈살을 찌푸리고 길거리 냄새에 코를 틀어쥐면서 욕만 해댄다면, 보고 싶은 것만 보는 외눈박이이고, 듣고 싶은 것만 듣는 청맹과니나 다름없다.

천 길이나 되는 둑도 개미구멍에 의해 무너지며, 백 척의 큰 집도 굴뚝 사이에서 새어나오는 불티에 의해 재가 될 수 있기에 가벼운 죄도 철저하게 처벌해서 범죄의 싹을 잘라야 한다고 한다. 하지만 이것은 말장난에 불과하다. 다리가 무너지고, 백화점이 무너지고, 거대한 여객선이 침몰할 때마다 수백 명씩 무고한 사람들이 죽어 가는 것은 창문을 깨는 사람들 때문이 아니라 국민의 목숨을 담보로 이미 터질 듯이 불룩한 금고도 욕심에 차지 않아 더 크고 튼튼한 돈의 파이프라인을 구축하려고 신뢰와 약속을 깨는 사람들 때문이다.

에드윈 마컴은 〈관대함의 정신〉에서 이상적인 관대함의 모습을 그렸다. "그 사람은 동그라미 하나를 그리더니 나를 그 밖으로 쫓아버렸다. 이단아, 반역자, 경멸받아 마땅한 놈, 하지만 사랑의 여신과 나는 이겨 낼 지혜가 있었다. 우리는 그 사람마저 감싸는 동그라미 하나를 그렸다."

신인류는 따뜻한 감정과 절제된 이성의 경계를 포용하는 사람이다. 그것은 적당함이다. 일에서도, 사랑에서도 적당함은 서로 다름의 경계를 포용하는 행동이다. 이류의 조건은 명확하고 정확하며, 치밀하고 철저하게 있는 힘을 다해서 사는 삶이다. 삼류는 일이든 사랑이든 어중간하고 어정쩡하게 하는 사람이다.

다름을 인정하는 것은 칼날 위를 걸어가는 것처럼 신의 경지다. 위로 향한 공감은 다름을 배제하고 배척한다. 분열과 갈등을 조장하고 살벌함과 전쟁을 부른다. 아래로 향한 공감은 다름을 포용하고 정의로움과 공정, 나눔을 끌어안는다.

이처럼 다름을 포용한다는 것은 공감의 방향이 낮은 곳으로 향하는 것이다. 분명한 것은 공감의 방향이 위로만 향할 때, 시선 아래에 있는 모든 것은 개미나 버러지에 지나지 않는다. 다름에 대한 극단의 경멸과 배척만이 존재할 뿐이다.

바리새인들은 간통 현장에서 붙잡아 온 한 여자를 예수에게 데리고 와 현행법에 따라 돌로 쳐 죽여야 한다고 주장했다. 예수가 일어나 그들에게 말한다. "너희 가운데 죄가 없는 자가 먼저 저 여자에게 돌을 던져라." 그러자 나이 많은 자부터 천천히 한 사람씩 그 자리를 떠난다.

지금 시대는 누군가가 분명 돌을 던질 것이기에 그런 말을 꺼내기가 두렵다. 그 말을 하는 순간, 무수한 돌멩이가 던져질 것이고, 주변 사람들은 휴대폰 영상을 찍느라고 바빠질 것이다. 지적질이 난무하는 사회다. 마치 내가 먼저 지적질을 하지 않으면 지적질을 당할 것이라는 보이지 않는 공포가 주위를 휘감고 있는 것이다. 그들도 지적질 당하고, 왕따 당하고, 따돌림 당하고, 손가락질 받으면서 홀로 남겨질까 봐 두려운 것이다.

지하철에서 어린아이와 같이 지하철을 탄 아빠의 이야기다. 아이가 지하철에서 뛰어다니고 장난을 심하게 치니까, 마침내 나이가 지긋한 한 분이 아이 아빠에게 다가왔다.

"아이가 공공장소에서 저렇게 심하게 장난을 치면 아빠가 꾸짖어서 못하게 해야 하는 것 아니오?"

그러자 아이 아빠는 이렇게 대답했다.

"아, 죄송합니다. 지금 암에 걸린 아내를 하늘나라로 보내고 오는 길입니다. 엄마도 없이 어린 것을 어떻게 키울까 걱정에 빠진 나머지 미처 아이의 행동을 살피지 못했습니다."

아무리 예의바르고, 타인을 배려하는 마음이 몸에 베인 사람도 감정의 파도에 휩쓸릴 때가 있다. 인간은 감정의 동물이기 때문이다. 낯선 타인의 민감하고 까칠한 행동, 평소와 다르게 동료나 친구의 무례하고 공격적인 태도나 사소한 문제에 격한 욕지기를 쏟아내는 행동은 분명 내가 모르는 고통스럽고, 가슴 아프고, 견딜 수 없이 화가 나는 일이 있었을 것이다.

경마장에서 말들의 경주가 펼쳐진다. 우승마는 말대가리가 먼저 결승선을 통과해야 이기는 대가리의 승부다. 하지만 사람은 다르다. 100미터이건 마라톤이건 가슴이 먼저 결승테이프에 닿아야 이기는 가슴의 승부다. 사람은 가슴이 먼저 움직여야 한다. 우사인 볼트의 거침없는 질주도 가슴으로 시작해서 가슴으로 끝난다.

인간은 복수와 용서 사이에서 끊임없이 방황하는 존재다. 날카로운 이빨로 나를 물어뜯은 자에 대한 더 잔혹한 방법으로 복수를 한 후에도 마음의 평온이 찾아오지는 않는다. 하지만 돈도, 힘도, 뒷배경도 아무것도 가진 것이 없다는 이유로 나를 경멸하고 조롱하고 짓밟은 가진 자들을 용서한다고 해도 가슴에 후련함과 마음의 평온이 찾아올 것 같지는 않다. 복수 후에 남는 것과 용서 후에 남는 것은 공히 허망함과 공허함 아닐까. 어차피 남는 게 허망함과 공허함이라면 내 자신의 안위와 세상의 평화를 위하여, 복수보다는 용서하는 것이 그래도 조금은 낫지 않을까.

분명 용서하고 받아들이는 것은 힘들다. 하지만 힘든 만큼 눈이 부시도록 시린 푸르름이 바로 눈앞에 있다. 이것이 받아들임의 미학이요, 역설이다. 인간의 체온으로 녹지 않는 감정은 없다. 모든 감정은 끌어안을 때 가슴 속에서 녹는다. 사랑도, 슬픔도, 분노와 증오조차도 가슴속에서는 녹는다.

이청준의 〈벌레이야기〉에서 아들을 죽인 살인범을 용서하기로 결심하고 교도소를 찾은 신애는 살인범으로부터 자신은 이미 하나님에게 용서를 받았다는 말을 듣고, 그 앞에서 아무 말도 못하고 주저앉는다. 용서는 인간만이, 적어도 인간이 먼저 해야 하는 부분이다. 인간에 대한 의지 다음에 신에게로 의지해야 하듯이, 인간의 용서가 선행되지 않는 그 어떤 신의 용서도 진정한 용서일 수 없다.

말하는 것보다 경청이 어려운 것처럼 용서나 관용은 인간의 본성에 따른 감정이 아니다. 대부분 진심으로 용서하는 마음을 좇아 용서하지 않으면, 그 마음은 배반당하기 쉽기에 결국 더 가혹하고 잔인한 복수로 변질된다. 진심으로 용서하는 것은 신의 영역이라고 하지만, 그럼에도 불구하고 인간에 대해 용서하고 용서를 구하는 행동을 포기할 수는 없다.

누군가는 말한다. 용서는 고슴도치를 끌어안는 것이라고. 그만큼 관용과 용서는 어렵다는 뜻일 것이다. 불관용만이 존재하는 사회는 동물의 세계다. 동물의 세계, 짐승의 나라에는 관용이란 것이 존재하지 않기 때문이다.

그렇다면, 왜 용서해야 하는가? 용서는 남을 위해서가 아니라, 나를 위해서 하는 것이다. 입에 피를 머금고 남에게 뿜으면 자신의 입이 먼저 더러워지듯이 증오로 타인을 베는 것은 동시에 자신도 베는 것이다. 신은 용서를, 인간은 복수를 꿈꾼다는 말이 있다. 분명한 것은 용서는 인간이 할 수 있는 가장 고귀한 복수라는 것이다.

싸움에서 승부가 나면 상대방을 서로 더 이상 공격하지 않는 동물의 질서와 달리, 사람의 싸움은 끝이 없다. 끝없는 보복의 무한반복이 있을 뿐이다. '눈에는 눈'이라고 하면서 모든 이를 장님으로 만든다. 인간의 잔혹성은 처음에는 인간만을 죽였지만, 시간이 흐를수록 자연도 죽인다. 모든 생명을 죽이고 끝내 자신도 죽는다.

석탄 위에 앉으면 살가죽이 불에 타고, 증오를 깔고 앉으면 마음이 시꺼멓게 탄다. 내가 증오의 석탄 덩어리를 손으로 집어 남에게 던지면 먼저 내 손이 화상을 입고, 독선과 편견, 오만과 고집, 거만과 아집의 파편들이 내 온몸 깊숙이 박힌다. 따라서 증오의 석탄은 식힌 후에 집어야 한다.

증오의 석탄을 식히기 위해서는 먼저 증오가 자연스럽게 흘러가도록 놔두어야 하며, 증오가 흘러가는 것을 가만히 지켜보고 응시할 수 있는 이성의 담금질로 단련된 인내와 절제의 힘이 있어야 한다.

자기 자신을
진심으로 사랑할 때

나와 인연을 맺은 모든 것, 가족과 이웃, 나아가 온 인류를 다 사랑할 수 있다면 더할 수 없이 좋겠지만, 분명한 것은 사랑의 첫 단추는 세상의 중심이 자신이라는 옹골찬 마음의 자기 사랑과 신뢰에서 시작되어야 한다는 점이다.

어느 성공회 주교의 묘비에는 〈나 자신부터〉라는 제목으로 이러한 묘비명이 적혀 있다. "내가 젊고 자유로워서 상상력에 한계가 없을 때, 나는 세상을 변화시키겠다는 꿈을 가졌다. 내가 좀 더 나이가 들고 지혜를 얻게 되었을 때, 나는 세상이 변하지 않으리라는 것을 알았다. 그래서 시야를 약간 좁혀 내가 살고 있는 나라를 변화시키겠다고 결심했다. 그러나 그것 역시 불가능한 일이었다. 황혼의 나이가 되었을 때 나는 마지막 시도로 나와 가장 가까운 내 가족을 변화시키겠다고 마음을 정했다. 아 그러나, 아무것도 달라진 것은 없었다. 이제 죽음을 맞이하기 위해 자리에 누운 나는 문득 깨닫는다. 만일 내가 나 자신을 먼저 변화시켰더라면."

분명한 것은 나에게 상처를 주고 불행을 가져다주며 내 인생에 영향을 미치는 첫 단추는 내 자신, 내 자신의 변화에서 시작된다는 것이다.

감정에너지 총량은 일정하다. 결핍이나 열등감을 부정에너지로 만드는 사람은 긍정에너지로 쓸 에너지가 줄어들기 때문에 우리는 모든 상황을 긍정적으로 바라보고 해석하고 활용하는 행동이 절대적으로 중요하다.

소설가 공지영 씨는 〈네가 어떤 삶을 살든 나는 너를 응원할 것이다〉에서. "네 속에 없는 것을 네가 남에게 줄 수는 없다. 네 속에 미움이 있다면 너는 남에게 미움을 줄 것이고, 네 속에 사랑이 있다면 너는 남에게 사랑을 줄 것이다. 네 속에 상처가 있다면 너는 남에게 상처를 줄 것이고, 네 속에 비꼬임이 있다면 너는 남에게 비꼬임을 줄 것이다. 네가 사랑하는 사람이 있다면 그는 어떤 의미든 너와 닮은 사람일 것이다."라고 했다.

나는 조언과 충고조차도, 특히 수직적인 관계에서 일어나는 조언과 충고는 부정적인 에너지를 발산시킨다고 생각한다. 그래서 대개의 경우 연장자 특히 부모님이나 장인, 장모님의 충고나 조언은 비슷한 말을 무한반복하기에 정말 참기 힘든 잔소리가 된다.

하지만 엄마나 장모님, 아들과 아내, 연인의 이야기를, 친구와 동료의 이야기를 듣고, 듣고, 또 듣고 계속해서 잘 들어 주면서 "알겠어요.", "그렇게 할게요.", "그래, 힘들겠다.", "괜찮아, 다치지 않았니?", "다 잘되고, 좋아질 거야."라고 말해 줄 수 있다면, 그보다 매력적이고 사랑스러울 수는 없을 것이다.

하지만 그런 아름다운 대화 상대를 찾지 못한 사람들은 오늘도 인터넷 공간을 헤매고 술집을 드나들고, 정신과 의사를 찾아가거나, 그런 사람을 만나지 못한 채 불행하게도 우리는 죽어 갈 것이다. 이것이 가장 먼저 내가 나를 사랑하고 칭찬하고 응원하고 위로해야 하는 이유다.

동네 꼬마들의 싸움에서도 선방을 때리면 이길 수 있는 확률이 80%가 넘는다. 이것은 프로들의 싸움에서도 예외는 아니다. 이것이 선방의 법칙이다. 사과와 칭찬, 잘못이나 실수의 인정, 타인의 능력과 장점 인정하기, 인사하기, 부부싸움에 있어 화해의 손을 내밀 때도 마찬가지로 내가 먼저 하라.

하지만 먼저 손을 내밀 때도 순서가 있다. 먼저 내 자신에게 손을 내밀고, 그다음에 세상에 손을 내밀어야 한다. 하지만 먼저 손을 내밀기는 정말 어렵다. 사람은 부모나 아내에게조차 하고 싶은 말, 사랑한다는 말조차 제대로 하지 못하는 겁쟁이다. 너무 무서워서 아무 말도 아무 행동도 하지 못하는 것이 나와 너, 우리의 자화상이다. 우리는 얼음왕국에 살고 있는 것이다.

인간은 누구나 사랑받고 칭찬받고 인정받고 싶어 한다. 하지만 아무도 나를 칭찬하고 인정하고 내 말에 귀 기울여 주지 않는다. 따라서 남이 나를 칭찬하기를 기다리기보다는 먼저 내 자신을 칭찬하고 사랑하고 격려하고 다정하게 안아 주어야 한다. 나아가 내가 좋아하고 하고 싶은 일을 하는 삶, 가슴 뛰는 삶을 살아야만 가족도 가슴 뛰는 삶을 살 수 있게 할 수 있으며, 만인에게 다정한 웃음을 보낼 수 있고, 사랑을 나누어 줄 수 있다.

나를 칭찬해라. 왜냐하면 살아가면서 내가 스스로를 칭찬해 주지 않으면 칭찬받는 즐거움을 삶 속에서 거의 맛볼 수 없기 때문이다. 따라서 타인을 칭찬하는 일에 있어 지나침은 있을 수 있지만, 나를 칭찬하는 경우에 있어서는 지나침이란 없다.

한 달간 아침 운동, 42킬로미터 마라톤 도전, 10킬로그램 다이어트, 책 100권 읽기를 결심했는데 실천했다면, 스스로를 격려하고 자신에게 선물을 해 보자. 평소 발걸음 하기 어려운 일류 호텔 레스토랑에서의 멋진 식사, 자신이 입고 싶은 스키니 청바지, 조금 파격적인 셔츠, 나이트클럽에서의 혼자만의 달콤하고 멋진 시간을. 뮤지컬과 영화를, 3박 4일간 지리산 종주를, 가족과의 해외여행을. 일정한 목표를 달성했을 때 자신과 가족에게 충분한 보상을 해 주는 것은 즐거움과 함께 새로운 열정을 불타게 해 주는 신비의 묘약이다.

스스로에게 내가 멋지고 예쁘고 대견하며 멋있다고 말하며 안아 주자. 하지만 등잔 밑이 어둡다고 나를 칭찬하고 나를 사랑하는 일에 무관심하고 불편해하는 사람이 있다. 왜 우리는 아이들과 애완견은 사랑스럽게 목을 쓰다듬고 예뻐하면서 자기 자신은 격려하고 응원하고 안아 주지 않는가? 우선 내가 나를 칭찬하는 연습을 하자. 그래야 남을 칭찬하는 것도 자연스럽게 할 수 있다.

자신을 사랑하지 않는 사람의 차가운 시선이 독버섯처럼 퍼지는 대표적인 공간이 인터넷과 스마트폰으로 대변되는 사이버 세상이다. 인터넷이란 관계의 단절과 사이버 공간의 익명성을 빌미로 무차별적이고 잔혹하고 광범위하게 사람을 매장시키고 인간쓰레기로 만들어 버린다. 마치 영화나 드라마의 편집의 마술처럼 사건이나 행동의 일부분만을 편집하여 검증과 여과 없이 뿌려지는 동영상은 사실을 사실 그대로 전달하기보다는 밤과 낮이 바뀌듯이 악행을 선행으로, 선행으로 악행으로 둔갑시키기도 한다.

이처럼 자신의 행위가 자신의 의도와 의지와는 상관없이 타인에게 무차별적으로 노출되는 위험에 더하여 자신의 행위가 왜곡되고 비틀려진 형태로 순식간에 광범위하고 영속적으로 전파될 수 있다는 위험 때문에 누구나 선의의 피해자가 될 수 있다. 물론 그 반대의 경우도 있을 수 있지만, 그런 측면에서 지금은 위험사회다.

분노가 그 원인을 향할 때 혁명이 되고, 분노가 세상 사람들에 대한 증오로 변할 때 악인이 되고, 분노가 자신의 심장을 향할 때 사람은 자살을 한다. 이처럼 분노의 조직화는 혁명이 되고, 분노의 증오화는 사회적 범죄가 되며, 분노의 개인화는 자기 파멸을 가져온다. 분노에는 이유가 있다. 그 이유의 대부분은 어릴 적 부모나 주위로부터의 무관심, 왕따, 조롱, 무시라는 이름의 따돌림이요, 홀로 내팽개쳐짐이다. 그들에게 필요한 것은 그 어떤 대단한 것도 아닌, 누군가 자기를 향해 웃어 주는 미소 한 조각, 관심과 격려, 따뜻한 포옹과 인정이었는데 말이다.

세상에 쓸모없는 존재는 없다. 누구의 삶이라도 그것은 하나의 역사이기 때문이다. 나는 아들에게 말한다. 훌륭한 인재, 쓸모 있는 존재가 되려고 아등바등하기보다는 너는 어떤 삶을 살든 이 세상에 존재하는 것 자체로도 역사이기에, 무엇보다 웃으면서 즐겁게 살아야 한다고…….

자신이 즐거울 때에 만인을 즐겁게 할 수 있고, 스스로 자신을 진심으로 사랑할 때, 만인을 진정으로 사랑할 수 있다. 이처럼 자신에 대한 절대적 사랑과 신뢰의 뿌리가 단단할 때, 타인에 대한 이해와 신뢰가 깊어지는 것이다.

대화에서, 일에서, 협상에서조차 상대방보다 나를 주인공으로 만들려고 할수록 나는 주인공인 아닌 주변인이 되고, 나의 존재감은 사라지게 된다. 내가 상대방을 돋보이게 할수록, 내가 상대방을 주인공으로 만들어 줄수록, 내가 상대방을 폼 나게 해 줄수록 나는 어느새 주인공으로, 거인으로, 멋지고 매력적이고 돋보이는 사람이 된다. 이 것이 '자이언트 효과'다.

특히 잘 나갈수록, 가진 자일수록, 지위가 높을수록, 사회적으로 존경을 받을수록, 뜨거운 열정과 행동의 치열함을 가진 자일수록 관계하는 모든 상대방을 주인공으로 만들어 줘야 한다. 그것이 나를 즐겁게 하고 세상과 친구가 되는 길이다.

성숙해 간다는 것은 자신만을 주인공으로 만드는 삶보다 가족을, 타인을 주인공으로 만드는 것에서 삶의 보람과 즐거움을 더욱 강렬하게 느끼는 것이다. 자신만을 주인공을 만드는 삶 속에서 타인을 주인공으로 만들 수 있는 가능성은 거의 없고, 타인만을 주인공으로 만드는 삶 속에서 자신이 주인공이 될 가능성도 역시 크지 않다.

자신이 주인공인 삶에 모든 것을 집중할 경우에는 타인으로 인해 나의 즐거움은 반감된다. 하지만 타인을 주인공으로 만드는 삶 속에서는 자신이 주인공이 되든, 되지 않든 간에 타인으로 인해 나의 즐거움은 배가된다. 이것이 성숙한 삶이 가져다주는 플러스 행복이다.

우리는 안다. 현실 속에서 사람들 사이에서 이리저리 밀리면서 말라 버린 내 마음을 적셔 줄 따뜻한 응원과 격려 대신에 나에게 밀려오는 것은 이미 말라 버린 가슴을 태워 버릴 만큼의 매서운 비난과 차가운 시선들의 경멸어린 눈총뿐이라는 것을.

항상 구원의 손길을 소망했지만, 이미 삐뚤어질 대로 삐뚤어진 나에겐, 당연하게도 누구 하나 관심조차 두지 않았다. 나는 주위로부터의 따뜻한 관심과 인정에 목말라했지만, 이미 꼬일 대로 꼬인 나에겐, 심지어 엄마와 아빠조차도 관심을 주지 않았다. 나를 구원할 방법은 내가 나를 끌어안는 길뿐이다.

〈추적자〉란 드라마에서 기업회장의 역할을 맡은 배우 박근형 씨가 말했다. 예전에 마을마다 머리에 꽃을 달고 다니는 미친 여자가 있었는데, 그 여자는 사람들이 자신을 밀치고 놀려도 화를 내지 않지만 자기 머리에 달고 있는 꽃을 건드리면 불같이 화를 낸다고. 누구에게나 미친 여자의 꽃처럼 절대로 꺾이고 싶지 않은 무엇이 있다. 우리는 그것을 '역린'이라고도 한다.

건드리지 말라. 그의 열등감, 자존심에 생채기를 내지 말라. 분명한 것은 역린은 누구나에게 있으며, 쉽게 상처를 입는다는 사실이다. 할 수만 있다면 오히려 역린을 당당히 드러내면서 자신을 끌어안고 사랑하는 것이 가장 자존심을 지키는 최상의 길이다.

당신은 가장 가까운 가족을 인정해 주는가? 자녀를 믿고 인정해 주는가? 놀랍게도 자녀를 믿고 인정해 주는 사람은 열에 하나다.

누군가에 대한 당신의 믿음이 피그말리온이 되기도 하고, 피를 말리기도 한다. 멋진 아들로 대해 주면 멋진 아들이 되고, 모질이 아들로 대해 주면 찌질한 아들이 된다. 희곡 〈피그말리온〉을 각색한 영화 〈마이 페어 레이디〉에서 주인공 일라이자 역을 맡은 오드리 헵번은 이렇게 말한다. "피커링 대령이 아니었으면 예의가 뭔지 몰랐을 거예요. 그 분이 절 꽃 파는 아가씨 이상으로 대해 주셨어요." 교사는 마음과 행동으로 아이를 조각하는 교실 안의 피그말리온이다.

일진은 잠시 사라져도 일진이 되려는 욕망은 사그라지지 않을 듯하다. 지금처럼 교실 안 경쟁이 치열할수록 아이들은 인정과 칭찬에 더 목말라할 테니 말이다. 아이들의 욕망은 단순하고 충동적이며 강렬하고 본능적이다. 따라서 이런 아이들의 인정받고 싶은 강렬한 욕망을 이해하지 못하고 강압적으로 억누르고 조롱하고 경멸하고 무시한다면, 이는 타는 갈증에 소금물을 들이붓는 격으로 아이들은 더 충동적이고 더 강렬하며 더 본능에 충실한 반항을 할 것이다. 아이를 죽이고 않고서는 이들의 욕망을 이길 수 없다. 어느 집을 불문하고 반항하는 아이를 힘으로 눌러 부모의 의지대로 끌고 가는 사람을 본 적이 있는가.

학교는 길 잃은 학생들과 길을 제시하지 못하는 스승들로 넘쳐나고 있다. 길 잃은 선생들이 늘어나는 시대에 길을 잃은 학생들은 버림받은 존재다. 다른 말로 학교와 가족, 사회로부터 버림받은 존재, 보이지 않는 인간, 무시와 무관심의 대상이 된다. 따뜻한 관심과 인정에 목마른 아이들에게 이런 상황은 죽음 같은 고통이다.

우리가 인정을 말할 때는 타인으로부터의 인정받음에 초점을 맞춘다. 상대방을 인정한다는 것은 상대방을 있는 그대로 보고, 인식하고, 존중한다는 말이다. 남을 인정해 준다는 의미는 남의 약점보다 장점을 인정하고 칭찬할 줄 아는 열린 마음이다. 하지만 더 중요한 것은 내가 나를 인정하는 자기인정이다. 왜냐하면 자신이 스스로를 인정하는 만큼 타인으로부터 인정을 받을 수 있기 때문이다. 이른바 '자기인정의 확장법칙'이다.

자기 사랑은 타인 사랑으로 자연스럽게 번져 가야 한다. 이런 사랑의 번짐이 이루어지지 않고 자기 사랑에 고착되는 경우는 성격 장애로 이어진다. 마치 남근기에 고착되는 사람이 남근에 병적으로 집착하는 것 같은 자기애의 고착은 자기사랑이 아니라 궁극적으로 자신을 파괴함을 명심해야 한다.

그런데 부와 권력을 가진 소수의 꼴통들은 정말 세상의 중심, 가치의 중심, 생각의 중심이 자신이라고 생각하고 행동한다. 이기주의와 오만을 넘어 극단의 자만으로 가득 차 있는 존재다.

천상천하유아독존의 삶은 오만과 자만의 알을 깨고 나온 삶이다. 옹고집을 꺾고, 자신의 오만을 인정할 줄 아는 위대한 나로의 창조적 진화이다. 하지만 "교만은 인간이 죽고 나서 3시간 후에 죽는다."는 어느 신부의 말처럼 이는 이상이고 현실은 오만하고 교만한 사람들이 지배하는 세상이다.

옳은 말을 하는 사람보다 이해해 주는 사람이 좋다. 나는 내 편을 들어 주는 사람이 좋다. 모든 선생님은 잔소리꾼이다. 엄마도 선생님이고 아빠도 선생님이며 선생님도 선생님일 때, 아이들은 숨을 쉴 수가 없다. 선생님이 "다 너 잘되라고 하는 말이야!" 하면서 잔소리를 하기 시작할 때, 아이들은 온 마음으로 배척하고 등을 돌린다. 진정한 조언은 한없이 따뜻해야 한다. 잔소리나 충고가 아니라 가슴에서 우러나오는 칭찬과 격려의 말이어야 한다.

가만히 놔 둘 때도 있어야 한다. "더 빨리 흐르라고 강물의 등을 떠밀지 말라."고 한다. "강물은 나름대로 최선을 다하고 있는 것이다."라는 말처럼 내 기준으로 보기에 마음이 답답하고 속이 터질 것 같아도 분명한 것은 아이도, 아내도, 파트너도 누워 있든 앉아 있든, 일하고 있든 대화하고 있든, 울고 있든 웃고 있든 간에 그들은 자기 방식으로 최선을 다하고 있는 것이다. 그냥 믿고 응원하고 격려하고 가만히 지켜보는 것이 최선이다. 이들에게 훈계, 조언, 충고란 이름으로 등을 떠미는 것은 대부분 역효과가 난다.

나는 전화를 하거나 아들과 대화를 할 때 아들에게 가끔씩 "사랑하는 우리 아들, 사랑해!"라는 말을 한다. 그러면 아들도 "나도 아빠 사랑해!"라고 메아리를 보낸다. 그럴 때마다 내 가슴은 잔잔한 기쁨으로 출렁거린다.

누군가가 "공감과 감동과 만족 없이는, 어떤 경우에도 돈을 받지 않을 것이다."라고 할 때, 이것은 자기 사랑이며 자신의 일에 대한 절대적 신뢰와 자신감의 표현이다. 스스로에 대해 절대적인 신뢰와 사랑을 가진 사람만이 이런 행동을 할 수 있다.

　Visualization(생생하게 시각화하기), Vervalization (큰 소리로 선언하기)이란 말이 있다. '석봉 토스트'로 유명한 김석봉 씨는 매일 새벽 거울을 보며 "살아 있어 기뻐, 일이 많아 바뻐, 하나뿐인 나 예뻐."라며 '3뻐 다짐'을 했다고 한다. 그런 행동이 곧 성공의 원동력이 되었다. 부끄럽다거나 쑥스럽다고 생각하면 아무것도 변화시킬 수 없다. 바로 나 자신을 진심으로 사랑하는 마음으로 외쳐 보자.

　"하나뿐인 나 예뻐."

좋은 관계 맺기의 첫 단추,
Dutch Pay & Drink

　2014년 연말에 직장후배와 팔씨름을 하던 중 사고로 팔뼈 골절로 수술을 하고 병원에 입원해 있던 중에 들었던 이야기다. 같이 입원한 사람 중에 한 기업체의 부장으로 일하고 있는 그 사람의 나름 독특한 술자리 문화를 들여다보면, 그는 친구와의 술자리든 부서 사람들과의 회식이든 간에 먼저 각자의 주량이나 컨디션에 따라 자신이 마시고 싶은 만큼 콜라나 사이다든, 소주 한 병이든, 맥주 두 병이든 앞에 두고 술잔을 돌리지 않고 각자 자신이 선택한 음료수나 술을 따라 마시면서 맛있게 먹고, 즐겁게 환담한 후에 마지막은 예외 없이 더치페이로 마무리한다고 했다.

　처음에는 한국적 술문화에 익숙한 사람들이 낯설어하고 불편하게 생각하기도 했지만, 시간이 지나자 모두가 만족하고 즐거워하는 술자리가 되었다는 이야기다.

개인적으로 이런 술문화가 정착하기는 쉽지 않다고 생각한다. 하지만 이 같은 술문화는 술잔의 돌림에서 대화로 무게중심을 이동시킬 수 있다고 생각하기에 이 독특한 술자리 문화가 퍼져나갔으면 좋겠다. 그래서 모두 각자 원하는 만큼의 술을 즐기면서 술잔을 높이 들고 각자 자기의 능력에 따라 마시고 맛있게 대화한 후에, 더치페이를 하라.

인간은 불확실성과 예측 불가능한 상황을 본능적으로 싫어한다. 특히 자기가 손해를 볼 것 같은 상황이라면 더욱 그렇다. 그래서 삶을 살아가는 데 있어 좋은 관계 맺기를 하고 싶다면, 돈 관계부터 투명하고 깨끗하게 하는 것이 좋다. 그 첫 단추가 예측가능성과 편안함이다.

직계가족과 같이 식사를 하거나 놀러갈 때는 누가 식사비를 계산하든, 차비를 내든 신경 쓰지 않는다. 하지만 직계가족을 벗어난 형제간, 사촌간과 식사하는 자리만 해도 식사비를 내는 사람이나 내가 내야 할 액수가 정해지지 않으면 마음이 조금씩 불편해진다. 금액단위가 클수록 불편한 마음은 더 커진다.

이와 연계하여 친구나 회사 동료, 선·후배와 식사나 술자리를 할 경우에 계산할 사람이 정해지지 않았거나 역시 내가 내야 할 액수가 정해지지 않으면 마음의 불편함은 커져만 간다. 식사나 술자리의 즐거움이 걱정으로 인해 반감되는 것이다. 돈에 대한 걱정이나 불편함이 식사나 술자리의 목적인 친목과 즐거움을 앗아간 것이다.

인간의 어리석음과 이기적인 본능이 사라질 수는 없기에 불확실성과 예측 불가능한 상황을 가능하면 없애는 것이 좋다. 그것이 더치페이가 필요한 이유다. 더치페이 얘기가 나오면 처음에는 구시렁거리던 사람도 보이지 않는 쓸데없는 신경전으로 불만이나 불편함을 갖지 않아도 되기 때문에 만족해한다.

그런데 더치페이가 말처럼 쉽지는 않다. 회식이나 모임자리가 끝나고 계산할 때가 되면, 마음이 영 불편할 때가 종종 있다. 내가 내자니 나만 바보 같은 물주 노릇으로 손해 보는 것 같고, 안 내자니 쪼잔하게 얻어먹는 것 같은 마음이 들었기 때문이다. 특히 자주 만나는 경우에 밥을 먹을 때나 술을 마실 때 이런 생각을 하면서 밥숟가락을 들고, 술잔을 들이킬 때가 많다.

이건 개인적인 성격에 기인하는 측면이 많다고 생각되지만, 어쨌든 물질적·정신적 스트레스가 발생한다. 왜냐하면 이런 생각은 내야 할 몫의 돈을 다 내면서도 밥맛과 술맛을 떨어지게 함과 아울러 함께 어울려서 웃고 이야기하는 즐거움을 반감시키기 때문이다.

이럴 때 솔직하게 서로 이야기를 한 후 더치페이를 하면 가장 깔끔하고, 그 관계도 오래 지속될 수 있다. 밥 먹고 술 먹으면서 화기애애함과 웃음꽃이 만발해야 할 자리에서 쓸데없는 일로 스트레스 받거나 신경 쓸 필요도 없고, 계산할 사람이 정해지지 않을 때 누가 계산해야 하는가 하는 사소한 문제가 발생하지 않기 때문이다. 누가 계산해야 하는가에 대한 고민은 즐거운 대화, 화기애애하고 화목한 시간의 아름다움을 퇴색시킨다. 주객전도의 상황이다.

그래서 어떤 모임자리에서건 계산할 사람, 지불할 사람, 지불방법은 미리 정해져야 한다. 이것이 그 자리를 온전히 공감과 감정의 교류로 즐거움과 환한 웃음이 넘쳐나게 할 수 있는 것이다. 사소하지만 아주 중요한 문제인데도 사람들은 이 문제를 경시하는 경향이 많다.

사람이 가장 치사해 질 때가 돈 앞에서다. 돈에 초연한 사람은 없다. 인간이라면 그 어떤 사람도 돈에 초연할 수는 없다. 따라서 돈 앞에서는 가장 계산적이고 합리적이어야 한다.

이러한 점을 인정할 때, 돈을 떠난 인간관계나 삶에서 좀 더 따뜻하고 즐거운 삶을 살 수 있다. 이런 측면에서 더치페이 앤 드링크(Dutch Pay & Drink)는 아름다운 인간관계, 지속적인 업무관계를 이어 갈 수 있는 초석이 된다.

68

두려움을 선택하는
사람이 아름답다

신현림 시인은 〈너는 약해도 강하다〉에서 "불안하다고? 인생은 원래 불안의 목마 타기잖아. 낭떠러지에 선 느낌이라고? 떨어져 보는 거야. 그렇다고 죽진 말구. 떨어지면 더 이상 나빠질 것도 없어. 칡넝쿨처럼 뻗쳐오르는 거야. 희망의 푸른 지평선이 보일 때까지 다시 힘내는 거야."라고 했다.

두려움을 선택하라는 말은 삶 자체가 두려움이라 피할 수 없기에 내가 먼저 두려움 속으로 뛰어들라는 것이다. 행동하는 것을 두려워할 때는 겁쟁이가 된다. 하지만 두려움이 없거나, 두려워하는 것이 없는 사람은 미친 사람이거나 위험한 사람이다. 왜냐하면 두려움을 느끼는 것, 두려운 마음이 생기는 것은 인간의 본능적인 감정이기 때문이다. 삶은 두려움에도 불구하고 새로운 인간으로 거듭나기 위해 두려움 속으로 뛰어드는 자에게 열리는 것이다.

'상대도 나만큼 두려워한다'는 말처럼 살아 있는 모든 생명체는 두려움을 느낀다. 〈천년의 오해〉란 이야기다. 전갈은 얼마 전까지 불꽃에 포위되면 자살한다고 알려져 왔다. 불에 타 죽느니 장렬하게 목숨을 끊는 것일까? 적어도 수천 년 동안 그렇게 알아 왔다. 하지만 최근에 학자들은 전갈에게 주어진 숭고한 명예를 여지없이 끌어내렸다. 전갈은 불의 뜨거움에 겁이 질린 나머지 한껏 움츠리다가 자기의 무기인 독침에 찔려 죽는 것이다.

인간은 어떤가? 전갈과 정말 똑같은 행동을 한다. 버틸 수 없는 상황에 몰리면, 사람은 겁에 질리고 두려움에 휩싸여 스스로 목숨을 끊는 어리석은 선택을 한다. 사람은 두려움을 안겨다 주는 상황 때문에 죽는 것이 아니다. 사람은 두려움을 느끼는 마음, 그 자체 때문에 죽는 것이다. 인간 세상에는 불에 휩싸여 죽는 사람보다 수만 배의 사람들이 두려움에 휩싸여 죽는 것이다. 이처럼 좌절과 두려움은 우리 스스로를 죽인다.

당신은 겁에 질려 있는 킹코브라가 상상이 되는가. 분명한 것은 사람이 킹코브라를 만날 때보다, 킹코브라가 사람을 만났을 때 더욱더 두려움을 느낀다는 것이다. 두려움 속으로 뛰어드는 것은 훈련과 경험으로 단련된 절대이성의 본능을 뛰어넘게 하는 힘이자, 의지다.

인간은 두려움과 공포 속에서 날아오는 총알이나 날카로운 칼에 의해서 죽는 것이 아니고, 두려움이 가져다주는 더 큰 두려움과 공포에 질식되어 죽는 것이다. 누군가는 말한다, 인간은 철의 심장을 가졌다고. 또 누군가는 말한다, 인간은 유리 심장을 가졌다고. 나는 인간이 유리 심장을 가졌다는 말에 더 공감을 한다.

간접 경험의 시대다. 우리는 〈무한도전〉 멤버들의 도전을 간접적으로 경험한다. 분명한 것은 익스트림 스포츠든, 프로레슬링이든, 어려운 자격증 취득이든 실제로 도전해 보면 머릿속으로 그린 아픔이나 고통보다 실제 어려움이 훨씬 작다는 것이다.

따라서 상상 속의 무서움에 사로잡혀 있는 사람은 영원히 〈무한도전〉 시청자에 머물 수밖에 없다. 상상 속의 두려움과 공포의 벽을 뚫고 넘어서는 사람만이 무한도전이 주는 무한 기쁨을 맛볼 수 있는 것이다. 진정 간절히 하고 싶다면 산악자전거에 도전하고, 번지점프대에 오르고, 네게 너무 예쁜 그녀에게 사랑을 고백해 보라.

두려움은 그림자다. 두려움 속으로 뛰어들고, 다가가서 마주 대하면 두려움은 한없이 작아지고 두려움을 눈앞에서 직시할 때 두려움은 거짓말처럼 사라진다. 이는 세상에서 가장 허풍과 허세가 심한 것이 두려움이기 때문이다. 그런 면에서 두려움은 강자에 약하고 약자에 강한 전형적인 허풍쟁이다.

우리가 낡은 것, 편하고 익숙한 것과의 결별을 두려워하는 것은 새로운 것에 대한 기대보다 낡고 익숙한 것이 안겨다 주는 안락함과 편안함을 잃어버릴 것 같은 불안감이 더 크기 때문이다.

사실 사람들이 자신을 믿지 못하는 가장 큰 이유는 타인의 시선에 대한 두려움이다. 조롱을 받을지 모른다는 두려움, 무시당하고 왕따 당할지 모른다는 두려움, 실패해서 다시 일어서지 못하고 무너질지 모른다는 두려움은 우리의 몸을 마비시키고, 마음을 위축시키고 주저하게 만든다. 그 두려움 때문에 사람들은 하고 싶은 말고 못하고, 좋아하는 옷도 못 입고, 좋아하는 취미나 운동도 즐기지 못하고, 좋아하는 일도 시도하지 못하고, 좋아하는 사람한테 사랑의 고백도 하지 못하고 돌아서는 것이다.

나를 죽이지 못하는 고통은 나를 성장하게 만든다. 궤변일까. 나는 절반의 진실이라 생각한다. 현실적으로 죽음의 벼랑으로 숨통을 조여 오는 극단의 고통 속에서 질식한 채 죽은 사람들이 훨씬 많다. 특히 가난과 고통이 결합하면, 상상을 초월한다. 그래서 고통을 가지고 목숨을 건 도박을 하지는 말아야 한다.

고통이 당신을 성장시킬 것이라는 생각에 극단의 고통 속으로 무작정 자신을 밀어 넣는 일은 하지 말아야 한다. 고통 속에서도 자유와 여유를 즐길 수 있는 사람만이 스스로 고통 속으로 뛰어들어야 하는 것이다. 즉, 던져진 고통과 뛰어든 고통은 다르다.

두려움 속으로 뛰어들라는 말은 두려움 없이 도전한다는 것이 아니다. 그것은 두려움에도 불구하고 도전한다는 말이다. 분명한 것은 추락을 지나치게 두려워하지 않을 때, 바닥은 생각보다 깊지 않다는 점이다. 어둠 속으로 뛰어들지 않는 자는 절대로 어둠에서 벗어날 수 없듯이, 추락하는 자만이 추락에서 비상할 수 있다.

최악의 상태로 뛰어드는 것이 최선의 선택이다. 역설의 법칙이다. 거꾸로 된 세상에 상식과 고정관념보다는 상식을 뛰어넘는 행동(Uncommon)을 해라. 불타고 있는 유정에서는 구명조끼를 입고 바닷속으로 뛰어들어야 한다.

삶은 새로운 세계로의 넘어섬이다. 넘어섬은 나를 던짐이다. 가고자 하는 곳으로 나를 던져라. 그냥 던지는 것이 아니라 망설임 없이 과감하게 던져야 한다. 망설이는 순간, 용기도 사라진다. 그 뒤에 이어지는 것은 자기 자신을 위한 변명이다. 그래서 생각은 쉽고 단순하게, 행동을 빠르고 과감해야 한다.

그곳이 두려움이라면 두려움 속으로 몸을 던져라. 그곳이 외로움이라면 외로움 속으로 몸을 던지고, 그곳이 증오와 분노라면 증오와 분노 속으로 몸을 던져라. 두려움과 외로움, 증오와 분노의 깊은 터널을 통과하면, 그곳에는 나를 넘어선 새로운 내가 있다.

'몸을 던지면 마음이 따라온다'는 말은 진실이듯이, '몸이 망가지면 마음도 망가진다'는 말도 진실이다. 대부분의 경우, 두려움 속으로 나를 던지면, 호랑이처럼 무시무시하게 보였던 두려움도 고양이에 불과

했음을 알게 된다. 성냄을 넘어서면 설렘이, 두려움을 넘어서면 두근 거림이, 견딜 수 없는 슬픔을 넘어서면 벅찬 기쁨이 있고, 격한 울음을 넘어서면 웃음이 환한 얼굴을 하고 나를 맞이할 것이다.

오다 노부나가의 일화는 가슴에 새길 만하다. "그는 전투 후에 논공행상을 하면서 적장을 죽인 병사가 아니라 제일 먼저 창을 들고 적진을 향해 돌격한 병사에게 가장 큰 포상을 준다." 우리는 두려움의 울부짖음, 그 싹을 잘라야 한다. 그것은 두려움보다 내가 먼저 움직여야 한다. 두려움의 엄습은 빠르고 잔혹하다. 단 하나의 방법은 내가 두려움보다 빠르게 선제공격을 하는 것이다. 두려움이 나를 덮치기 전에 선제공격을 한다는 것은 두려움을 받아들이고 응시하면서 정신을 바짝 차리는 것이다. 호랑이한테 물려가도 정신만 차리면 산다는 말이 괜히 생긴 게 아니다. 맞짱의 제 1법칙도 '선방'이다. 내가 먼저 선방을 날릴 때 이길 확률은 배로 높아진다.

우리는 왜 공포영화를 보는가? 공포도 즐거우면 이미 공포가 아니다. 롤러코스터를 타는 것처럼 즐길 수 있는 공포요, 경험해 보고 싶은 공포가 된다. 그것은 삶을 활기차고 생기 있게 만드는 에너지가 되는 것이다.

좋아하고 하고 싶은 일로 달려가는 목표일지라도 거기에 도달하기 위해서는 예외 없이 두려움과 공포라는 보이지 않는 괴물이 기다리고 있는 어두운 골목길을 지나가야 한다. 조금 시선을 달리하면, 목표와 열망을 이루기 위해 반드시 만나야 할 두려움과 공포는 어쩌면 나를 즐겁게 긴장시키고 설레게 만드는 고마운 친구일지도 모르겠다.

누군가가 나를 죽일 수 있고, 가둘 수 있고, 나의 일을 빼앗고, 나를 빈털터리로, 나를 끝을 알 수 없는 밑바닥으로 떨어지게 만들 수 있다는 공포감은 당해 보지 않는 사람을 결코 알 수 없을 것이기에 그 상황의 살벌함을 떠나 돈과 권력을 가진 절대 강자의 무서움 앞에서 옳다고 믿는 자신의 목소리를 낼 수 있다는 것 자체는 실로 대단한 용기임에 틀림없다.

용기란 후들거리는 두 발과 덜덜거리는 심장 소리가 천둥처럼 울리는 상황에서도 두려움 속으로 나를 던지는 것이다. 두려움과의 새로운 관계 맺음이 필요하다. 두려움으로부터 도피하고 벗어나려 하지 않고, "Just do it!" 하는 순간 상황은 백팔십도 달라진다.

두려움과 대면하고, 얼음으로 뒤덮인 두려움의 동굴로 다가가고, 어둡고 깊은 두려움 속으로 뛰어들 때, 우리는 두려움의 바위를 깨고, 두려움의 올가미를 끊어 버리고, 두려움의 악몽에서 깨어날 수 있다. 이처럼 두려움 속으로 뛰어들면 두려움이 사라진다. 우리는 이를 마법의 순간이며, 진실의 순간이라고 한다.

만약 두려움에 벌벌 떨고만 있는 나를 두려움이라는 괴물이 꿈과 희망과 의지를 물어뜯고 자신감과 열정을 꿀꺽 삼켜 버린다면, 우리는 영원히 두려움이라는 굴레에서 벗어나지 못한 채 두려움의 노예로 세상을 살아갈 것이다.

현실이라는 괴물은 도망가면 쫓아온다. 도망가는 것은 가장 위험한 선택이다. 두려움을 감추고 피하면, 두려움은 더욱더 커지게 된다. 맞서는 것이 가장 현명한 선택이란 의미이다. 희생양을 찾는 것, 감정의 분풀이 대상을 찾는 것, 자신의 힘을 과시할 대상을 찾는 것은 인간의 본능이다. 희생양이 되지 않는 방법, 감정의 분풀이 대상이 되지 않는 방법, 타인의 힘과 자기과시의 제물이 되지 않는 단 하나의 방법은 맞서는 것이다.

강한 자는 맞서는 자를 피한다. 맞서는 자가 무서워서가 아니다. 좀 더 손쉬운 희생양, 분풀이 대상이 도처에 널려 있기 때문이다. 자신의 자존심과 존재감을 지키는 방법은 그래서 맞서는 것, 저항하는 것이다. 그것이 지금 스스로에게 떳떳할 수 있는 유일한 길인 사람에게는 더욱더.

피하고 싶은 감정, 두려운 감정으로부터 도피하면 영원히 그 감정의 미로를 벗어날 수 없다. 맞서 싸워서 이기면, 피하고 싶은 감정이 긍정적인 감정으로 승화된다. 최상의 결과다. 하지만 져도 좋다. 맞짱 떠서 지더라도 적어도 그 피하고 싶은 감정의 굴레에서는 벗어날 수 있기 때문이다.

두려움을 이기는 방법은 두려움과의 정면승부밖에 없다. 두려움은 그림자다. 두려움은 몸과 마음을 분리할 수 없듯이, 두려움으로부터 숨거나 달아날 수 없다. 태양과 일직선에 서서 태양을 바라볼 때 그림자가 사라지듯이, 두려움을 향해 똑바로 나아갈 때 두려움이 사라진다.

두려움은 어둠이다 .어둠은 어둠으로 몰아낼 수 없듯이, 두려움은 두려움으로 몰아낼 수 없다. 어둠은 밝음으로 몰아내듯이, 두려움은 두려움을 직시할 수 있는 용기로만 몰아낼 수 있다. 두려움을 피하지 않고 두려움과 맞서면 두려움은 불확실한 근심덩어리, 걱정덩어리가 아니라 모래알처럼 힘없이 내 발 아래에서 부서진다.

심리학자 빅터 프랭클은 스트레스나 불안감을 극복하기 위한 방법으로 '역설적 의도'라는 기법을 제안했다. 프랭클은 불안감을 없애려고 노력하지 말고, 더욱 불안해지고 더욱 안절부절못하도록 자신을 부추기라고 제안한다. 그러면 불안감이 몸 안에 자유롭게 흐르다가 저절로 힘이 약해진다는 것이다. 마치 데이트 신청이 두려우면 데이트를 신청하고, 상사에게 말하기가 두려우면 상사에게 말하는 것과 같은 이치다.

두려운가? 그렇다면 두려움과 마주쳐라. 귀신이 두려우면 귀신을 초대하고 찾아가라. 부탁하기가 두려운가? 부탁해라. 도움을 요청하기가 두려운가? 도움을 요청해라. 이처럼 있는 그대로를 받아들이고 두려움과 공포를 온몸으로 부딪쳐야 서광이 보인다. 불안감, 비교에서 오는 열등감을 그대로 받아들이고, 흘러가게 하고, 나아가 열등감이 생기도록 부추겨라. 그래야 나아갈 길이 보인다.

역린은 다른 말로 열정의 불씨요, 나를 살아 움직이게 하는 원동력이다. 역린의 당당한 드러냄은 인간을 겸손하게 하고, 인간의 돌아보게 하고 나태와 안일함, 자만과 오만함이라는 부패의 촉진제로부터 나를 지켜 주는 소금의 역할을 하기도 한다. 역린은 나를 행동하게 만들며, 두려움 속으로 과감하게 뛰어들게 하기도 한다.

익숙함에 대한 동경은 새들의 귀소본능만큼이나 강렬하다고 한다. 우리가 가 보지 않은 길로 가기를 두려워하고, 하다못해 낯선 곳으로 배낭여행을 떠나는 것을 힘들어하는 것은 너무도 자연스런 행동이다. 그래서 익숙함과 결별한다는 것은 두려워하는 일을 한다는 것이며, 두려움과 맞선다는 의미이다. 두려움에 맞서는 순간, 두려움과 불안, 공포는 사라지고, 두려움에 압도되어 뒷걸음치면 칠수록 눈덩이처럼 커진 두려움에 압사당하고 질식당한다.

준비 없이 'JUST DO IT' 하더라도 아무것도 하지 않거나 피하는 것보다는 낫다. 하지만 충분한 준비, 연습이 되어 있고 강한 의지와 노력을 통한 담금질을 한 상태에서 두려움 속으로 뛰어든다면, 두려움을 이기고 두려움 속에서 빠져나올 가능성이 훨씬 높다. 아울러 훨씬 강하고 당당하고 멋진 모습으로 성숙해질 수 있다.

삶의 연금술사가 되는 법,
쪼개기

쪼개는 삶은 내가 보고, 만지고, 경험하고, 달성할 수 있다. 내가 지금 이 순간에 끌어안고, 다가갈 수 있는 있는 구체적인 목표를 설정하라. 가장 현실적인 방법이 목표 쪼개기다.

목표 쪼개기를 통해 최악의 경우에 감당할 만한 작은 실패를 가져올 시도와 도전을 두려워하지 말되, 커다란 실패, 치명적인 실패는 두려워해야 한다. 인생은 한 번 실패로 한 방에 '훅' 가는 수가 있기 때문이다. 이는 솜방망이로 머리를 수차례 맞아도 죽지 않지만, 큰 망치로 머리를 강하게 맞으면 죽는 이치와 같다.

큰 실패는 큰 절망과 좌절을 가져오므로, 현실적으로 성공 가능성과 실현 가능성이 적은 것에 현혹되어 인생은 한 방이라는 생각으로 저지르는 행동은 어리석은 모험이며 도박일 뿐이다.

　요즘 사람들은 현실이 각박하고 힘든 만큼 둥둥 떠다닌다. 낮에는 마음이 둥둥 떠다니고, 저녁에는 술에 둥둥 떠다니고, 집에서는 드라마가 보여 주는 환상 같은 이야기에 둥둥 떠다닌다.

　그러나 인간은 조금만 대지를 벗어나도 바로 고꾸라진다. 절대 대지를 벗어나지 마라. 현실을 직시하지 않고 뜬구름 같고 환상 같은 희망을 노래하면서 대지에 땅을 딛고 있지 않은 삶을 살거나, 생존에 목매는 삶을 살아가는 슬픈 청춘들의 현실은 우리를 슬프게 한다.

　그냥 두려움 속으로 뛰어들라고, 세상 속으로 뛰어들라고 말하지도 말라. 철저하고 치밀한 준비 없이 무작정 뛰어들면, 우왕좌왕 좌충우돌하면서 스스로 자멸하고 안타깝게 타 버리는 불나방의 운명을 벗어날 수 없다.

　두려움 속으로 뛰어들었을 때, 계획대로, 기대한 만큼 이루어지지 않더라도 후회하지 않을 만큼 나름대로의 준비는 한 상태에서 뛰어들어야 한다. 이것이 감성과 이성의 경계를 포용하는 행동이다. 뛰어드는 마음은 감성이라고 해도, 보이지 않는 부분에서 얼마나 이성적인 준비와 단련이 되어 있는가에 따라 뛰어든 후의 결과가 달라지는 것이다.

　따라서 두려움 속으로 뛰어들고 움직이기 위해서는 분명하고 뚜렷한 목표를 가지고 있어야 하며, 그 목표는 내가 좋아하고 하고 싶은 일, 꿈에 대한 목표여야 하고, 내가 그 목표를 위해 죽을힘을 다해 능력을 키우고 견딜 수 있는 힘을 가질 수 있도록 단련하고 치밀하게 준비해야 한다.

그런 다음엔 마지막으로 분명하고 구체적인 목표를 내가 밟고 올라갈 수 있는 계단이 되도록 쪼개야 한다. 그래야 벌떡 일어나 그 목표를 향해 움직일 수 있고, 실행할 수 있기 때문이다. '천 리 길도 한 걸음부터'라는 말은 그런 의미에서 진리이며 실행의 비법이다.

'계단오름법칙'이나 '산오름법칙'이란, 시작하고 실천하며 두려움과 불확실성을 최소화하기 위해서는 씹어 먹을 수 있을 만큼, 소화 시킬 수 있을 만큼, 잘게 쪼개서 한 계단씩 올라가야 한다는 말이다. 그렇게 하루하루 쌓인 현실이 꿈으로 가는 계단이 된다.

어둠 속에서 산길을 걸어가는 것처럼 바로 눈앞만 볼 수밖에 없어 조심스럽게 한 걸음 한 걸음 잔뜩 몸을 움츠리고 가다가, 가로등 환한 큰길에 들어서서 보이지 않던 먼 곳까지 모든 것이 환하게 눈에 보일 때, 사람들은 움츠렸던 몸을 일으키고 당당하게 움직이고 질주하게 된다. 내가 가고자 하는 곳을 향해.

뿌연 안경을 쓰고 안젤리나 졸리를 보면 어릿어릿하여 그 아름다움을 인식하지 못할 것이고, 아무리 명궁이라도 타깃이 분명하지 않으면 소용이 없다. 보이지 않는 목표, 불확실한 목표일 때는 실패할 확률이 대단히 높다. 분명하고 생생한 목표만이 나의 능력과 열정을 목표에 몰입하게 만드는 목표의 자력효과, 목표의 등대효과 (guiding light 효과), 목표의 북극성 효과로 목표에 확실하게 도달하게 만든다.

행동 없는 비전은 백일몽이고, 비전 없는 행동은 악몽이다. 분명한 목표를 세우고, 그 목표를 향해 움직여라. 목표에 제압당하지 않고 목표를 압도할 때, 나는 육체적인 어려움과 힘듦도 즐거움으로 만들어 가는 삶의 연금술사가 되는 것이다.

그러기 위한 첫걸음이 질리도록 복잡한 일이라도, 분명하게 보이고, 충분히 도달할 수 있고, 감당할 수 있을 정도의 작은 조각으로 쪼개는 것이다. 나무 장작 쪼개듯이, 목표도 슬픔도 아픔도 고통도 쪼갤 수 있다면 쪼개라. 일을 쪼개고, 실패도 쪼개고, 시간도 감정까지도 쪼갤 수 있다. 이처럼 무엇이든 쪼갤 수 있는 만큼 쪼개면 좋다. 잘 쪼갠 장작이 잘 타오르는 것처럼 잘 쪼갠 목표는 내 안에 잠자고 있는 열정을 불태운다.

청년의 특징은 목표가 어렴풋이 보인다 싶으면, 철저한 준비와 계획을 생략한 채, 앞뒤 재 보지 않고 코뿔소처럼 질주하는 저돌성에 있다. 그래서 실패할 가능성이 높다. 실패를 최소화하기 위해서는 목표를 쪼갤 수 있을 만큼 쪼개야 한다. 한 계단씩 쪼갠 목표를 달성하면서 꼭대기까지 올라갈 수 있도록.

그래서 청년의 도전은 더욱 철저한 준비와 치열한 의지, 격렬한 열정으로 맹렬하게 목표를 향하여 질주해야 한다. 그래야 〈록키〉처럼 필

라델피아 기념관 계단을 야생마처럼 뛰어올라가서 두 팔을 하늘 높이 쳐들고 사자후를 토해 내면서 자신을 물론, 신까지 감동시킬 수 있다.

쪼갤 줄 아는 삶을 살 때, 목표는 눈에 보이고 손에 잡힌다. 꿈이 아니고 내가 한 발 더 나아가면 도달할 수 있고, 움켜쥘 수 있는 현실의 상황으로 전환될 때, 가야 할 길은 더 이상 어릿어릿하고 가물가물한 안개 속이 아니라, 백 미터 앞에 있는 애인의 환한 미소가 보일 정도로 또렷하고 분명해진다.

몰입의 힘

한 웨딩 컨설팅 회사에서 여성 직장인들을 대상으로 다음과 같은 질문을 던졌다. "당신이 몸담고 있는 회사에서 어떤 남성에게 가장 끌립니까?" 그러자 응답자들은 '자신의 일에 몰입해 있는 남성'을 으뜸으로 꼽았다.

보이지 않던 것이 보일 때 인간은 움직인다. 또렷하게 보일수록 더욱 맹렬하게 움직인다. 그것이 몰입의 힘이다. 월리엄 앳킨슨은 〈생각 한 스푼의 기적〉에서 "목표에서 눈을 떼지 말자. 목표에서 눈을 떼는 순간 현실이나 조건, 환경이 더 커 보이게 된다. 당신을 좌절시켰던 바로 그 지점에서 한 걸음만 더 나가 보자. 가장 큰 성공은 바로 그곳에 있다."고 했다.

키스를 할 때는 키스에 집중하고, 식사를 할 때는 맛있게 먹는 것에 집중하고, 달리기를 할 때는 달리기에 집중하고, 문제를 풀 때는 문제에 집중하고, 사랑을 할 때는 사랑에 집중하는 것이 몰입이다. 몰입은 나만 생각할 때 일어나지 않는다. 나와 너, 나와 대상을 하나로 생각할 때 일어난다.

해가 질 때는 이 순간이 지나면 삶이 끝나는 것처럼 절망적으로 사랑해야 하고, 해가 뜰 때는 새로운 삶이 시작되는 것처럼 열정적으로 사랑해라. 순간순간 하루하루 그때그때 상황에 최대한 몰입하고 즐거움을 만끽하는 삶을 살아라.

그냥 살아 있기에 사는 삶이라면 단 하루를 위해 치열하게 사는 하루살이보다 못한 불행한 삶이고, 단지 먹고 살기 위해서 일을 한다면 돼지처럼 미련한 삶에 불과할 것이다. 지중해의 햇살도 즐길 줄 모르는 사람에게는 피해야 할 더위일 뿐이고, 마지막 엔딩만이 궁금한 독서는 아침 안개처럼 머리와 가슴에 아무것도 남기지 않고 사라질 뿐이다. 하루하루를 맛있는 삶, 멋있는 삶으로 살기 위해서는 내가 만나는 모든 사람을 사랑하고, 내가 누리는 모든 것을 만끽해야 한다. 그것이 즐거운 인생이며, 깨어 있는 삶이다.

인간은 질투의 동물이다. 타인의 성공과 성취에 대한 참을 수 없는 질시와 질투의 감정에서 자유로운 사람은 없다. 특히 그것이 나의 삶에 근접한 곳에서 일어나면, 더욱 참을 수 없어 한다. 내 사촌의 물질적 · 사회적 성취와 성공, 유명해진 내 대학동창의 소식, 조직에서 인정받고 고속 승진하면서 잘나가는 내 입사동기의 사람 좋은 얼굴은 나를 한없이 비참하게 만들고, 나를 질투와 질시의 화신으로 만든다. 그 어떤 사람도 이런 질투와 질시의 불길로부터 자신을 완벽하게 보호하는 사람은 없다. 이처럼 질투와 질시는 인간의 본성이다.

이를 벗어나는 방법은 없지만 이를 약화시키는 방법 가운데 하나는 '분명하고 구체적인 나만의 목표를 가지고 있는 삶'을 사는 것이다. 스스로 열망하는 구체적이고 명확한 목표를 세우고 이에 몰입한다면, 타인의 성공과 성취에 관심을 쓸 여지가 줄어든다. 마치 무언가에 몰입해 있을 때 주위 풍경이나 환경이 눈에 들어오지 않는 것처럼.

몰입해야 몰락하지 않는다. 치밀하고 촘촘하고 깐깐하게 준비 없는 몰입은 없다. 불광불급(不狂不及)은 몰입이다. 미치지 않으면 도달하지 못한다. 미친 사람이 되라는 것은, 미친 듯이 몰입하라는 것이다. 가치 있는 것에 미친 듯이 몰입하는 것이다. 지치면 지고, 미치면 이긴다. 포기하면 지고, 끝까지 견디면 이긴다.

숨 쉬는 것은 식물도 한다. 산다는 것은 호흡하는 것이 아니라 행동하는 것이며, 가물가물하고, 어릿어릿한 희망을 선명하고 구체적인 꿈으로 바꾸어 그 꿈을 향해 질주하는 것이다.

고통을 피하면 고통은 더 악착같이 달라붙는다. 고통에 몸을 던지면 고통에 몰입하게 되고, 마법처럼 어느 순간에 고통은 사라지게 된다. 이것이 몰입과 집중의 마법효과다.

무소의 뿔처럼
혼자서 가라

무소의 뿔처럼 혼자서 가라는 것은 타인의 시선이 아니라 자신이 옳다고 생각하는 길, 자신이 가고 싶은 길로 자신의 시선으로 살아가라는 것이다. 불교경전 〈수타니파타〉 중에서 "소리에 놀라지 않는 사자와 같이 그물에 걸리지 않는 바람과 같이 흙탕물에 더럽히지 않는 연꽃과 같이 무소의 뿔처럼 혼자서 가라."라는 말처럼.

비교는 기쁨을 앗아가는 도둑이라고 한다. 꽃과 새와 나무와 물고기는 비교를 모른다. 그래서 그들은 불행을 모른다. 인간의 모든 불행은 타인과 비교함에서 비롯된 것이다. 불행하게도 인간은 태생적으로 타인과 비교하는 본능을 가지고 있기에 비교에서 벗어날 수 없다. 일종의 원죄와 같다. 비교의 굴레에서 벗어날 수 없다면 나를 파멸시키는 비교보다는 나를 기쁘게 하고 성장시키는 비교를 해야 한다.

　홀로 서 있을 수도 함께 서 있을 수도 있는 사람은 두려움 속으로 걸어가는 것을 두려워하지 않는다. 경험한 사람은 안다. 두려움으로부터 도망하면 사냥감이 되지만, 두려움 속으로 뛰어들면 사냥꾼이 된다는 것을. 무소의 뿔처럼 혼자갈 수 있는 사람은 자신이 주인공인 삶을 살고, 타인도 주인공으로 만들어 준다. 홀로 서지 못하는 사람은 자신이 주인공인 삶을 살 수 없기에 오지랖 넓게 남의 일에 지적질과 참견만 일삼는다.

　나에게는 다른 사람 인생에 관여하지 않는다는 철칙이 있다. 당연히 내 사생활도 남이 참견하는 것은 딱 질색이다. 홀로 서 있을 수 있다면 독불장군이란 비아냥도 충분히 멋지고, 앞으로만 간다면 느림도 충분히 빠르다.

　코뿔소는 거대한 몸집을 가졌지만, 10미터 밖에 떨어진 물체를 명확하게 볼 수 없을 만큼 시력이 매우 좋지 않다. 그렇다고 해서 머리가 영리한 것도 아니니, 자연선택에 의해 당연히 도태되었어야 할 종이다. 하지만 지금까지 살아남았다. 후각과 청각 덕분이긴 하지만, 그들의 생존에는 한 가지 이유가 더 있다. 폴 존슨이라는 영국의 역사학자가 '코뿔소이론'이라고 부르는 것 덕분이다.

　코뿔소는 무엇이든 눈앞에 새로 나타나면 돌격할지 말지를 결정한다. 그리고 일단 돌격하기로 마음을 먹으면 온몸을 던진다. 결과는 둘 중 하나다. 공격 대상이 납작해지거나 아주 멀리 도망가 버린다. 그러면 코뿔소는 다시 한가로이 풀을 뜯는다.

그러나 현실에서는 무소의 뿔처럼 혼자서 가면 왕따 당하기 십상이다. 현실에서 두려움과 왕따는 무소의 뿔처럼 혼자서 갈 독기나 신념, 용기가 없는 사람에게 그림자처럼 붙어 다닌다. 왕따는 무소의 뿔처럼 혼자서 가거나 서지 못하는 사람이거나 자신의 길을 가지 못하고 집단이나 조직의 생리에 굴종하고 복종하는 나약한 인간에게 그림자처럼 따라다닌다.

한국인에게 타인의 시선은 벗어날 수 없는 운명의 올가미다. 눈치문화, 학연과 지연, 혈연문화의 뿌리는 자기 이익 추구다. 결국 머리 중에서도 잔머리가 비대하게 발달하게 된다. 풍선효과에 의해 잔머리가 발달하는 만큼 가슴은 오그라든다. 가슴이 오그라든 현대인, 이것은 한국사회의 비극이다. 자신의 영혼을 잃어버린 자의 모습이다. 살아있는 동안 뼛속까지 타인의 시선을 의식하면서 죽을 때까지 살아가는 것이다.

사람들은 찜질방, 영화관, 엘리베이터 등 공공장소에서 애매하게 아는 사람과의 만남, 낯선 사람과의 만남을 어색해하고 불편해한다. 나 홀로 당당한 사람이 낯선 만남에서도 당당하고, 혼자만의 즐거움을 만끽하는 특권을 누리는 사람이다.

현대사회의 영웅은 어떤 상대와 무엇을 위해 싸우는가? 과거처럼 눈에 보이는 괴물이나 적이 아니라, 보이지 않는 적인 두려움과 고독, 억압과 폭력, 무기력과 중독, 우울과 꿈의 상실, 공허함을 대상으로 싸운다. 그래서 현대사회의 영웅은 슈퍼맨처럼 수백, 수천 명의 사람을 구하기 위해 싸우지 않는다. 이런 류의 영웅은 지금 시대에는 오직 영화나 드라마 속에서만 존재한다. 스스로의 문제를 해결하고 스스로를 구하는 사람이 영웅이다.

천상천하유아독존은 세상에서 내가 제일 귀한 존재라는 까칠한 말이라기보다는 세상의 모든 사람이 하나의 완전체로 나처럼 존귀한 존재란 의미다. 그런데 현실에서는 그것이 심하게 와전되어서 요즘은 고집불통, 유아독존, 이기심과 '나만이 잘났다' 하는 뜻의 말로 변질되기도 한다.

무소의 뿔처럼 혼자감이란 말은 다른 사람들에게 위협과 두려움을 주라는 말이 아니다. 타인의 자유를 존중하고 배려하면서 자신의 삶을 당당하고 대범하게 걸어가라는 것이다. 나 홀로의 자유로움을 찾고 누리고 즐기는 삶, 진정한 천상천하 유아독존의 삶의 추구다. 이는 가치판단의 기준이 '남'에게서 '자신'에게로 옮겨지는 것이다. 자아주의자의 삶은 뽀송뽀송하며, 즐겁고 재밌다. 더불어 자아주의자는 감동주의자다.

비교는 본능이다. 인간이 살아 있는 한, 비교의 굴레에서 벗어날 수는 없다. 비교당함에 대한 자기 통제력은 한계가 있다. 부모가 나를, 상사가 나를, 스승이 나를 타인과 비교하는 것을 완벽하게 막을 방법은 없다. 그들은 부모의 권위로, 상사의 지위로, 스승의 이름으로, 나를 위한다는 명목으로 나를 누군가와 비교한다.

우리는 비교를 할 때, 나보다 경제적으로 궁핍하거나, 사회적 지위나 학벌이 떨어지는 사람과 비교하지 않는다. 이처럼 하향 비교를 하지 않고 우리는 항상 나보다 잘난 사람, 나보다 성공하고 많은 성취를 이룬 사람과 비교한다.

텔레비전에서 미얀마 사람들이 살아가는 모습을 잠깐 본 적이 있다. 평생 남의 손발톱을 깎아 주는 사람, 흰머리를 뽑아 주는 사람, 마사지를 해 주는 사람 등 그들은 그들이 일을 하면서 많은 자식을 키운 것을 자랑스럽게 생각하고 행복해하는 것 같았다. 그들에 비하면 엄청난 부자임에도 불구하고, 우리는 분명 그들보다 행복하다고 느끼지 않는다. '상대소득가설'이라는 것은 사람들이 얼마나 하향비교를 하고 있지 않는가를 보여 준다. 그러나 하향 비교는 분명 사람들에게 행복감의 증대와 함께, 자신보다 여러 가지로 어려운 처지에 있는 사람들에 대한 측은지심, 즉 공감대와 교감의 확장을 가져다줄 것이다.

비교가 긍정적으로 작용하면서 현재보다 나은 나로 변화시키고 나의 삶을 즐겁게 하기 위해서는 최소한 두 가지를 충족해야 한다. 하나는 나를 행복하게 하는 하향 비교이다. 얼굴도 못나고 덜 똑똑하고 부자도 아니지만, 나름대로 주어진 상황에서 행복하게 사는 사람들을 비교대상으로 삼는 것이다. 이 경우에는 객관적으로 내가 타인보다 우월한 점이 있기에 나 자신을 한없이 작고 초라하게 만들지 않으면서 타인의 장점과 세상을 긍정적으로 바라보는 시선과 태도를 열린 마음으로 받아들일 수 있다.

또 하나는 나를 성장·성숙시키는 내 자신과의 비교이다. 이는 내가 목표로 한 이상적인 나의 모습을 설정하고 현재의 나의 모습과 비교하면서, 내 자신의 성장과 발전을 담금질하는 것이다. 내가 나를 질투하는 것은 모순이며, 건전한 감성을 가진 사람이라면 내 자신과의 비교를 통해 좀 더 나은 미래의 나를 설계하고 만들어 가기 때문이다.

우리는 모른다. 우리 앞에 무엇이 기다리고 있는지……. 그래서 더욱더 준비되어 있는 삶, 계획적인 삶을 살아야 한다. 나의 꿈을 향해 죽을힘을 다해 치열하고 격렬하게 살아야 한다. 앞에 무엇이 기다리고 있든 간에 이를 극복하고 이기기 위해서는 벽을 부수고 뚫고 나가야 한다.

내가 내 시선으로 세상을 바라보고, 내 발로 내가 가고자 하는 길을 즐겁고 신나게 걸어갈 때, 타인은 더 이상 내 앞을 가로막는 장애물이나 지뢰밭이 아니고, 내가 걸어가는 길가의 꽃이 되고, 바람이 되고, 음악이 된다.

꾸물이가 아닌
벌떡이의 삶

'벌떡이'는 넘어졌다 바로 일어서는 것을 일컫는 말이다. '회복탄력성'이란 멋진 말로도 표현할 수 있는데, 이는 오뚝이나 스프링처럼 주저앉았다가도 발딱 일어서는 것이다. 특히 실패나 절망의 바닥에서 주저앉지 않고 박차고 일어서는 것이다.

김수미 시인은 〈바닥〉에서 "그는 지금 여기가 바닥이라고 생각한다. 더는 밀려 내려갈 곳이 없으므로 이제 박차고 일어설 일만 남은 것 같다. 들끓는 세상이 잠시 식은 것처럼 느껴지기도 하지만 갈증은 그런 게 아니다. 바닥의 바닥까지 내려가 여기가 바로 밑바닥이구나 싶을 때, 바닥은 다시 천길만길의 굴욕을 들이민다는 것을, 바닥이란 무엇인가. 털썩 주저앉기 좋은 것이다. 물론 그게 편안해지면 진짜

바닥은 거기서부터 시작된다."라고 했다.

나비가 완전한 변태를 하지 못하고 유충단계에 머물러 있다고 생각해 보라. 징그러울 뿐만 아니라 불행한 삶, 미완의 삶, 주인공이 아닌 주변의 삶을 살다가 죽어갈 것이다.

사람은 죽을 때까지 끊임없이 변해야 사람다운 사람, 인간다운 인간으로 자신이 주인공인 삶을 살 수 있다. 죽기 전 어느 시점에서 변화를 멈춘다면, 변화를 멈춘 시기만큼 인간다움을 잃어버릴 뿐만 아니라, 인간다움의 자리에 빈 둥지의 껍데기와 공허함만이 남는다.

누군가는 "그대라는 꽃이 피는 계절은 따로 있다. 아직 그때가 되지 않았을 뿐이다. 그대, 언젠가는 꽃을 피울 것이다. 다소 늦더라도, 그대의 계절이 오면 여느 꽃 못지않은 화려한 기개를 뽐내게 될 것이다."라고 말한다. 아니다. 그 언젠가는 오지 않을 것이다. 지금, 벌떡 일어나서 '조아'의 삶에 대한 꿈을 향해 준비하고 부딪치고 질주하지 않는다면, 나의 계절은 영원히 오지 않을 것이다.

희망을 포기하는 순간에 어김없이 찾아오는 것은 절망이다. 즉, 희망과 절망은 0.01초 차이다. 그래서 다시 일어서는 힘이 중요하다. 그것을 '회복력'이라고 하고, '자신감'이라고 한다. 다시 일어서지 않으면 영원히 주저앉기 때문이다. 어떤 인간도 앉거나 일어선다. 오랜 시간동안 무예 수련하는 것도 아니면서 앉은 것도, 선 자세도 아닌 엉거주춤한 자세로 생활할 수는 없기 때문이다.

왜 사람은 벌떡이가 되기 어려운가? 그것은 관성의 법칙 때문이다. 대부분의 사람은 일을 하건, 데이트를 하건, 잠을 자건 간에 치열하게 움직이기보다는 멍 때리고 가만히 있거나 편안히 쉬는 것이 더 편하고 익숙하다. 이런 상태에서 힘차고 빠른 움직임은 관성의 법칙에 역행한다. 따라서 인위적인 엄청난 에너지를 발휘하지 않으면 벌떡이가 되기 어려운 것이다.

따라서 꾸물이가 아닌 벌떡이가 되는 것은 관성이라는 자연의 법칙을 깨뜨려야 하는 엄청난 도전이다. 꾸물거리는 것은 게으름이고, 나태이며 결국 움직임을 잃게 된다. 꾸물거리는 것은 결국 멈추어 정체된 삶이며, 정체된 것은 고인 물처럼 결국 부패하고 썩게 된다. 그것이 꾸물이의 숙명이다. 절대로 꾸물거리지 마라.

도전과 목표가 없는 삶은 게으르고 안이하고 퇴폐적으로 흘러가게 되어 있다. 그것은 강물의 흐름처럼 자연스러운 과정이며, 예측가능한 일이다. '도전과 재도전의 과정으로 이어지는 삶'이야말로 게으름에서 벗어난 사람의 핵심적인 특성이다.

그럼 '도전과 재도전'은 어떤 마음에서 생기는가? 아이들은 발달과 성장을 멈추지 않는다. 기어 다니다가 일어서고, 넘어지면 일어서고, 다시 일어선다. 그리고 걷다가 넘어지고 다시 일어서서 달린다. 이처럼 끊임없는 도전과 재도전은 어린아이 마음에서 시작되는 것이다. 그래서 사람들은 말한다. 나이 들수록 동심으로 돌아가야 한다고……

〈록키〉나 〈신데렐라맨〉 등 세상의 모든 영화는 100% 쓰러지고 좌절했다가 다시 일어선 사람들의 이야기다. 물론 이와 같이 극적인 반전은 현실에서 거의 일어나지 않는다.

안타깝게도 젊은 날의 가난은 희망이라는 이름의 기차가 지나가는 좁고 어두운 터널이 아니다. 대부분 사람에게 젊은 날의 가난, 일없이 보내거나, 막노동으로 하루하루를 보내기 위해 인력소개소를 기웃거리는 젊은 날에 희망은 언제나 고문이었고 배신자였다.

김난도 교수는 '아프니까 젊음이다'라고 했다. 그가 본 젊음은 그 전 세대에 비해 상대적으로 일류대학을 다니면서도 좌절하고 고민하고, 번민하는 젊음에 대한 애정어린 충고에 가깝게 느껴진다. 그 범위를 대학생 전체로 넓히더라도, 울고 싶어도 눈물이 마르고, 웃고 싶어도 얼굴 근육이 마비되어 하고 싶은 말을 입 밖에 내지 못하고 숨죽여 사는 젊은이들, 푸른 청춘을 느끼기도 전에 생존에 목매는 삶 속에서 일찍 시들어 버린 젊은이들에게는 슬픔도, 아픔도 사치일 뿐이다. 이들은 청춘이지만 몸도 마음도 이미 늙어 버렸기에 오뚝이처럼 넘어졌다 일어서기가 정말 어렵다.

하지만 우리는 넘어지면 다시 일어서야 한다. 다른 길을 없다. 그것이 유일한 살길이며, 마법의 길이다.

내 별명 중의 하나가 오뚝이다. 넘어져도 발딱 다시 일어난다는 의미라면 좋겠지만, 그냥 내 이름인 '오득이'를 발음이 비슷한 '오뚝이'

로 말한 것일 뿐이다. 하지만 나는 이 별명이 어떻게 불리게 됐는가보다는 내 삶을 정말 오뚝이처럼 살고 싶다.

넘어졌다가 영원히 주저앉은 사람은 안다. 넘어졌다가 다시 일어서기가 얼마나 어려운가를, 동시에 다시 일어서지 못한 것에 대한 뼈저린 후회가 남는 것을.

반면에 넘어졌다가 일어서 본 사람은 안다. 오뚝이 같은 삶이 얼마나 가슴을 뛰게 하는지를. 분명한 것은 넘어졌다가 일어서는 것이 그렇게 고통스럽지만은 않다는 것과, 넘어졌다 다시 벌떡 일어설 수만 있다면, 오히려 활기와 열정의 원천이 된다는 것을.

내 몸 안에서 '우물쭈물이'는 멸종되고, '벌떡이'와 '발딱이'가 활개를 치고 돌아다녀야 한다. 그래서 언제라도 마음에서 '그래! 다시 일어서자!'라는 외침이 동하면, 몸이 벌떡 일어서는 것이다. '내 안의 오뚝이'가 있는 사람은 그래서 두려움이 없는 것이다. 언제든 넘어질 수 있으며, 한편으로는 오뚝이처럼 언제든 다시 일어설 수 있으니.

오뚝이는 회복탄력성이 높다. 그래서 현실을 있는 그대로 받아들인다. 현실을 그대로 수용하는 순간, 현실은 고무공이 되고 밑바닥으로 떨어졌다가 다시 튕겨져 오르는 것이다. 오뚝이는 삶을 사랑하는 사람들이다. 자신에 대한 절대적 사랑과 신뢰의 마음을 결코 잃지 않는다. 그것이 놀라운 창의력과 임기응변, 융통성을 발휘하게 하는 동력이 된다.

벌떡 일어서 움직인다고 다 잘되고, '하면 된다'는 말을 다 믿지는 않는다. '가만히 있으라'는 말은 그냥 죽으란 말이고, 안 하면 된다는 말은 아예 없다. 그것이 살아 숨 쉬는 지금 치열하게 행동해야 할 이유다.

그런데 시간이 없어서 못한다고 말하는 사람이 있다. 그는 시간이 있어도 못한다. 왜냐하면 간절히 원하지 않기 때문이며, 진심으로 하고 싶지 않기 때문이다. 사람들이 일을 벌이지 않는 것은 그만큼 간절히 원하지 않기 때문이다. 그러면서 애꿎은 시간 탓만 한다.

완벽한 때는 절대 오지 않는다. 나이가 어리면 너무 어려서 못하고, 나이가 많으면 너무 늦어서 못한다. 간절하고 절박한 마음으로 원한다면, 그는 마법을 부려서라도 시간을 만들 것이다. 시간과 돈과 체력이 다 갖추어진 때는 없다. 설사 이런 경우가 온다고 하더라도 그때는 이미 열정이 사라진 후이다.

누구나 넘어진다. 세상에 넘어지지 않는 인간은 없다. 넘어지면 계속 누워 있고 싶은 것이 자연의 법칙이자, 인간의 본능이다. 이 본능을 거역하는 힘이 열정이다. 하이힐을 신은 여성이 턱에 걸려 넘어진 자신을 부끄러워하여 번개처럼 다시 일어나는 것처럼, 타인의 시선을 의식한 얄팍하고 본능적인 행동이든, 내면의 깊은 곳에서 끓어오르는 뜨거운 열정이든 간에 넘어진 나를 일으켜 세우기 위해서는 관성의 법칙을 넘어서는 강력한 에너지가 필요하다.

그런데 넘어지고 나서 일어서지 못할 때가 있다. 실패했다고, 너무 고통스럽고 힘들다고 주저앉아서 일어서지 않는다면 그는 죽어 가는 것이다. 한없이 주저앉아 있으면 그는 언젠간 죽고 만다. 그래서 넘어지면 바로 '발딱' 하고 일어서야 한다. "탕!" 하는 총소리에 총알처럼 튀어나가는 달리기 선수처럼, "액션!"이란 감독의 지시가 떨어지자마자 연기에 돌입하는 배우처럼. 얼마나 빨리 몸이 반응하느냐에 따라 삶의 생기와 회복력이 결정된다.

　권투 시합에서도 넘어졌다가 10초 안에 일어서야지 다시 맞서 싸워 이길 수 있다. 넘어졌다가 바로 일어서면 4전 5기의 신화를 이룩한 홍수환처럼 이길 확률이 높다. 그래서 넘어졌으면 바로 발딱 일어서서 생생하고 활기차게 걸어가야 하는 것이다. 그런 사람의 눈은 푸르름으로 빛난다.

분노와 화해할 줄 아는
사람이 아름답다

분노를 흘러가게 하는 자는 일상의 삶에서 즐거움을 만끽하는 행복한 사람이다. 이성의 담금질에 의해 감성체력이 강한 사람은 분노가 흘러가다 막힐 때, 그 분노의 막힘을 뻥뻥 뚫을 수 있고, 분노를 잘근잘근 씹어서 꿀꺽 삼킨 후에 잘 소화시켜 몸 밖으로 흘러나가도록 한다.

당신이 두려움 속으로 한 치의 망설임도 없이 뛰어들 수 있다면, 당신은 돈키호테의 후손이고, 스파르타쿠스와 만적의 열정의 DNA를 가진 사람들이다. 이들은 분노 앞에서 굴복하지 않는다. 우리는 이를 '분노의 승화'라고 한다. 하지만 불행하게도 우리들 대부분은 분노의 불길에 타 죽거나, 가슴속에 꾹꾹 담아둔 분노의 독에 몸과 마음이 녹아내리고 산산이 부서져 고통스럽게 생을 마감한다.

　그것이 분노의 대상을 향한 혁명의 도화선이든, 묻지 마 범죄처럼 사회에 대한 미친 듯한 증오심으로 폭발하든, 자신의 무력함과 못남에 대한 극한적인 자학과 절망의 나락에 몸을 던져 스스로 파멸하든 간에 분노에는 탈출구가 필요하다. 분노는 적절한 탈출구를 찾지 못하면, 더 이상 견딜 수 없는 상황에서 폭발하고 만다.

　어떤 경우라도 자신의 분노를 감당하지 못할 정도로 극단적으로 억압하면서까지 타인의 감정만을 배려하는 것은 자연스런 감정의 흐름이 아니다. 분노의 감정을 표출한다는 것은 절제하여 부드럽게 표현하는 것이다. 감정이 고삐 풀린 말처럼 거칠 게 표출되고, 용암처럼 위험하게 폭발할 때, 그것은 야만이다. 따라서 분노의 감정 절제라는 필터를 통해 부드럽고 자연스럽게 표출되어야 한다.

　마음속에 고성능 냉장고나 순식간에 화를 거를 수 있는 고효율 필터장치를 가진 사람은 끓어오르는 화를 좀 더 쉽고 빠르게 식힐 수 있는 것이고, 마음속에 고장 난 냉장고나 화를 거를 수 있는 필터장치, 여과장치의 효율이 극히 떨어지는 사람은 100도에서 물이 끓어오르듯이 어느 순간 화가 폭발할 것이며, 심한 경우 삶이 처참하게 파괴될 것이다. 이처럼 사람마다 감정의 자기정화 능력, 감성체력이 천차만별이다.

　화는 대개 일방적이기보다는 쌍방인 경우가 많다. 따라서 '칼로 불을 쑤시지 말라'는 말처럼 화를 잘못 다스리면 더 큰 화로 돌아오는 경우가 많다. 만약 화가 일방적이라면 상대방은 크게 개의치 않는데 나만 열을 받은 것이다. 이는 마치 상대방의 감정에 상관없이 한쪽에서만 몸이 달아오르는 짝사랑과 같다. 이 경우 내가 너무 과민반응 하지 않았는지 되돌아보고 가볍게 넘기는 것도 기개가 넘치는 것이다.

이런 것이 아니고 쌍방이 모두 화가 나 있는 상태라면, 이것은 폭풍전야다. 이때는 논리의 우월함보다는 비틀어진 힘이나 권력, 세력의 우월함이 냉혹한 승부를 가르는 결정타가 될 수 있다. 따라서 정면충돌보다는 극단적인 경우일지라도 치열한 말의 오고감에서 멈추어야 한다. 이것이 원원의 길이다. 결국 인격의 크기, 성숙의 크기는 화의 순화, 절제되고 정화된 표출능력에 달려 있다.

화가 나거나 분노에 가슴이 터질 것 같은 마음이 생기는 것을 막을 순 없다. 분노가 생기면 그냥 두어라. 분노라는 감정이 터널을 지나갈 수 있도록. 분명한 것은 터널이 길이는 상황에 따라 다르지만 터널은 끝이 있고, 대부분의 경우 그 끝은 생각보다 짧다는 것이다.

아침 출근길, 뒤차의 연속적인 클랙슨 소리에 기분이 상한 상태에서, 뒤차가 빠르게 추월하려는 것을 알고 감정을 통제하지 못하고 더 속도를 내는 바람에 거의 사고가 날 뻔했다. 그 순간, 실존주의 철학자 까뮈가 〈이방인〉에서 얘기한 뫼르소의 이해할 수 없는 행동을 이해할 수 있었다. 주인공 뫼르소가 살인동기에 대해 '햇빛 때문에 살인을 했다'고 말했던 것처럼 인간은 기분이나 감정의 변화에 따라서 부조리하고 비합리적인 행동을 저지를 수 있는 어리석으면서도 불가해한 동물이다.

폭발 직전의 분노나 폭발된 분노는 폭발 직전의 화산이나 폭발한 화산에서 도도히 흘러내리는 용암과 같아서, 딱히 이를 멈추거나 제어할 방법이 없다. 그러므로 폭발이 전조가 느껴지면 옆 사람에게 도움을 청해야 한다. 나의 몸을 묶어 달라고, 나를 차가운 겨울바다 속으로 던져 버리라고…….

분노를 흘러가게 하는 방법은 분노의 대상에게 분노를 발산하되 나와 상대방이 분노에 공멸하지 않도록 쪼개서 발산하는 것이다. 진짜 망치가 아니라 뿅 망치로 상대방을 치는 것이다. 이것이 분노의 절제요, 분노의 승화다. 여기에 유머와 솔직함, 열린 마음으로 진정성 있는 대화를 함께한다면, 그 결과는 기대이상으로 나타날 수 있다.

화는 영원히 마음속에 담아 둘 수도 없고, 마음속에서 그냥 녹아서 사라지지도 않는다. 일반적인 경우에는 일어난 분노가 폭발하느냐 쪼개서 발산하느냐의 차이가 있을 뿐이다. 물론 예외적으로 분노를 용서로 전환시킬 수 있다면 좋겠지만, 이는 법정스님이나 프란체스코 교황, 테레사 수녀의 인격수준을 기대하는 것과 같다.

분노는 험난한 바위산을 두건을 뒤집어 쓴 채 고삐만 쥐고 마구 수레를 모는 마부와 같아서, 산산이 부서져야 멈추는 파괴적인 감정이고 들불처럼 순식간에 자기 자신을 태우는 불길과 같지만, 죽을힘을 다해 그 순간만 참으면 어느새 눈 녹듯 사라져 버린다.

그래서 분노나 증오의 감정이 일어날 때에는 있는 힘을 다해 이를 악물고 지나갈 때까지 참아야 한다. 반면에 열정적인 사랑의 감정은 강렬하고 격정적인 만큼 짧기에 이를 지속하기 위해 절제된 발산으로 강물처럼 열정이 흘러가게 해야 한다.

따라서 분노는 차가운 이성으로 계획되고 계산된 분노, 또는 절제된 분노로 표출되어야 한다. 이처럼 이성과 감성의 균형점에서 표출된 분노는 시간이 지나도 후회가 적다. 아울러 자신에 대한 강한 신뢰가 생긴다.

분노가 이성의 칼을 감정의 칼집에서 꺼낸 상태, 즉 계산된 감정의 폭발이라면, 화냄은 본능적인 감정 덩어리의 폭발이다. 따라서 화냄을 통제하는 것은 거의 불가능하다. 굳이 화남과 분노를 구분한다면, 화냄은 나를 둘러싼 이익의 충돌, 감정과 행동의 충돌에서 비롯되는 것이고, 분노는 나를 둘러싼 정의와 공정의 충돌인 정의감, 인간의 도리, 예의에서 비롯된다. 어쨌든 화냄도 분노도 내가 살아남기 위한 생존 본능의 격한 반응일 뿐이며, 화냄과 분노의 구분은 큰 의미가 없다.

화를 잘 내는 사람은 거꾸로 분노해야 할 때 분노할 줄 모르는 사람이기 쉽다. 겁이 많은 비겁자다. 강한 자에게 약하고 약한 자에게 강하다. 화냄이 분노처럼 긍정적 역할을 하기 위해서는 화가 난 뒤의 나의 모습이 중요하다. 만약 화를 참거나, 폭발시키거나 상관없이 그 뒤에 내가 내 자신을 더욱 싫어하게 될 때, 그것은 화를 잘못 다스린 것이 된다.

현실적으로 큰 용기를 가진 사람도 적이 있다. 시기와 질투를 받을 수 있다. 하지만 일반적인 경우에 큰 용기를 가진 사람에게는 상대적으로 비난과 비방을 하는 사람이 적다. 왜냐하면 큰 용기를 가진 사람은 평소 행동이 원칙을 준수하고 모든 일을 함에 있어 책임과 성심을 다하기 때문이다. 더불어 비난과 비방의 화살과 창끝이 부메랑이 되어 자신에게 되돌아올 가능성이 높기에 두렵기 때문이다. 분노를 다스려야 할 사람들은 큰 용기를 가진 사람보다는 대부분 덜덜거리는 새가슴을 가진 보통 사람이다.

분노의 에너지는 사회적으로 차별받고 무시당하는 약자를 위해 정의롭고, 공정한 세상을 위한 일에 표출되어야 한다. 이 경우 분노는 점화장치에 의해 메마른 갈대밭의 불길처럼 번져 발전의 원동력, 개혁과 혁명의 동력이 된다.

반면에 분노의 에너지가 사회와 세상에 대한 참을 수 없는 파괴적 행동으로 표출된다면, 가정과 사회의 폭력, 불법난동, 각종범죄와 파괴행위로 이어진다. 수많은 CSI 드라마와 영화의 소재가 무언인지 생각해 보면 알 수 있다. 자기 자신에게로 향하면 좌절과 절망, 자기학대나, 심지어는 자살로 진행될 수 있다.

흔한 경우는 아니지만, 인간은 분노를 나눌 줄 안다. 분노를 함께 할 줄 안다. 함께하는 분노, 분노의 나눔 현상을 '공분'이라 한다. 인간은 '공분'이라 일컬어지는 분노의 승화를 통해 개인을 성장시키고, 사회를 변혁시키며, 역사를 발전시키는 혁명의 에너지로 만든다. 이것이 바론 인간의 위대함이다. 이럴 경우 분노는 인간과 사회를 파괴하는 악마적인 힘이 아니라 인간과 사회를 발전시키는 창조적인 힘이 되는 것이다.

이것은 찬란한 분노다. 그 분노의 빛깔은 눈이 시리게 푸른 빛깔과 붉디붉어 투명한 빛을 띠는 붉은 색이다. 칙칙하고 가슴이 답답해지는 분노가 아니라, 가슴이 탁 트이는 시원한 분노이며, 눈부신 분노이다.

진심어린 사과,
타이밍이 중요하다

사람들은 자신의 실수나 실패에서는 아무것도 배우지 못한 채 그 일은 어쩔 수 없었다고 핑계를 대고 변명을 해대기에 더 바빴다. 변명은 자신을 퇴보시키고, 사과와 반성은 자신을 성숙시킨다.

나는 사과하는 것만큼 중요한 것이 사과를 하는 타이밍이라고 생각한다. 용서를 청해야 할 시간, 사과를 해야 할 시간이 있다. 사과할 마음이 일어나면 지금 바로 사과하라. 용서도 사랑도 마찬가지다. 사과도 용서도 사랑도 우물쭈물하고 망설이다가는 사과하고 사랑하고 용서하기에 너무 늦어 버려 더 이상 사과가 의미 없는 날이 조만간 찾아온다.

그러나 그 시간이 다 가도록 한마디도 못하고 있다면, 결국 나와 그

누군가의 마음을 화해와 용서로 씻어 주지 못한 채 우울한 마음으로 집으로 무거운 발걸음을 옮겨야 할 뿐이다.

　내가 잘못하긴 했는데, 뒤따르는 사족으로 인해 오히려 화난 그녀의 마음에 더 불을 지를 수도 있다. 사과에는 변명과 핑계는 필요 없고, 담백하고 단순할수록 좋다. 사과에 혹부리 영감의 혹처럼 변명과 핑계를 주렁주렁 달아서는 안 된다. 그것은 사과가 아니라 회칠한 사과, 독이 든 사과가 되기 때문이다.

　의식적이건, 무의적이건 간에 잘못된 행위, 실수에 대해 진심으로 사과를 하는 사람이 아주 드물다. 구차하고 비열한 변명으로 일관하는 경우가 대부분이다. 심지어는 성희롱이나 성폭력에 대해서도 변명을 한다. 끌어안은 것이 아니라 등을 토닥이며 격려한 것이라고, 키스한 게 아니라 입에다 대고 속삭인 거라고. 이는 어쩌면 인간의 자기 보호 본능이라고 할 수 있을 것이다.

　하지만 나는 사과를 머뭇거리고, 진심어린 사과를 하지 못하는 주된 이유를 자신감의 결여, 당당함의 결핍이라고 생각한다. 이럴 때 〈제빵왕 김탁구〉의 김탁구라면 어떻게 행동할까? 아마 당당하고 큰 목소리로 사과하고 잘못된 것을 고치기 위해 열심히 노력했을 것이다.

　사람은 잘못된 행위 때문에 마음이 상한다. 하지만 진짜 사람을 화나게 하는 것은 잘못된 행위나 실수 뒤의 잘못을 인정하지 않고, 오히려 적반하장 식으로 나오는 이차적인 행동 때문이다.

청문회에서 부정과 불법을 저지른 후보자들을 보면 사과가 남발되고 있는 것은 틀림없다. 그런 사과는 만인을 우울하고 슬프게 하는 뻔뻔한 사과다. 마음에 없는 사과를 뱉어내는 것으로 면죄부를 받는데 한 치의 망설임도 얼굴의 붉어짐도 없다.

　치욕스러움, 부끄러움 때문에 목숨을 끊었다는 얘기는 〈전설의 고향〉 "열녀문"에서나 볼 수 있는 광경이 되었다. 장관이나 대법관 등의 청문회에서 후보자들의 사과하는 모습과 태도는 마치 잘 익은 사과를 먹는 것처럼 시원하고 망설임도 없다. 지켜보는 사람의 얼굴이 더 화끈거릴 지경이다. 위를 향한 의지, 위만 바라보는 눈뜬장님과 청맹과니에게는 독선과 오만과 자만밖에는 없다. 위의 심기를 건드리지만 않는다면 그 어떤 것도 문제가 안 되고, 괜찮다는 생각에만 집착하고 국민은 안중에 없다. 너무도 오랫동안 굳어진 생각과 가치관이기에 부끄러움을 느끼지 않은 지 이미 오래다.

　돌덩어리보다 단단한 가슴에 철의 가면을 쓴 철면피들이다. 정말 이런 사과를 남발하는 것은 시장에서 판매되는 진짜 사과만도 값어치 없는 것이다. 이제는 더 이상 주둥이가 아닌, 가슴으로 토해 내는 진정한 사과를 듣고 싶다.

　부끄러움 때문에 붉어진 얼굴을 원래의 낯빛으로 돌리기 위한 가장 멋진 방법은 발 빠른 인정일 것이다. 사과의 타이밍을 놓쳐 시간이 지날수록 사과의 진실함을 잃은 마음은 검게 변하고 그 속은 썩은 배처럼 곪는다.

　"미안합니다."라고 말하라. 만일 다른 사람에게 미안한 일을 하고 사과를 하지 않는다면, 다음번에는 그 사람의 도움을 얻을 수 있는 수많은 기회를 잃어버리는 것이다. 비즈니스 서적 전문 작가인 존 케이더는 이렇게 말한다. "사과는 모든 희망과 바람, 또 불안함의 가면을 벗겨 낸다. 사과할 때 인간은 가장 인간다워지고 일생생활에서 쓰고 있는 가면을 벗고 진실한 얼굴을 하게 된다."

　사과의 말은 매직워드다. 진심어린 사과는 뉴턴의 만유인력 법칙처럼 서로가 서로를 자석처럼 끌어당기는 마력을 가지고 있다. 만유인력, 즉 중력의 법칙이 작용하지 않는 세상을 상상할 수 없듯이, 사과를 통해 사람과 사람을 끌어당기는 마력이 존재하지 않는 세상도 상상할 수 없다.

　매일 사과를 한 개씩 먹으면 의사를 찾을 일이 없고, 잘못한 일에 즉시 사과를 한다면 추락할 일이 없다.

엉클어짐도, 엉킴도 아닌
어울림, 소통

세네카는 "알고 있는 자에게 충고는 낭비이고 알지 못하는 자에게 충고는 부적절하다."고 말했다. 그리고 생텍쥐베리는 "나는 상대를 평가하거나 비난할 권리가 없다. 중요한 것은 내가 그 사람을 어떻게 생각하느냐가 아니다. 그 사람이 자기 자신을 어떻게 생각하느냐가 중요하다. 인간의 자존심에 상처 주는 일은 범죄다."라고 말했다.

우리는 '눈에는 눈, 이에는 이'라며 상대방이 반발하면 나도 상대방을 비난한다. 이럴 경우는 모두가 패자다. 존중과 배려만이 원원게임이다. 충고는 뿌린 대로 거두는 자연의 법칙이 들어맞지 않는 몇 가지 예외 중 하나이다. 충고의 긍정적 효과는 매우 적고, 충고는 의도하건, 의도하지 않건 상대방의 자존심에 상처를 주고 마음을 불편하게 할 위험성이 매우 크다.

별들의 노랫소리, 가을밤의 피리소리, 사랑의 침묵 속에서 웃음소리와 가족들의 고민과 격려하고 칭찬해 달라는 외침을, 빈자와 사회적 약자들의 슬픈 울음소리를 들을 수 없다면, 당신은 듣는 능력을 잃어버린 것이다.

수평적인 관계일 때는 조언이나 충고보다는 공감의 대화, 경청의 대화가 필요할 뿐이다. 공감과 경청의 대화의 뿌리는 첫째는 격려와 칭찬, 위로와 응원이다. 둘째는 권위적이고 고압적인 갑옷을 벗어 던져야 한다. 대화의 상대가 자녀나 제자, 부하일 때 그들도 고압적이고, 독선과 아집으로 뭉쳐 있기 때문에 격려와 응원을 통해 '내 말을 들어주고, 내 마음을 이해하는 사람'이라는 공감대 형성과 교감이 필요한 것이다.

일상에 있어 대부분의 충고는 썩은 생선 냄새처럼 역겹다. 충고가 그나마 마음에 와 닿을 때는 비슷한 경험이나 처지에 있는 사람, 교감과 공감이 이루어질 수 있는 관계, 즉 수평적인 관계에서 바로 옆자리에 있는 사람이 진심을 담아 할 때뿐이다. 이때 진심을 담았는가의 판단은 충고를 하는 사람이 얼마나 고민에 빠진 사람의 말을 경청하였는가가 가장 중요한 기준이 된다.

우리 시대는 새로운 도전에 직면해 있다. 나이 든 세대와의 화해와 소통의 장을 잃어버릴 때, 젊은 세대의 미래는 어둡다. 나이 든 세대와 젊은 세대에게는 서로 다른 경험, 서로 다른 삶의 궤적과 기억을 가졌다는 차이만이 있을 뿐이다. 그들은 서로 다른 경험과 삶의 지혜를 공유함으로써 함께 일어서고, 더불어 성장해야 한다. 그것이 창조적인 전진의 길이다. 적극적 경청을 통해 서로 이해하고 공감하려는 노력을 포기할 때, 서로에 대한 존중과 배려 대신에 증오와 폭력만 남게 된다.

위스턴 오든은 말했다. "나는 세대 차이라는 말에 동의하지 않는다. 다른 기억 · 경험을 간직하고 있을 뿐, 우리는 모두 같은 시대를 살아가는 사람들이다. 그 이상도 그 이하도 아니다." 젊은 세대와 나이 든 세대가 소통의 장을 통해 서로 어울리고 서로를 포용할 때, 사회는 진보하고 발전한다. 청년의 꿈을 죽이고, 청년의 의지를 꺾는 사회는 한없이 불행하다. 지금은 세대 간의 공감과 화해가 절실히 필요한 시점이다.

세대 간의 소통은 유무상생이다. 사회발전과 화해의 뿌리다. 세대 차이란 없다. 같은 시대에서 다른 경험을 공유하고 나눌 수 있다면, 그것은 서로를 성장 · 성숙시키는 첩경이다. 그런 소통의 자리, 소통의 시간을 만들어야 한다. 그것이 시대와의 화해다.

음식에 관한 프로가 넘쳐난다. 분명한 것은 수요가 있기에 이런 프로가 활성화되는 것일 것이다. 음식에 관한 프로그램의 성공에 중요한 요소 중의 하나가 리포터나 진행자가 완성된 음식에 대한 시식을 할 때, 그 리액션의 리얼함과 감칠맛에 따라 그 프로의 맛의 등급이 달라진다. 이처럼 세상을 살아가는 데 있어 일과 관계에 있어 리액션, 즉 적극적이고 자연스러운 반응 여부는 아주 중요하다.

리액션은 반응이다. 반응은 다른 말로 '맞장구', '추임새', '지청구'라 한다. 상대방의 말이나 질문, 행동에 대한 반응여부 못지않게 중요한 것이 반응시간이라고 얘기하는 사람도 있다. 그러나 개인적으로 반응시간을 일일이 생각하면서 맞장구를 치기보다는 말꼬리 자르지 않고, 상황에 따라 자연스럽게 주고받는 느낌을 준다면, 그것으로 충분하다고 생각한다. 반응을 잘하기 위해서는 적극적이고 진정성 있는 경청이 이루어져야 한다. 상대방에 대한 애정과 관심, 존중이 없으면 지속하기 어렵다.

주먹의 폭력은 일상에서 자주 경험할 수 있는 것이 아니다. 언어의 폭력은 일상에서 너무나 자주, 황당할 정도로 갑자기 경험할 수 있다. 권투에서 연타가 무섭듯이, '가랑비에 옷 젖는다'는 속담처럼 일상에서 너무 쉽게, 자주 경험할 수 있다는 면에서 언어의 폭력은 위험하고도 잔인한 것이다. 이것이야말로 소리 없는 살인, 침묵의 살인이다.

아집, 집념, 독선이 강할수록 소통을 잘한다고 착각한다. 합리화다. 이런 경우에 소통의 즐거움이, 신뢰가, 타협의 가능성과 해결은 멀어진다. 소통의 역설이고, 소통의 역효과이다.

지금의 마녀사냥도 마찬가지다. 타인의 불행을 통해 자신의 행복감이나 쾌락을 상승시키는 데만 혈안이 되어 있을 뿐, 우리 사회는 아이들의 마음을 읽는 데, 그들을 인간으로 존중하고 대화상대로 인정하는 데 무관심하고 무심해졌다. 부모들도 마찬가지다. 버릇없는 아이가 나쁜 것이 아니다. 그 아이를 그렇게 만든 부모가 나쁜 것이다.

　사람들은 모른다. 소통은 같은 눈높이에서만 이루어지기에 수직적인 관계에서 일어나는 모든 대화는 잔소리의 변형일 뿐이다. 잔소리가 아니라 충고, 충언, 조언조차도 잔소리일 뿐이다. 전문가의 상담조차도 수직적인 관계에서 진행될 때, 그 효과는 반감된다. 따라서 힘 있는 자나 가진 자가, 가족관계에서조차도 힘 있는 갑의 위치에서 아래로 내려와 따뜻한 눈빛으로 풍자와 비판, 해학과 유머의 눈높이를 맞추고 눈맞춤이 이루어질 때 소통이 된다.

　대화하면서 말을 자를 때, 대화는 이성의 영역에서 감성의 영역으로 전환된다. 한마디로 감정을 상하게 하는 것이다. 이는 분위기를 싸늘하게 만들고, 분노와 짜증을 부르며, 때로는 소모적인 감정낭비와 언쟁을 가져오기도 한다. 다른 사람의 말을 자르는 잔인한 짓을 하지 않을 때, 당신은 '슬로우 비디오' 영화 속 주인공처럼 다른 사람의 말과 행동을 하나하나 파악할 수 있고, 싸움닭이 아닌 따뜻하고 사랑스런 눈빛으로 상대방을 바라볼 수 있을 것이며, 멋진 대화의 맛을 즐기고 만끽할 수 있을 것이다.

숨통과 숨길이 트이는 거리, 숨통과 숨길이 트이는 사이가 가족이
고, 친구다. 서로의 숨통을 트이고, 서로의 숨길이 트이는 것이 공감
이요, 소통이다. 왜 어른들, 기성세대의 말은 대화가 아니라 잔소리
로 들리는가?

첫째는 자식, 학생 등 젊은 세대가 부모나 스승 등 기성세대에 대한
존경심이 사막의 건기처럼 메말라 버렸기 때문이다. 어른, 기성세대
는 아저씨와 아줌마로 폄하되어 사회적 존경보다는 사회적 조롱의 대
상이 되었다. 둘째는 스마트폰으로 정보가 투명해졌기 때문에 기성세
대로부터 특별히 귀담아 들을 얘기가 적다는 것이다. 셋째는 학생이
나 청년의 구직, 결혼의 스트레스가 커지고 기성세대와 일자리 시장
에서 경쟁까지 하는 상황으로 내몰려 생존에 목매달다 보니, 직업이
없어 결혼을 못하는 분노가 기성세대의 충고ㆍ훈계ㆍ조언을 들으면,
불난 집에 부채질을 하는 형국이 된다. 넷째는 청소년ㆍ청년의 인성
교육 부재로, 나만 생각하는 이기심만 있고, 견디고 참는 인내심은
찾을 수 없다는 데 있다. 좋은 약이 입에 쓰다는 말처럼, 진심이 담긴
말은 마음을 불편하게 하고 쓰디 쓸 수밖에 없다. 하지만 요즘 청소년
들은 인내심과 경청의 태도가 부족하기에 쓴 약처럼 쓰디쓴 진심어린
조언을 차분히 듣지 못한다.

부모나 스승은 존재하지 않고, 아저씨와 아줌마, 꼰대만 존재하는
사회에서 이들로 대표되는 기성세대에 대한 불만과 불신, 역겨움이
더욱 증폭되어 돌파구로 찾은 것이 멘토다. 멘토는 부모나 스승 자리

를 대신해 학생과 젊은 세대의 고민을 위로하고 들어주는 역할을 한다. 하지만 멘토라는 이름을 달고 있는 사람들은 약장사란 제한적인 역할에 머물 수밖에 없다. 진정한 멘토인 부모와 스승이 존경받는 기성세대, 존경받는 어르신, 존경받는 부모와 스승이 되어야 한다.

소통은 엉클어짐도 엉킴도 아닌 어울림이다. 나와 너의 언어가 강물처럼 서로의 마음으로 흘러드는 것이 소통이다. 언어가 돌멩이로 변해서 서로의 머리를 깨고, 너의 언어가 칼날처럼 변해서 서로의 가슴을 핏빛으로 물들이며, 언어가 총알로 변해서 서로의 몸뚱이를 산산이 부숴 버리는 것은 가장 잔인한 폭력일 뿐이다.

언어가 화석화되느냐, 언어가 보석화되느냐, 이것이 문제다. 이는 언어를 보석처럼 빛나고 아름답게 사용하는 것이 아니라, 자신의 언어를 다이아몬드처럼 단단하게 중무장시켜 미사일로도 부서지지 않게 한다면, 그것은 언어가 아니라 이미 쓸모없는 미라 같은 언어, 박제가 된 언어일 뿐이고, 당연히 그 언어는 죽은 언어이다. 죽은 언어를 내뱉는 사람은 살아 있되 산 사람이 아니다. 오직 세상과 사람들에 대한 따뜻한 마음을 가진 사람만이 살아 있는 언어를 토해 낸다.

그런데 왜 사람들은 명절이나 좋은 자리, 덕담을 나누어야 할 상황에 상처를 주는 말을 할까? 이유는 단순하다. 할 말이 없기 때문이다. 좋은 말, 긍정적인 말을 하지 않을 바에는 차라리 입을 닫는 게

낫다.

세상에서 가장 재미없고 지루한 이야기를 꼽으라면, 초등학교 시절 아침 조회시간에 어김없이 나타나는 교장 선생님의 훈화를 꼽겠다. 한여름 아침 시간이지만 참을 수 없는 더위와 햇볕 아래서 긴 시간 동안 부동자세로 서 있어야 하는 고통과 단상 위에서 아래로 아래로 흘러가는 교장선생님의 독백은 가히 절묘한 앙상블로 옆에서 친구들이 픽픽 쓰러질 만큼 잔인한 인내력 테스트의 장이었다. 그런데 이런 일들이 지금도 조직에서 벌어지고 있다. 선생님이 주인공이 수업시간, 상사가 주인공인 회의시간은 죽은 소통이다.

"부탁받지 않으면 충고하려 하지 마라. 잔소리쟁이는 선의를 가지고 있을 때도 가장 지겨운 존재"라는 말처럼 섹시하고 매력적인 대화 상대가 되는 비결은 듣고, 듣고, 또 듣고 가끔 맞장구 쳐 주면서 또 계속 들어주는 것이다.

'인사가 만사다'라는 말이 있다. 사람을 적재적소에 잘 쓰는 용인술을 말한다. 그러나 나는 이 말을 안부를 묻고 예를 표하는 다정한 인사로 해석한다. 아침에 엘리베이터 안에서, 학교에 가거나 회사에 출근하면서 만나는 사람들에게 단정하고 다정한 인사를 하는 것이 인간 생활에서 가장 중요한 소통행위의 하나라고 생각한다. 인사가 소통일 때, 정말 인사가 만사가 된다.

격한 운동을 하기에 앞서 스트레칭과 워밍업 시간을 가지고 않고 바로 격하게 운동을 하면 큰 부상을 당하기 쉽듯이, 진지한 소통이나 대화를 함에 있어 서로 간의 감정의 교류와 신뢰의 분위기가 형성되기도 전에 본격적인 대화에 돌입하면, 대화가 서로 간에 원하는 방향으로 진행되지 못하고 파국으로 치달을 가능성이 크다. 따라서 모든 인간관계는 먼저 마음을 통한 공감과 유대를 형성해야 한다.

즉, 감정적인 소통, 인간적인 소통이 먼저이고, 나중에 제안하고 협상하고 토론하고 타협해야 하는 것이다. 아울러 협상과 대화를 할 때에는 직설적이고 단정적인 말보다는 마음을 무장해제 시키는 끌어안는 질문, 열린 질문을 해라. "이런 방법은 어떨까요?" "예, 이해되지만 그렇게 생각하는 구체적인 이유를 말해 줄 수 있을까요?"

우리들은 말을 안 해서 후회되는 일보다는 말을 해버렸기 때문에 후회하는 일이 얼마나 많은가. 말을 많이 한다고 비난받는 경우는 많지만, 경청을 열심히 한다고 비난받는 것을 본 적이 있는가? 물론 경청을 한다고 자기 생각이나 의견도 없고, 질문이나 의문도 일어나지 않는다면, 그것은 그냥 넋을 놓고 있는 상태에 지나지 않는다.

질문이 없는 사회는 창의성과 상상력이 사라진 사회다. 교실에서, 강의실에서, 회의에서, 모임에서 심지어 가족이 모인 밥상에서조차 질문이 사라졌다. 질문이 사라지면, 대화와 소통도 같이 사라진다.

소통은 쌍방향의 끊임없는 흐름이며 순환이다. 상사에서 부하에게로, 부하직원에서 상사에게로, 동료 간에, 부부간에, 부모와 자식 간에 쌍방향으로 단절되지 않고 흐르는 것이다. 소통은 '몸에서 마음으로', '마음에서 몸으로'의 흐름이며, '이성에서 감성으로', '감성에서 이성으로'의 끊임없는 순환이다.

우리는 대화하는 순간, 상대방에게 내가 말한 의미와 의도가 정확하게 전달되었다고 착각한다. 하지만 내가 말을 하는 순간 상대방이 내 말을 제대로 알아들을 확률은 주사위 게임에서 숫자를 맞출 가능성과 같다. 이심전심(以心傳心), 염화시중(拈華示衆)과 같은 소통은 인생에서 지극히 희박하게 일어나는 사건이다. 사실 우리가 말을 길게 하는 이유 자체가 그 설명이 제대로 전달되지 못해서 또 설명하기 때문이 아닌가. 그렇기에 소통이란, 그 자체에 실패가 예견되어 있는 곤혹스러운 판도라의 상자인 것이다.

개인적으로 긴 말이 좋게 들리는 경우 중의 하나는 말미에 '왜냐하면'이나 '그럼에도 불구하고'라고 하면서 긍정적인 말을 덧붙일 경우이다. "나는 너를 30분이나 넘게 기다렸어. 왜냐하면 너를 정말 좋아하기 때문이야.", "너는 이번에 목표로 세운 마라톤기록 달성에 실패했어. 그럼에도 불구하고 전보다 훨씬 좋은 기록을 세우고 자신감에 넘쳐 있는 네 모습이 정말 멋있어. 다음에는 꼭 네가 목표로 한 기록을 달성할 수 있을 거야."라는 말은 듣기만 해도 마음이 따뜻해지지 않는가?

불완전함과 부족함, 잘못과 약점의 인정, 이것은 결점의 부각이 아니라, 인간미의 부각이다. 특히 강한 자라고 인식되는 자가 스스로 자신의 부족함과 불완전함을 인정하고 이를 극복하려는 강한 의지와 진정성이 수반될 때, 소통의 폭발력은 상상 이상이다. 가장 어리석은 사람이 자신을 가장 지혜로운 사람이라 믿고 소통을 거부할 때이다.

잘못된 신념이나 생각을 꺾을 수 있을까? 관절 꺾기나 허리 꺾기는 가능할지 몰라도 생각 꺾기는 쉽지 않다. 천하제일의 목수도 못 고치는 집을 고집이라고 한다. 황소의 뿔도 꺾을 수 있고, 황소의 고집도 물리력을 동원하면 이길 수 있다. 하지만 사람의 고집은 꺾기 어렵다. 특히 잘난 사람, 특권지배층, 권력층의 고집은 삼손도, 헤라클레스도 꺾을 수 없고, 천하제일의 명의인 화타가 환생해도 고칠 수 없다.

고집은 닫힌 마음이다. 고집은 타인과 세상의 의견을 받아들이는 것을 패배이며 굴복이라고 생각하여, 합리성과 논리성, 타당성과는 상관없이 자신의 생각과 주장을 굽히지 않는 것이다.

독선과 독단에 빠진 신념도 신념이다. 내가 옳다고 믿고 확신한다면, 그 자체는 신념이다. 다만 세상에서, 사회에서, 다수의 사람들에게 받아들여지지 않거나 잘못된 생각으로 인식될 경우에 그것은 독선에 빠진 신념이 될 수 있다.

이처럼 대부분의 사회구성원에 의해 잘못된 생각으로 인식됨에도 불구하고 자신의 생각을 굽히지 않고 타인의 생각을 받아들이지 않을 뿐만 아니라, 다름을 절대적으로 거부할 경우에 우리는 이를 아집과 옹고집이라고 한다. 나아가 이를 행동화할 경우, 가진 권한에 따라 많은 사람을 위험하게 할 수 있다. 이런 지경에 이르면 백약이 무효다.

사람들이 감동할 때는 탕아가 새사람이 되어 돌아왔을 때이다. 마찬가지로 독선을 꺾을 때, 사람들은 그 용기에 감동하는 것이다.

이처럼 사람은 원래 외눈박이다. 이를 잘 표현한 말이 "자기 눈의 들보는 안 보이고, 남의 눈의 티끌은 잘 본다."이다. 따라서 외눈박이 나라, 청맹과니 나라란 인간의 본성에 따른 편견과 고집, 불완전을 인정하지 않고 오히려 편견을 공정함으로, 고집을 열린 대화를 통한 상대방과의 합의로 착각하고 믿는 한쪽 방향의 나라, 획일의 조직이다.

대개 그런 조직은 위를 향한 충성이 지나쳐 윗사람에 대한 복종이나 숭배가 지배적인 조직일 가능성이 크다. 이처럼 옹고집이 칼춤을 추는 외눈박이 조직에서는 창의와 상상력이 만들어 내는 창조와 새로움이 탄생하지 못한다.

신념과 고집의 차이는 방향에 있다. 그 방향이 나를 넘어 타인과 사회와 세상을 향할 때, 우리는 그것을 '신념'이라 한다. 그 방향이 타인과 사회와 세상을 벗어나 나만을 향할 때, 우리는 그것을 '고집'이라 한다. 신념은 꺾으면 추해지고, 고집은 꺾으면 아름다워진다.

소통이란 언어의 주고받음이다. 언어는 빵처럼 그립고, 떡처럼 찰지고, 초콜릿처럼 달콤해야 한다. 소통의 언어는 서로에게 빵과 떡과 초콜릿처럼 말랑말랑하고 쫄깃쫄깃한 것이어야, 그 안에 소통할 수 있는 힘이 들어 있는 것이다. 그렇지 않고 언어가 완강한 돌덩어리처럼 굳어져 다른 언어에 의해서 절대로 부서질 수 없다면, 그것은 폭력의 행사일 뿐이다.

금 간 유리잔에 손을 베었다. 금 간 말에 마음을 베었다. 베인 손은 아물었지만, 베인 마음은 끝내 말라 죽었다. 금 간 유리잔은 빨리 치워야 하듯이, 금이 간 말은 입 밖으로 나오기 전에 꿀꺽 삼켜야 한다.

금이 간 유리잔에, 날카로운 칼날에 베이는 것과 금이 간 날카로운 말로 베이는 것 중 어느 것이 더 두려운가? 날카로운 칼로 몸뚱어리를 베이는 것이 무섭다. 하지만 나는 날카로운 칼로 마음을 베이는 것이 훨씬 더 두렵다. 현실적으로 날카로운 칼로 몸뚱어리를 베일 가능성은 죽을 때까지 많지 않지만, 날카로운 언어의 칼날에 마음을 베일 일은 하루에도 몇 번씩 생길 만큼 무차별적이고 죽을 때까지 끊임없이 일어날 것이기 때문이다.

이 시대 야성이
그리운 이유

답을 말하든 모른다고 말하든, 대답을 빨리 하면 사람들은 기뻐하고 더 호감을 느낀다. 〈제빵왕 김탁구〉처럼 뻔뻔할 정도로 당당하게 모른다고 말하고 가르쳐 달라고 말하면 찬탄을 넘어 감동하기까지 한다.

사람을 움직이게 하는 것이 기(氣)이다. 기에는 용기와 패기, 혈기, 필살기, 객기와 호기, 치기도 있고, 살기와 오기, 노망기와 망령기도 있다. 나를 움직이게 하는 기는 유리심장이 아니라 고무심장에서 온다. 비탄·통탄·한탄보다는 감탄·경탄·찬탄하는 마음과, 덜 쓰고, 덜 욕먹고, 덜 일하는 것에 대한 욕망보다 더 가치 있고, 더 재미있고, 더 의미 있는 일에 대한 욕망을 추구하고, 현찰·명찰·사찰 등 부와 권력에 대한 탐욕보다 관찰·통찰·성찰을 추구하는 삶을 사는 것이 야성을 지닌 삶이다.

　당신의 육체를 사랑한다는 말은 섹시하고 담백하며 화끈하고 격정적이어서 좋다. 너를 사랑한다는 말은 나를 설레게 해서 좋다. 나약한 심장으로 아름다운 여인을 차지하기도 어렵지만, 내가 원하는 모든 여인은 다 자신의 것인 것처럼 오만한 자도 결국 여자에게 짓밟힌다. 오만해도 좋은 자는 신뿐이다. 그래서 나는 오만한 인간은 물론, 신도 좋아하지 않는다.

　우리가 호랑이나 사자와 같은 야성의 정신을 회복하지 못하고 잃어버릴 때, 우리는 하이에나와 같은 야만이 된다. 세상을 집어삼킬 것 같은 강렬한 감정도 봄철 한 때의 벚꽃과 같이 피었다고 금방 사라진다. 감정이 그 고유의 빛깔을 유지하고 더욱 은은해지기 위해서는 노력과 연습이란 이성의 담금질을 반드시 거쳐야 한다.

　어차피 삶은 고통스럽다. 고통에 끌려 다니면 치졸하고 비열하게 살고, 고통 속으로 뛰어들면 치열하고 격렬하게 살게 된다. 우리는 끊임없이 치열하게 살아야 한다. 치열하게 질주해야 한다. 배 나온 독수리, 뚱뚱한 사자의 모습이 쉽게 상상이 가는가. 삶은 긴장감을 유지할 때, 치열하고 격렬하게 질주할 수 있는 것이다. 동물의 야성도 배가 고플 때에 발휘되듯이 삶의 절제와 중용이 긴장감을 만들어 잠자고 있는 인간의 야성을 깨운다.

　우리 모두의 마음속에는 커다란 거인이 숨어 있다. 그의 이름은 '자신감'이다. 자신감은 위풍당당함이요, 거만함이나 허세와는 다르다. 아들에게 가장 많이 하는 말이 '자신감을 가져라'이지만, 내 자신이 실천하기 가장 어려운 말이기도 한다.

대학생 시절 구부정하게 걷고 있는 내 모습을 보고 동네 아줌마 한 분이 왜 어깨를 구부정하게 하고서 걷느냐고, 젊은 사람이 보기 좋지 않다고 말씀해 주셨다. 그다음부터 의식적으로 어깨와 가슴을 활짝 열고, 대나무처럼 꼿꼿하게 걷기 위해 노력했다. 꽤 오랜 시간이 걸렸지만, 지금은 누구보다도 꼿꼿하고 당당하게 걸어 다닌다. 실제 율부리너도, 엄청난 근육질의 실베스터 스탤론도, 탐 크루즈도 넓은 어깨와 함께 당당하게 가슴을 활짝 열고 걸어가는 모습 때문에 실제보다 훨씬 더 크고 건장하게 보이는 게 아닐까.

야성에는 치열함 속에서도 이성을 잃지 않음이 있고, 거침 속에서도 배려함이 있고, 강함 속에서도 부드러움이 있다. 치열함과 거침, 지독함과 강함 속에서도 인간의 감성과 이성을 잃지 않을 때, 우리는 '야성적'이라고 말한다. 반면에 무식함과 거침과 자신의 이기적 욕망을 위한 탐욕만이 춤출 때, 우리는 '야만'이라고 한다.

누군가는 말한다. 야만은 소통을 못하는 것, 소통이 안 되는 것이라고. 타인의 존재를 무시하고 자신의 말만 마구 떠벌리는 사람의 모습에서 야만을 본다. 지금은 야만시대, 야만자본주의다. 야만과 자만과 거만이 이 시대 모든 가치의 기준이자 저울인 돈놀이 판을 좌지우지하는 세태 속에서 돈과 동떨어진 가치인 정의와 공정, 행복을 부르짖는 사람들은 바보일까.

우리는 부끄러움을 모르는 사람이나 대화와 소통을 할 줄 모르는 사람에게서 야만을 본다. 야만은 독선이고 독단이고 방향을 잃은 천상천하유아독존이다. 야성의 호랑이나 멧돼지가 자신들의 삶의 터전을 벗어나 민가와 도시에서 사람들을 공격한다면, 그것은 야성이 길을 잃은 것이다.

하지만 야성이 길을 잃은 것은 호랑이나 멧돼지의 잘못이 아니다. 그것은 그들을 그렇게 행동하도록 만든 자연의 파괴에 있다. 사람도 마찬가지다. 건강한 야성을 잃고 부끄러움을 모르는 야만인이 된 것은 개인의 책임을 넘어 그들을 그렇게 만든 부패하고 병든 정치와 경제, 사회와 문화를 움직이는 거대한 시스템인 사회구조의 오작동에 있는 것이다.

이에 반해 야성은 타인의 아픔과 고통을 위해 자신의 몸을 희생할 수 있는 희생정신이다. 중세시대 기사도 정신이 약하고 보호받아야 할 여성을 위한 희생과 강한 책임을 표상하는 것이라면, 야성은 여성이 아니라 사회의 모든 약자와 힘없는 사람들을 보호하고 위로하고 도움을 주려는 적극적인 행동을 말한다.

역설적으로 인간적 욕망이란 길들여진 욕망이다. 돈과 성공이란 매뉴얼과 타인의 시선을 따라 레일 위를 달려가는 욕망이다. 본성을 잃어버린 욕망의 자리에는 자본에 길들여진 욕망, 추악한 욕망이 자리를 잡았다. '젊은이들의 자유'마저도 회칠한 무덤이 되었고, 인간은 주어진 환경을 불가피하고 숙명적인 것으로 여긴다. 길들여진 숙명, 길들여진 사자처럼 길들여진 인간이 되었다.

야생의 욕망과 길들여진 욕망의 대결은 흥미진진하지 않다. 자본주의 사회에서는 항상 길들여진 욕망이 승리한다. 길들여진 욕망은 규범의 틀 속에서 자기증식을 하기 때문이다. 야생의 욕망을 잃어버린 사람들, 자유로운 욕망을 꿈꿀 수 없는 사람들은 규범의 틀 속에서 길들여진 욕망, 허망한 쾌락의 중독 속에서 녹슬어 가는 삶을 사는 것이다. 야생의 욕망과 길들여진 욕망의 가장 큰 차이는 야생의 욕망은 자유로움에 이르는 욕망이고, 길들여진 욕망은 중독에 이르는 욕망이라는 점이다.

야성의 욕망, 자기 욕망은 타는 목마름처럼 갈망하는 마음이다. 야성의 욕망은 치열함과 격렬함을 잉태하고 있기에 사자가 사냥감을 향해 질주하듯이 미세한 자극에도 폭풍 같은 강력한 생명력으로 꿈을 향해 달려가게 만들지만, 길들여진 욕망은 현재의 달콤함에 취하게 만들어, '조아'의 꿈을 사라지게 하고 열정과 새로운 도전 의지를 꺾어 버린다.

도쿄 외국어대학교의 마치다 소호 교수는 〈야성의 철학으로 일하라〉는 책에서 "이성에 억눌려 숨죽이고 있는 동물적 본능의 요소를 끄

집어내는 노력이 야성의 회복이며, 야성의 회복이야말로 인간의 존엄성을 드높이는 노력이며, 야성은 가공되지 않는 자연 그대로의 성질, 야생에서 자라는 마음이다."라고 했다.

사자는 사자답게, 영양은 영양답게, 독수리는 독수리답게, 얼룩말은 얼룩말답게 자기 스타일로 한눈팔지 않고 살아간다. 야성은 다른 것이 아니다. 인간이 인간답게 생존을 위해서 타인의 눈치나 시선에 구애받지 않고 자기 스타일과 자신의 생각대로 최선을 다하는 인간다움이 야성이다. 사자가 먹잇감을 앞에 두고 최선을 다해 질주하지 않는다면, 그 사자는 야성을 잃어버린 것이다.

야성은 거칠고 넓은 평원처럼 성격이 탁 트인 사람이다. 이런 사람에게는 거칠 것이 없고, 두려움도 없다. 장비처럼 막무가내이고, 코뿔소처럼 자기 생각대로 앞뒤 재지 않고 돌진하는 행동으로 사람들을 당혹하게 만들기도 하지만, 그들은 따뜻한 마음을 가졌기에 사람들의 공감을 얻는다. 그래서 야성은 열린 마음이고 탁 트인 마음이고, 호방하고 호탕한 호연지기다.

그러나 불행하게도 야성은 타인의 시선, 익숙함과 사회적 기준, 자본에 길들여지면서 상실된다. 이처럼 자신의 욕망으로 욕망하지 않고, 타인의 욕망과 시선에 조종되고 길들여진 욕망은 기계처럼 반복적인 습관, 매일 똑같이 익숙한 일상에 길들여진 강아지의 삶과 다름이 없다.

우리는 지금 야성을 잃어버린 삶을 살아가고 있는지도 모른다. 동물원처럼 규격화된 문명의 제도 안에 안주하면서 내가 누군지, 진짜 잘 산다는 것이 무엇인지, 치열한 도전 없이 세속적 가치관에 속아서 주어진 시간들을 껍데기 삶에 소비해 버리고 있는 것이다. 사냥하지 못하는 동물원 사자처럼, 사람들이 쳐 주는 박수와 던져 주는 먹이에 만족하며 쇼를 하는 돌고래처럼 말이다.

지배세력이 원하는 사회적 기준에 맞추어 젊은이가 길들여진 사회는 젊은이의 발전 가능성을 빼앗을 뿐만 아니라 함께 사는 어울림의 원칙마저 무너뜨린다. 길들여진 사자가 가진 것은 야성이 아니라 순종이라는 이름의 야만이다. 길들여진 사자는 배가 고파도 먹고, 배가 불러도 먹고, 고기만 먹는 것이 아니라, 풀도 먹고, 썩은 고기도 먹는 잡식성이 된다. 길들여진 사자는 여유와 만족을 모른다. 눈에 보이는 대로 물어뜯고, 갈기갈기 찢어 버린다. 야성이 깊은 산속에서 처연하게 우는 늑대의 울음소리처럼 낭만을 느끼게 한다면, 야만은 살기를 띤 눈과 이빨을 드러낸 늑대를 눈앞에서 만난 것과 같은 공포 그 자체다.

힘은 가질수록, 영향력은 커질수록, 일할 수 있는 위치가 높아질수록 가슴속에 '야성'이 펄펄 살아 있음을 느낄 수 있다면 얼마나 좋을까? 물론 현실은 이와 반대로 움직인다. 위치가 올라갈수록 사람들은 야심과 야만은 커지고 야성을 잃어버린다. 데릴라의 유혹에 빠진 삼손처럼, 밑바닥에 있는 사람들은 휘두를 야만도 없고, 벌떡 일어설 야성도 없다. 있다면 죽기 전 마지막 발악과 같은 악과 사회에 대한 저주의 울부짖음만 있을 뿐이다.

비코는 '이성의 야만'의 대립으로 '감각의 야만'을 든다. 그것은 물리적 폭력과 야수적인 감정의 세계에서 벌어지는 야만이다. 눈으로 볼 수 있고 느낄 수 있기에 '감각의 야만'이다. 감각의 야만은 어둠의 야만이며, 주먹의 야만, 폭력의 야만이다. 이 원초적 야만은 오히려 덜 위험하다. 쉽게 눈에 띄어 방어하거나 도피할 수 있기 때문이다

더 위험한 것은 '이성의 야만'이다. 겉으로는 부드러운 말로 포용을 하면서 뒤에서는 친구와 친지, 동지와 적의 등에 비수를 꽂는 야만, 가면 속의 야만이다. 그들은 언제, 어디서나 자신의 탐욕을 위하여 가면을 벗고 신뢰와 믿음을 잔인하게 배반한다. 이성의 야만은 밝은 세계의 야만이며, 흡혈의 야만이며, 악마의 야만이며, 냉혈의 야만이다. 국가의 야만이며, 배반의 야만이다. 자신의 경험과 생각이라는 녹슨 철망에 갇혀 있는 불쌍한 맹수다. 이들은 녹슨 철망을 뚫고서 언제든 타인을 물어뜯을 수 있기에 시한폭탄만큼이나 위험하다.

감정의 중심은 따뜻함이다. 카리스마, 독종, 독기, 집념과 같은 야성이 따뜻한 감성과 결합할 때, 그 폭발력은 엄청나다. 감성과 야성의 시너지효과다. 핵폭발효과다.

세상을 나아가게 하는 것은 생각 있는 사람들이고, 세상을 아름답게 만드는 것은 생명을 존중하는 사람들이며, 세상이 필요로 하는 것은 생기 있는 사람들이지만, 세상을 바꾸는 것은 야성을 지닌 사람들이다.

야성은 끌어당기는 마력이다. 끌림이란, 흰 파도가 출렁이는 바다가 있으면 마음이 먼저 달려가고, 꽃이 예쁘게 피어 있으면 다가가 향기를 맡고 싶고, 아름다운 선율로 가득하다면 그 음악이 듣고 싶어지고, 언제나 미소 짓는 아름다운 사람이 있다면 사랑하고 싶어지는 것처럼, 우리 마음을 매혹으로 물들이는 것이며, 어서 오라고 손짓하는 것이다.

어려서부터 "사내자식이 울면 못 쓴다.", "울면 안 된다."는 말을 들었다. 이처럼 나오는 울음을 참을 정도로 독하다는 의미는 의지가 강하다는 의미다. 하지만 진짜 강한 자, 감성이 풍부한 자는 울어야 할 때 울 줄 아는 '따뜻한 마음'을 가져야 한다. 따뜻함이 없는 카리스마는 위험한 무기일 뿐이다. 히틀러의 경우처럼 독재와 폭거, 공포일 뿐이다. 그래서 나는 따뜻한 독종, 따뜻한 카리스마를 지닌 사람이 좋다.

인간은 야성에도 인간미에도 매력을 느낀다. 야성과 인간미가 결합되면 엄청난 폭발력과 시너지효과를 발휘한다. 삶의 밝은 빛만 아니라 어두운 그림자까지도 기꺼이 끌어안는 마음, 오히려 자기 자신에게 한겨울 삭풍처럼 엄하고 타인에게 부드러운 감정인 춘풍추상이 매력적인 야성에 가깝다.

겨울 추위는 가혹했다. 바람은 바늘이 되어 살갗에 꽂힌다. 야성은 바람이 바늘이 되어 살갗에 꽂히는 겨울 추위 속에서도 눈 속에 쓰러져 있는 사람을 업고 걸어가는 것이다.

　현대는 분명 야성의 시대는 아니다. 정보화시대는 부드러운 감성, 창조적 이성이 대접받고 요구되는 시대에 야성은 멸종동물처럼 희귀하게 되었다. 잭 울프가 〈야성의 소리〉에서 외쳤듯이, 우리는 잃어버린 야성을 되찾아야 한다. 야성이 설 자리를 잃은 시대는 반쪽짜리 세상이다. 그래서 야성이 그리운 시대이다.

예의와 멋진 매너로
무장한 '척가면'

　사람들은 가까울수록 예의를 갖추라고 말한다. 하지만 나는 다르게 생각한다. 가까울수록 더욱 필요한 것은 예의가 아니라 배려와 존중이다.

　첫 데이트에 트레이닝복 차림으로 나가는 사람이 없고, 결혼식을 등산복 차림으로 하는 사람이 없듯이, 집안에서 양복을 입고 생활하는 사람도 없다. 집에서 속옷만 입고 생활한다고 문제가 되지 않는다. 오히려 유니폼처럼 엄격한 복장으로 생활하는 것이 더 이상할 것이다.

　이들에게 필요한 것은 형식적인 예의가 아니라 예의에 따뜻함을 입하는 것, 즉 배려와 존중이다. 솔직함이 예의와 겸손, 배려의 옷을 입을 때 당당함이 된다.

예절에서 가장 중요한 것은 어른이 모범을 보이는 일이다. 부모님과 어린 아이들, 음식점에서 일하는 사람들, 아파트 출입구를 드나들며 만나는 경비원 아저씨, 이웃집 사람들, 거리에서 아는 사람들을 만날 때마다 공손히 인사하는 엄마와 아빠의 모습을 보고 자란 아이치고 '인사성' 바르지 않은 아이가 없다.

'척가면'을 쓰는 것은 인간으로의 성장 · 성숙을 위한 발달과정이자, 인간사회를 살아가는 최소한의 예다. '척가면'을 통해 '척척' '척척척'의 삶으로 나아가면서 사람들은 자신만의 신화, 자신만의 큰 바위 얼굴을 만들어 가는 것이고, '척가면'의 삶이 잘못된 방향으로 나아갈 때 사람들은 칙칙하고 어두운 삶, 악마의 모습을 닮아가는 것이다.

이처럼 '척가면'이 나를 넘어 만인이 즐겁게 하면서, 그들을 자이언트로 만든다면, 그것은 나와 만인을 자이언트로 만드는 '척가면'이고, 만약 '척가면'이 나만을 자이언트로 만들고, 만인을 난쟁이로 만드는 '척가면'이라면 그것은 악마의 가면이다.

고마운 척, 행복한 척, 도와주는 척하는 '척가면'을 쓰는 것은 성숙으로의 발달과정이며, 성숙, 진화의 과정이자, 사회질서의 뿌리이고, 인간에 대한 예다. 예의는 상대방을 배려하고 주인공으로 만드는 것이다. '척가면'으로 타인을 즐겁게 만들었다면 좋은 것이고, 착각으로 타인을 즐겁게 했어도 좋은 것이다. 관건은 '자신과 타인을 즐겁게 만들었는가'이다.

대부분의 경우에 가족이나 친구들과 외식을 할 때, 서빙 하는 사람들에 대한 상대적 우월감으로 이들을 무시하는 무례한 행동을 하거나, 집에 오면 예의의 단추가 풀어져 가족에 대한 존중과 배려는 팽개친 채 제멋대로 행동하는 경우가 많다.

심한 경우에는 가족에게 보이는 민낯의 칼날은 세상에서 가장 가까운 사람들을 원수로 만들어 서로에게 칼을 꽂는다. 자신의 행동이, 자신의 모습이 타인의 시선으로부터 자유롭고 의식하지 않아도 된다고 생각할 때, 사람들은 인간의 탈을 벗고, 오만과 거만의 탈, 권위와 욕망의 탈, 쾌락과 짐승의 탈을 쓰고 춤을 춘다.

하지만 이들은 중요한 사실 하나를 망각했다. 그들 역시 타인 시선의 희생양이 된다는 사실을 말이다. 누군가에게 지옥 같은 시선과 경멸을 던지는 사람일지라도 그 역시 '타인의 지옥'이란 사르트르의 말처럼 타인의 시선과 경멸, 조롱과 배신이라는 올가미에 숨통이 끊어지는 고통과 아픔을 느낄 것이다. 이것이 인과응보다.

쾌적한 만남, 상쾌한 만남의 가장 기본적인 뼈대를 이루는 것이 인사이다. 진심이 담긴 인사라면 더욱 좋겠지만, 형식적, 아니 가식적이더라도 서로 간에 인사를 나눌 수 있다면 적어도 깊은 상처를 주고받지는 않을 것이다. 하지만 불행하게도 우리는 낯선 타인에게는 물론, 아는 사람에게조차 인사를 하지 않는 사회가 되어 가고 있다. 이를 통해 사람들은 때로는 깊은 마음의 상처를 입는다.

사람의 마음은 정말 부서지기 쉬운 존재이기에, 매너와 예절은 강한 경쟁력을 가진다. 인사성 밝은 사람은 인상이 밝은 사람이고, 인상이 밝은 사람은 인생이 밝은 사람이며, 인사성이 없는 사람은 진상인 사람이고 진흙탕의 삶을 사는 사람이다.

예는 다가갈 때보다 물러설 때 제대로 갖추어야 한다. 가령 인사를 한다면 고개를 숙일 때보다 숙인 고개를 다시 들고 상대의 눈을 바라볼 때가 더 중요하다. 마무리가 허술하면 예는 무너진다.

예의바름과 멋진 매너를 가짐은 상황에 맞추어 창조적으로 적응하고 행동하는 사람이다. 외모와 신체의 탄력, 감정의 생기, 행동의 활기는 나이가 들어 갈수록 그 빛을 잃어버린다. 그것은 자연의 흐름이다.

나이 들면서 더욱 깊어지는 것은 지적 성숙, 인격적 성숙, 배려와 이타심과 책임감과 포용력이다. 만약 나이가 들어가면서 지적 성숙, 인격적 성숙, 배려와 이타심, 여유로움과 너그러움, 책임감을 잃어버린다면, 그것은 쓸쓸한 인생일 뿐만 아니라 실패한 인생일 것이다.

마음에 없는 남편의 겉치레 칭찬을 받은 아내와 무관심으로 일관하는 남편을 둔 아내의 마음은 어떨까? 우선 무관심은 확실한 신호를 준다. 당신을 사랑하지 않으며, 당신에게 관심이 없다고. 하지만 마음에 없는 겉치레 칭찬은 다르다. 아내가 겉치레 칭찬임을 알면 감동은 적어지겠지만, 적어도 남편에 대한 적대감과 증오감이 더 커지지는 않을 것이다.

만약 아내가 겉치레 칭찬을 진심어린 칭찬으로 착각했다면, 아내는 감동을 받고 남편에 대한 달라진 마음과 행동으로 둘 사이에 새로운 관계가 정립될 수도 있다. 마음에 없는 말이라도 상대방의 기분을 좋게 할 의도가 있었다면, 그것은 안 하는 것보다는 훨씬 낫다.

'솔직함의 함정'이란 아무리 솔직한 사람이라도 생존을 위한 최소한의 가식은 필요하다는 것이다. 위선이 힘을 잃을 때, 진실도 사라진다. 진실은 위선의 그림자를 먹고살기 때문이다. 인간 세상은 정의나 공정만으로 굴러갈 수 없듯이, 진실만으로 살아갈 수는 없다. 아이러니하게도 진실과 위선은 서로가 서로를 필요로 한다.

'스승의 그림자도 밟지 않는다'는 말처럼 과거나 지금의 기성세대는 예의를 중시했던 시대다. 그들은 예의가 무너진 시대라고 하면서 요즘 젊은이들과 학생들에게 손가락질을 하고 있다. 하지만 무너진 예의의 일차적 책임은 기성세대에 있다. 그들은 예의를 아랫사람의 윗사람에 대한 관계에만 초점을 맞춘다. 더 중요한 예의는 윗사람의 아랫사람에 대한 예의, 상사의 부하에 대한 예의, 가진 자의 못 가진 자에 대한 예의라는 사실을 간과한 것이다.

이들은 외눈박이처럼 위로 향한 예의만 요구할 줄 알았지, 아래로 향한 예의는 무시하고 무관심했다. 이는 예의의 근본을 파괴하는 것이다. 특히 정보화 시대, 인터넷의 생활화로, 아이들은 윗사람, 가진 자의 독선이나 위선과 자만, 아랫사람과 못 가진 자에 대한 무시와 경멸, 오만을 보고 자랐다. 이제는 기득권층이, 어른들이, 가진 자들이 아랫사람, 어린 사람들에 대한 예의를 갖추어야 한다.

예의는 물의 흐름을 닮아야 한다. 물이 위에서 아래로 흐르듯이 예의도 위에서 아래로 흘러야 한다. 기성세대가 예의를 보여 주지 못할 때, 청년세대도, 자녀들도, 아이들도 예의를 알지 못한다. 위로 향한 예의만을 생각하면서 예의를 말하는 자는 대개 만인에게 무례하고 오만하며 거만한 자들이다.

사랑할 때도, 이별에도 예의가 필요하다. 사랑은 뜨거워야 하고, 이별은 가슴이 찢어져야 한다. 이별을 통보하는 쪽에서 상대방에 대한 지나친 예의는 매몰찬 돌아섬만 같지 못할 수 있다. 왜냐하면 지나친 예의는 상대방에게 무시를 당했다는 마음의 상처를 더 깊게 줄 수 있기 때문이다.

예의는 타인의 시선을 존중하는 마음이다. 타인의 시선에 구속되는 것이 아니라는 의미에서 예의는 사회적 관계에서 필수적인 부분이다. 하지만 타인의 시선을 존중하는 마음일지라도 타인의 시선을 의식한다는 의미에서 예의가 길을 잃으면 타인의 마음에 상처를 주기 쉽다. 예의가 위쪽으로만 향할 때, 야심이나 허영으로 변질되기 쉽고, 예의가 빈자와 약자에 대한 공감이 없을 때, 그들에 대한 멸시나 조롱, 경멸로 추락하기 쉽다.

사람들의 마음을 상하게 하거나 화나게 하는 것의 대부분은 지극히 사소한 일이다. 그 지극히 사소한 일의 대부분은 예의의 문제로 귀착

된다. "음식 끝에 맘 상한다."는 말처럼 사람은 무심히 던진 반말이나 비아냥, 조롱이나 나름 진지하게 건넨 자신의 의견이나 호의에 대한 무시나 거절, 째려보는 듯한 눈길, 거만한 자세 등 일상에서 지극히 사소한 문제로 마음을 다치고, 그 때문에 밤잠을 설치기도 한다.

살아가면서 내딛는 한 걸음 한 걸음에 의미와 가치를 담아야 하듯이, 맞부딪치는 사람과의 관계에 있어서 말 한마디 한마디, 행동 하나하나가 상대방의 마음을 다치게 하는 잔인한 말이나 행동이 되지 않도록 말과 행동에 따뜻한 마음의 외투를 입혀야 할 것이다.

발타자르 그라시안은 "나쁜 매너는 모든 것을 졸렬하게 만든다. 심지어 정의와 이성까지도. 그러나 세련된 매너는 모든 것의 부족을 메운다."고 했다. 인간의 감정도 서로가 날것인 채로 부딪치다 보면 불필요한 상처가 생길 수밖에 없다. 매너는 그와 같은 날것을 부드럽고 따뜻하게 만들어 준다. 이처럼 매너는 최악의 상황을 방지하는 안전장치이며, 보호막이자 인간관계의 안전띠다. 매너는 살인을 단순 폭력으로, 폭력을 거친 말싸움으로 만든다.

지금은 온라인의 역할이 점점 중요해지는 민감성 사회다. 이런 사회일수록 온라인과 오프라인 모두에서 예의바름이 무엇보다 중요하다. 어쩌면 가장 중요한 생존무기이자 경쟁력이 되었다.

아르고트는 "예의는 마음의 외투이다. 이 외투를 걸치지 않고는 참되게 위대한 사람이 될 수 없다."라고 했다. 그러므로 인간관계에서 예의를 무시한 사람이 호감을 얻는다는 것은 거의 불가능하다. 예의는 인간관계의 알파요, 오메가이다.

예의나 형식보다 중요한 것이 마음의 진정성이다. 하지만 사람들은 깊은 관계가 아니라면 마음의 진정성을 보기가 어렵다. 그래서 겉으로 보이는 예의나 형식이 원래의 가치보다 크게 작용하는 것이다. 이것이 '형식의 역습'이다. 형식이 실질보다 중요하다는 것은 바로 이러한 현실을 반영한 형식의 역습 때문이다.

분명한 것은 가족처럼 지속적인 만남으로 깊은 관계를 맺은 사람들 간에는 마음의 진정성이 예의나 형식보다 더 큰 영향력을 발휘한다는 것이다. 따라서 일부라도 민낯을 보여줄 수밖에 없는 가족 간에는 예의를 갖추는 것도 중요하지만, 마음의 진정성이나 진실이 더욱 중요하다.

원칙과 약속을
지킴이 아름답다

원칙을 지키는 것은 가치 있다. 하지만 그 원칙은 나만의 이익을 취하기 위한 원칙이 아니라, 타인의 이익도 함께 도모하는 원칙이 되어야 한다. 이것이 '원칙의 불패이론'이다. 원칙이 타인의 이익과 권리를 침해하고 자유를 침범한다면 그 원칙을 수정할 수도, 극단적으로는 버릴 수도 있어야 한다. 이것이 '원칙의 상대성'이다. 이런 원칙의 융통성이 원칙을 더욱 원칙답게 만드는 마법이다.

나만의 이익을 위해 원칙을 버리는 것을 우리는 '기회주의자' 혹은 '철새' 등으로 표현한다. 하지만 원칙을 만인의 이익을 위해 포기하고 굽힐 줄 아는 것은 아름다운 버림이다. 세상의 모든 원칙은 뻣뻣한 막대기가 되어선 안 된다. 원칙은 버들가지처럼 휘어질 줄도 알아야 한다. 편법이나 변칙을 말하는 것이 아니다. 사람의 마음을 헤아릴 줄 아는 혜안과 배려, 관용이라는 융통성을 말하는 것이다.

이러한 융통성이 바늘만큼도 들어설 자리가 없을 때, 원칙의 이름으로 행해지는 행위는 사람의 마음에 씻을 수 없는 상처를 주고, 증오와 적개심을 불러일으키고, 무관심과 무감각이 판을 치는 메마른 사회를 만든다. 이것이 '원칙의 역설'이다. 원칙이 원칙만 고집할 때 원칙의 역습을 받게 되는 것이다. 원칙에 따뜻한 마음과 배려심이 없을 때 무정한 원칙이 되고, 원칙에 따뜻한 마음과 배려, 관용이 자리 잡을 때 정의로운 원칙이 된다.

강자에게 강하고 엄격하게, 약자에게 관용과 포용을. 자신과 다른 생각을 받아들이는 유연한 사고와 열린 마음을 가지고 있는 사람, 물러나야 할 때 물러서고, 나아가야 할 때 전진하는 사람, 책임져야 할 때 책임지고, 행동해야 할 때 실행하는 사람이 진짜 멋진 사람이다. 그런 사람이 유연한 원칙주의자다.

원칙이 직선이라면 융통성은 곡선이고, 원칙이 대나무라면 융통성은 버드나무이며, 원칙이 이성이라면 융통성은 감성이다. 그래서 감성이 풍부한 사람일수록 융통성이 많다.

하지만 불가피하게 융통성과 원칙이 충돌할 때는 융통성이 세상을 더욱더 따뜻하고 훈훈하게 만드는 길이라는 사실에 많은 사람들이 공감한다면, 융통성의 손을 들어주는 것이 가슴과 가슴을 부딪치며 살아가는 세상을 더욱 살맛나게 할 것이다. 나는 그런 세상이 정의롭고 공정한 세상인지 아닌지는 잘 모른다. 하지만 그런 세상이 시퍼렇게 날이 선 원칙만이 횡행하는 세상보다는 더욱 인간다운 세상일 것이라는 생각에는 변함이 없다.

원칙이 황금률이 되어야 하는데 원칙이 쓰레기처럼 취급되고, 원치 않는 원칙만 난무하며, 슬픔과 절망만을 끝없이 깊게 만드는 법의 날 선 칼날만이 횡행한다. 가난하고 힘없는 자들의 공감을 얻고 인간의 온기가 느껴지는 원칙이라면, 원칙의 엄격함도 유연함도 문제가 되지 않는다. 원칙의 적용이 얼마나 사람들의 마음에 공감과 감동을 이끌어 내는가, 이성과 합리성의 잣대가 사람의 마음에 어떤 파문을 일으켰는가가 그 원칙의 실행가치와 존재가치를 결정하는 것이다.

약속은 원칙을 넘어선 곳에 있다. 진리가 사실 너머에 있듯이 가진 자들이 '원칙을 지킨다'고 말하는 것은 내가 가진 것을 지키겠다는 강한 의지의 피력이며, 고지식하고 고집불통의 마음이 똬리를 틀고 있는 경우가 많다. 이런 딱딱한 원칙은 부러지기 쉽고, 방향을 틀면 독선과 오만이 된다. 하지만 약속은 나의 중심이 아닌 남이 중심이 되는 것이다. 상대방이 주체가 되어 상대방을 배려하고 존중하는 마음, 나의 것을 희생하면서도 상대방을 인정하고 책임을 다하려는 마음이다.

칭찬과 배려와 달리, 약속은 남발하면 부메랑이 되어 날아올 가능성이 크다. 할 수 있는 만큼만 약속하고 약속한 것은 반드시 기록하고, 약속시간도, 약속한 내용도 지켜라. 모든 약속은 즐거운 부담이 되어야 한다. 약속은 지킬 수 있을 때 아름다운 약속이 되고, 지키지 못하는 약속은 나와 가족과 타인에게 짜증과 불신, 실망과 증오, 분노와 좌절, 극도의 배신감과 복수심을 불러일으킨다.

"약속은 깨지기 위하여 존재한다."는 말이 있다. 약속도 사랑도 언젠가는 깨질 운명의 DNA를 가지고 있다. 그렇다고 약속도 사랑도 하지 않을 것인가? 지금 약속을 지키려는 진정한 마음만 있다면 그것으로 족하다.

약속과 그릇은 깨어지기 쉽다는 말은 맞다. 하지만 약속을 지키지 않음으로 해서 그 약속을 철석같이 믿은 사람의 가슴에 금이 가게 해서는 안 된다. 왜냐하면 모든 사람의 가슴은 유리 가슴이기 때문이다.

개개인의 삶에도 원칙이 있고, 사회나 국가에도 지켜야 할 원칙이 있다. 나는 아무리 힘들어도 지하철이나 버스의 경로석에는 절대로 앉지 않겠다고 마음먹는다면, 그것은 내 삶의 원칙이 된다. 다른 사람들이 고지식하고 꽉 막힌 놈이라고 할지라도 말이다. 개인적으로 나는 아무리 화가 나도 가족은 물론 화가 난 상대방에게 폭력을 휘두르지 않겠다는 원칙을 가지고 있으며, 거짓말하는 사람, 정직하지 않은 사람은 신뢰하지 않는다는 원칙도 가지고 있다.

원칙을 지키는 데 가장 중요한 원칙은 원칙의 방향성이다. 그것은 만인이 공감하는 원칙이어야 한다는 것이다. 나를 포함해서 원칙을 지킴으로써 빈자와 약자, 서민의 행복과 만족감이 증가할수록 그 원칙은 만인이 원하는 원칙이 된다. 오직 나만이 원하는 원칙은 독선이며, 불행이며, 슬픔이며, 고통 덩어리일 뿐이다.

원칙만을 강조하는 사람은 특권을 가진 사람이다. 특권을 가진 사람이 외치는 원칙은 만인이 원치 않는 원칙이며, 나 홀로 원칙, 독선의 원칙, 터널시야에 갇힌 원칙이 대부분이다.

원칙이란 이름으로 타인의 가슴에 씻을 수 없는 슬픔과 고통, 마음의 상처를 안긴다면, 그것은 원하지 않는 원칙이 된다. 원하지 않는 원칙이 시퍼런 칼날을 휘두를 때, 그것은 하나의 두려움이며 공포일 뿐이고, 원칙의 예외가 따뜻함이 아니라 세상을 더욱 춥게 만들고, 잔혹하게 만든다면 이는 원칙의 탈을 쓴 폭력일 뿐이다.

사람들은 말한다. 원칙만 중시하다가 일을 망친다고. 원칙만 흔들림 없이 고집스럽게 고수함은 능률과 효율, 공정과 정의로움의 지름길이 아니고 모든 것을 비틀어 버리고 짓밟아 버리는 괴물이 되고 비효율의 온상이 되며, 세상의 따뜻한 온기를 얼려 버린다고.

그것은 아니다. 위에서 말한 것은 원칙으로 변장한 회칠한 원칙일 경우이다. 개인적인 경험으로 미루어 볼 때, 장기적으로 우직하더라도 원칙을 지키는 것이 문제를 근본적으로 해결하는 길인 경우가 많았다. 아울러 거의 대부분의 경우는 진정한 원칙주의자가 마지막에는 승리한다. 그것도 통쾌하게.

보이는 유혹인 돈과 여자, 권력의 유혹에 굴복하는 사람은 보이지 않는 신념과 지조, 명예와 의리, 정의로움도 쉽게 버릴 수 있다. 반대로 눈에 보이지 않기에 그 가치로움이 더욱 빛나는 신념과 지조, 의리와 명예, 정의로움을 목숨처럼 생각하는 사람은 돈과 여자, 권력의 유혹에도 쉽게 넘어가지 않는다. 다만 그런 사람을 발견하기란 모래사장에서 바늘 찾기이며, 긴 역사 속에서 찾아야 할 만큼 희귀하다.

지인들과 삼겹살집으로 간다. 몸보신 겸 간단하게 맛있는 대화와 함께 소주 몇 잔을 들이킨다. 내일 아침 조깅을 하기 위해서 1차만 하고 집으로 가려고 하지만, 후배 녀석이 달라붙어 생전 안 쓰던 형이란 호칭까지 써 가며 잡는다. 그런 후배를 매몰차게 거절하지 못하고 결국 2차에서 곱창과 소주로, 3차는 노래방에서 맥주와 광기로 마무리한다.

다음 날 새벽 6시, 알람이 울린다. 쓰린 속을 움켜쥐고 일어나 보려 하지만 몸은 땅속으로 한없이 빨려들어 간다. 무엇이든 규칙을 깨는 것은 처음만 어렵다. 한 번 깨진 규칙은 더 이상 규칙이 아니다. 이제 당신은 피곤은 물론, 숙취도 덜 깬 고단한 몸을 이끌고 일터로 간다.

원칙과 약속을 기록하면 지킬 가능성이 높다. 기록을 통해 우리는 항상 깨어 있게 된다. 기록은 순간을 복원하여 우리에게 되돌려준다. 기록하라. 하루마다 그 독특한 삶의 맛과 멋을 찾아 기록하라. 그것이 개인의 역사고 조직의 역사고, 나아가 나라의 역사가 된다. 머릿

속에 오래 담아 두려면, 끊임없이 기록해야 한다. 마음속에 깊이 간직하려면, 경험하고 공감해야 한다. 몸으로 기억하려면, 부서지지 않을 습관으로 만들어야 한다.

좋아하는 일에
나이는 없다

당나귀가 여행을 떠났다고 해서 말이 되어 돌아올 수는 없지만, 길들여진 호랑이는 고양이가 되고, 말뚝에 매인 채 길들여진 서커스 코끼리는 말뚝에 매어 묶인 채로 고통스런 시간을 보내다가 말라 죽을 것이다. 분명 움직이고 행동할 때, 적어도 나는 나다움으로 살다가 죽을 순 있다.

나이와 상관없이 자신이 좋아하고 하고 싶은 일을 하면서 즐거움과 진정한 자유로움을 느낄 수 있을 때, 우리는 방관자로 구경만 하는 것이 아니라 자리를 박차고 일어나 모든 만물이 살아 숨 쉬는 행동의 세계로 뛰어드는 것이다.

나는 마음보다 몸을 더 믿는다. 이는 마음에는 두 가지가 있다고 믿기 때문이다. 본능처럼 반응하는 마음, 충동적인 마음, 나아가 시작하는 마음은 일종의 워밍업 단계의 마음이다. 이 마음은 대부분 바람처럼, 연기처럼 사라진다. 우리는 실행도 하기 전에 굳게 결심했던 마음을 망각이라는 이름으로 꿀꺽 삼켜 버린다. 따라서 나는 몸이 움직이고 나서 생기는 마음이 진짜 마음이라고 생각한다. 즉, 몸이 끌고, 마음은 따라간다고 생각하는 것이다. 몸이 움직이고 실행을 해야 진짜 마음이 생기는 것이다.

특별하고 멋지고 근사한 일이 생기게 하는 법은 간단하다. 내가 먼저 움직이고, 말을 걸고, 사과하고, 다가서는 것이다. 이처럼 삶은 타이밍이다. 사과도, 용서도, 대답도, 취직도, 도전도, 결혼도, 주식도 예외는 없다.

하지만 누구도 완벽한 타이밍을 알 수는 없다. 이 경우 가장 성공확률이 높은 방법은 그냥 무조건 빨리 하는 것, 먼저 하는 것이다. 대답도, 인사도, 사과도, 용서도 먼저 할 때 후회가 가장 적다. 이것이 선방의 법칙, 선제공격의 효과다.

누군가 말했다. "정말 하고 싶으면 그냥 하세요. 해 보고 후회하는 것이 정답입니다. 미련은 남지 않으니까요." 단 한 사람의 예외 없이 죽기 전에 당신은 자신이 한 일보다 주저하고 하지 못했던 일, 용기가 없어 하지 않았던 일로 인해서 실망하고 후회하게 될 것이다. 마치 사람들은 말을 많이 해서 후회하기보다는 남의 말을 듣지 않아서 후회하는 일이 많듯이.

말보다 행동이 빠른 사람이 아름다울 뿐 아니라 생존할 가능성이 크다. 액션영화를 보면, 악당들의 특징은 잔인한 성격에 걸맞지 않게 하나같이 말이 너무 많다는 것이다. 결국 99%는 주인공을 죽일 수 있는 상황에서 쓸데없는 말을 지껄인 대가로 죽는 것이다.

살아 있음은 움직이고 행동하는 것이다. 훌륭하게 살고 싶다면 훌륭한 행동을 해야 하고, 후회 없이 살고 싶다면 후회 없이 행동해야 한다. 숨만 쉬는 것은 식물도 할 수 있다. 산다는 것은 호흡하는 것이 아니라 움직이고 행동하고 질주하는 것이다.

20대~30대의 객기는 다듬어지지 않은 패기요, 우쭐함이다. 40대~50대의 객기는 다듬어지지 않은 필살기이고, 60대 이후의 객기는 럭비공 같은 용기다. 물론 객기가 방향을 잘못 잡을 때 혈기, 광기로 비틀어질 수도 있지만, 나이 들어서 부리는 객기는 그것이 설령 광기로 변질되더라도 무기력하게 녹슬어 가는 것보다는 멋있고, 그것이 멋진 인생을 약속하는 마법의 문으로 들어가는 열쇠다.

서머셋 몸의 소설 〈달과 6펜스〉 속 주인공 스트릭랜드는 그림을 그리고 싶어서 17년 동안이나 함께 살아오던 아내와 두 아이까지 버리고 자신의 꿈을 향해 달려간 사람이다. 그는 분명 개인적으로는 행복한 삶의 길을 걸어갔겠지만, 자신의 꿈을 위해 등을 돌린 아내와 두 아이에게 끔찍하고 잔인한 삶을 안겨 준 것은 아닌지, 아무도 모른다. 개개인에게 보이는 현실은 그 사람에게만 보이는 주관적 현실일 뿐이다. 내 눈에 보이는 주관적 현실이 어떤 모습인가에 따라 내 삶의 즐거움과 행복이 결정된다.

인간은 내면 가장 깊은 곳으로, 자기가 진짜 좋아하고, 하고 싶은 꿈속으로 과감하게 뛰어들 때, 사람들은 절대자유를 만끽하고, 내면 가장 깊은 곳에서 용솟음치는 환희를 맛볼 수 있다. 아울러 '조아'의 삶을 살 수 있다.

하고 싶은 것을 할수록 후회는 줄어든다는 것이 '후회 최소화의 법칙'이다. 일단 저지르는 것이 후회를 최소화한다. 예를 들면, 데이트 신청을 할까 말까 망설일 때는 데이트 신청을 하는 것이, 잘못을 사과할까 말까 망설일 때는 사과하는 것이 후회를 최소화한다. 좋아하는 것을, 바라는 것을, 즐거운 일을 할수록, 말과 행동이 일치할수록 후회는 최소화된다.

아리스토텔레스는 '에우다이모니아(Eudaimonia)'의 삶, 즉 '자신이 가장 잘하는 일에 최선을 다하는 것을 행복으로 여기고 살 때' 진정 행복할 수 있다고 말했다. 100세 시대 오늘날 우리는 은퇴하고 수십 년 동안 건강하게 살아야 한다. 그것이 바로 '내가 가장 잘하는 것', 필살기를 찾고 개발해야 하는 이유다.

"이 나이에 내가 하리"란 개그맨 임하룡의 유행어가 있다. 농담이라도 '이 나이에 내가 하리'를 전가의 보도처럼 습관적으로 들먹이는 사람은 몸보다 마음이 더 늙은 사람이다. 누구라도 늙은 육체를 가진 사람은 다른 사람의 보호 본능을 자극하지만, 늙은 마음을 가진 사람은 다른 사람의 눈살을 찌푸리게 만든다.

나이가 많더라도 젊은 마음을 가진 사람이 '내가 한다'라는 솔선수범과 적극성에서 뿜어져 나오는 관대함, 푸근함, 지혜로움, 부드러운 열정은 진한 사람냄새를 풍긴다. 이런 사람이 뿜어내는 향기는 갓 구운 빵 냄새처럼 사람과 사람 사이로 번져 나간다.

등에 책임감을 짊어지고
걸어가는 사람

책임지는 사람의 가장 큰 특성은 부끄러움을 아는 것이다. 나호열 시인은 〈가을 청문회〉에서 "조금 더러운 사람이 많이 더러운 사람을 야단칩니다. 좀 더 깨끗해질 수 없냐고, 못생긴 사람이 좀 더 못난 사람을 비웃습니다. 좀 더 아름다워질 수 없냐고, 오글오글 떠드는 모습이 우물 안의 개구리 같습니다."라고 했다. 부끄러움을 모르는 무책임의 전형이다.

책임은 가진 힘과 권위에 비례한다는 것이 책임비례의 법칙이다. 방귀 뀐 놈이 성낸다고 책임질 사람들이 책임을 회피할 때 문제해결은 백년하청(百年河淸)이다. 예로부터 우리는 '스승의 그림자도 밟지 않는다'고 배워 왔다. 이는 그만큼 스승이 존경받는 사람이라는 의미다. 자식은 부모를 보고 배우고, 제자는 스승을 가르침과 행동을 보고 배우는 것이다. 그래서 어른은 아이의 거울이고, 아이는 어른의 언행을 보고 배우는 것이다.

이러한 선순환이 가능한 경우는 어른다운 어른, 부모다운 부모, 스승다운 스승, 책임질 줄 아는 기성세대일 경우다. 지금처럼 책임으로부터 도피에 급급한 어른들, 책임감이란 것을 역사 속에 묻어 버린 사람들이 지배계급으로 있는 상황에서는 교육 문제, 학교폭력 문제는 해결될 수 없다.

모든 정권의 청문회에서 드러난 위장전입, 부동산투기, 논문조작의 경우 예외 없이 위법자를 모두 내치는 과감한 결단을 실행했다면, 자기모순일지라도 그 파급효과는 컸을 것이다. 하지만 그런 일은 일어나지 않았다. 이것은 자기모순을 넘어 자기희생이며, 책임의 고독함을 격려하고 치열하게 끌어안는 행동으로, 만화책이나 영화 속에서만 존재하는 이야기이기 때문이다.

결국 내쳐지지 않은 그들은 충성을 다할 것이다. 흠이 있음에도 불구하고 인정하고 기용해 주었기 때문이다. 그런데 누구를 위한 충성인가? 나라와 국민과 미래를 위해서? 아니다. 자신을 내치지 않는 사람들을 위해 충성할 것이다. 결과적으로 모두가 난쟁이가 된 것이다.

현실적으로 견딜 수 있는 역경이나 어려움보다는 견딜 수 없을 만큼 비참한 삶이 더 많다. 이미 몸도 마음도 망가져서 작은 어려움에도 삶이 산산이 부서질 수밖에 없는 비참하고 불쌍한 사람들에게 고통이란 말은 허리춤에서 뱀을 집어 던지듯이 벗어나고 싶은 괴물일 뿐이다. 아킬레스가 끊어진 사람은 걸을 수 없듯이, 삶이 산산이 부서진 사람에게 고통은 이미 참혹한 죽음의 전주곡일 뿐이다. 그들에게는 먼저 도움의 손길, 생존의 처절함에서 벗어날 수 있도록 도움과 나눔의 손길을 베풀어야 한다. 그것이 이미 많은 것을 가지고 이룬 사람들이 가져야 할 책임이자 의무이다.

사회의 변화 없이 학교의 변화만을 바랄 수 없고, 기성세대의 변화없이 학생들이 변화를 기대하는 것은 너무 어리석다. 부모도, 어른도 자녀와 아이들의 거울이다. 어른은 아이의 거울이고, 아이는 어른의 그림자를 보고 배우며 자랄 수밖에 없다. 지금 아이의 모습은 어른들이 만든 것이므로 일차적으로 기성세대가 책임져야 하는 것이다.

어른들이 아이들을 술집에 데려가거나, 경마장에 같이 가는 것은 섶을 지고 불 속에 뛰어드는 것과 같다. 술집에서, 경마장에서 어른들이 하는 짓을 그대로 보고 배우는 아이들에게 부모나 어른들은 일탈과 일확천금의 탐욕을 가르치는 것이기 때문이다. 아이들은 아이들끼리 어울려 놀 수 있는 곳으로 데려가야지, 이처럼 어른들이 술 마시고 떠들고, 도박하는 곳에 데려가는 것은 아이들을 죽음의 구렁텅이로 빠뜨리는 범죄와 다름없다.

이런 무거운 책임감을 짊어지려 하지 않고 이미 무너지기 직전의 무거운 짐을 등에 짊어진 학생들에게 무거운 돌덩이를 더 얹는 것은 악마의 잔혹함이다. 두렵고 무섭더라도 기성세대는 자신의 살을 베어 내는 희생을 각오해야 한다.

청소년은 성급하고 충동적이며, 감정적이고 격정적이다. 이런 충동성과 격정성은 자연스럽게 폭력성을 수반한다. 이런 청소년기의 충동적이고 격정적 에너지를 건강하게 발산하도록 해 주는 것이 어른들의 책임이다. 기성세대들이 청소년들의 격정적 에너지를 위험한 폭탄처럼 생각하여 거세하려고만 하거나, 이를 방치한 후에 사방팔방에서 폭발하는 것을 폭죽놀이처럼 즐기는 데에만 몰두한다면, 우리 사회의 미래는 암울하다. 청소년들의 충동성과 격정성, 호기심이 건강하게 발산되는 사회만이 생동감 있고 활기찬 사회를 약속한다.

예수는 인류에 대한 책임감을 등에 짊어지고 걸어갔다. 어떤 사람은 가족에 대한 책임감을, 또 어떤 사람은 조국에 대한 책임감을, 그리고 많은 사람들은 사랑하는 가족에 대한 책임감을 등에 짊어지고 걸어간다. 시지포스처럼 영원히 바윗돌을 굴리면서도 미소를 잃지 않는다면, 그는 위대한 사람이다. 책임감의 크기와 상관없이 누군가를 위해 등에 책임감을 짊어지고 걸어가는 사람은 누구나 우리 시대의 영웅이다. 하지만 분명한 것은 짊어지는 책임감의 크기가 그 인간의 위대성을 결정한다는 것이다.

경제학에서 승수효과라는 것이 있다. 투자나 정부지출에도 승수효과가 발생하듯이 잘못이나 범죄에 대한 책임에도 승수효과가 적용되어야 한다. 그것이 공정하고 공평한 세상의 법칙이다. 만약 일반국민과 국회의원이 국가에 대해 같은 책임을 가진다면 그것은 불공정하다.

그런데 안타깝게도 현실은 승자 독식의 사회다. 승자는 원하는 것은 모두 차지하며, 원하지 않는 것은 모두 타인에게 짐 지울 수 있다. 승자는 돈과 권력과 사회적 인정은 물론 문화와 예술 영역에서의 권력까지도 독식한다. 나아가 이것을 대물림할 수 있는 높은 가능성까지도 가질 수 있다. 하지만 태산을 무너뜨릴 만큼의 정치와 경제, 문화와 사회적 모든 권력을 가진 힘에 반비례하여 짊어져야 할 책임과 잘못에 대한 처벌은 새털처럼 가볍다. 그래서 높은 지위에 있는 자들이 '책임의 고독감'이라는 말이나 뉘앙스를 풍길 때 역겨움이 치밀어 오른다.

부패하고 부서지기 쉬운 재료로 만들어진 존재가 인간이다. 극히 일부의 예외를 제외하면, 삶에 있어서 가해자도 피해자도 없다. 있다면 거의 모두가 피해자다. 가해자는 자본이고, 자본으로 무장한 자본권력이자 국가이다. 국가란 장막 뒤에 숨어 체제와 현상의 유지, 강화를 위해서만 존재하는 가진 자, 지배권력이다.

어른들이, 기성세대들이 책임질 줄 모르는 사회에서는 모두가 피해자다. '내 탓'보다는 '네 탓'이라는 지적질이 일상화된 사회에서는 사람들은 핏발선 눈으로 세상을 응시할 수밖에 없다. 살기 띠고 핏발 선 눈으로 서로를 바라보는 사회는 지옥일 수밖에 없다.

절규에 반응하지 않는 사회, 현실에서, 눈앞에서 벌어지는 일은 보지도 듣지도 못하고 사람들, 보고 들어도 이에 반응하지 않는 사람들, 반응은 하지만 구체적인 행동을 하지 않는 사람들로 가득 차 있다.

가장 위험하고 교묘한 범죄는 아무도 없는 어둠 속에서 벌어지는 것이 아니라, 사람이 들끓는 대도시의 한복판에서 버젓이 벌어진다. 많은 사람이 존재하고 있다는 것 자체가 하나의 사각지대가 되는 아이러니다. 세상은 이처럼 자극적이고 엽기적인 것에만 빠르고 적극적으로 반응하고, 빈자와 약자의 아픔과 슬픔, 고통에는 놀라울 정도로 무감각하고 무관심하다.

진보세력이나 시민단체가 모래알처럼 분열되고, 날개 없는 추락을 하고 있다. 만인을 끌어당기는 화합과 소통의 능력은 부재하고, 독설과 독단, 거만과 오만이 우물 안 세계 속에서 득세하고 있을 뿐이다. 그들의 상상력은 순수함이 사라졌고, 그들의 진정성은 실행력을 상실했으며, 그들의 저항정신은 무딘 칼날이 되어 버렸다. 진보세력으로서, 시민단체로서의 책임감을 상실한 것이다.

우리는 바위처럼 뭉치지 못했고, 생각은 깨알처럼 작아졌고, 마음은 모래알처럼 부셔졌다. 상대적으로 너무 크고 강해진 적은 보이지 않고, 좁쌀만큼 작아지고, 지칠 대로 지친 우리의 몸과 마음은 빵 한 덩어리에도 원수처럼 서로 싸웠다. 이제는 진정한 투사를 자청했던 사람 중에 누구도 자신을 희생하고 내던져 책임을 지려는 사람은 없었다.

인간은 지극히 이기적이며 자신을 위해 산다. 이것을 인정하고 받아들여야 문제해결책이 보인다. 기성사회가 변하고 어른이 먼저 변해야 아이가 변하기 때문에 해결이 어렵다. 이미 잘 먹고 잘 사는 지배세력의 입장에서 자기 살을 도려내기는 너무 아프고 고통스럽다. 그렇게 하지 않아도 충분히 지금처럼 살아갈 길이 있기 때문이다. 그래서 시끄러움이 귀찮아 아이들이 살을 도려내어 우선 조용하고 어른들의 말에 무조건적인 복종을 하게 만들려고 한다. 뻔한 수이다.

아주 잠시 동안 자신들의 생각대로 되는 듯하지만 오히려 문제만 더 악화시킬 뿐이라는 것을 깨닫기까지는 그리 긴 시간이 걸리지 않는다. 아니, 이미 처음부터 그 끝을 알고 있었을 것이다. 책임지고 희생할 줄 모르는 사람은 남의 아픔을 자신의 아픔으로 느끼지 못하는 사람, 괴물이 된다.

역사적으로 부정과 부패에 있어서 아랫사람이 문제인 때는 없었다. 항상 높은 지위에 있는 자들이 문제다. 지위와 책임은 비례해야 한다. 이것이 '책임 비례법칙'이다. 그런데 현실은 정반대로 벌어지는 것이 가장 큰 문제이다. 지배세력은 누릴 수 있는 것은 다 누리려 하고 책임은 극히 일부만 지려 한다. 누리는 것이 크면 클수록 책임은 점점 작아지는 현상을 '권력과 책임의 반비례 효과'라 한다. 그래서 기를 쓰고 더 많은 권력과 재산을 소유하려 한다.

역사 이래 가장 위대하고 불행한 착각은 윗사람들은 올바르고 도덕적으로 완벽한 반면, 아랫것들은 비양심적이라는 착각이다. 그들은 요즘 아이들이 예의도 모르고, 제멋대로 자란다고 말한다. 그러나 역사상 그런 사회는 존재하지도, 앞으로 존재할 수도 없을 것이다. 물이 아래에게 위로 흐를 수 없듯이.

빗방울이 연잎에 고이면 연잎은 미련 없이 물을 쏟아 버린다. 연잎은 자신이 감당할 만한 무게만을 싣고, 그 이상이 되면 비워 버리는 것이다. 이처럼 연잎의 책임은 나와 너를 함께 살리는 비움과 채움의 경계를 포용하는 삶이다.

이에 비해 목마름에 대한 감당할 수 없는 욕심을 부려 마침내 잎이 찢기거나 줄기가 꺾여 스스로 무너져 버리는 선인장의 과욕과, 감당할 수 없는 역기의 무게에 주저앉아 버리는 무모함은 나도 너도 같이 무너지게 만든다. 특히 자기 능력 내에서 책임의 무게를 감당하라. 기성세대들이 자신의 위치와 지위와 나이, 역할에 따라 기꺼이 들어야 할 무게를 학생에게 전가할 때에 결국 학생은 무게를 감당하지 못하고 압사할 것이다.

다음은 내가 좋아하는 글귀다. "아프리카의 어느 마을에 강이 하나

있습니다. 사람들은 그 강을 건널 때 무거운 돌을 하나씩 짊어진답니다. 혹시 지금 짊어진 삶의 무게가 너무 무겁게 느껴진다면 어쩌면 그것은 거친 강물에 휩쓸리지 않게 해 줄 고마운 돌인지 모릅니다."

나대로, 그대로,
이대로

상처는 실수가 될 수도 있고, 잘못일 수도 있으며, 부끄러움일 수도 있다. 그 어떤 것이든 자신이 감추고 싶은 것을 과감히 드러내는 것은 가장 위대한 용기이며, 자신의 삶에 대한 절대적인 사랑과 신뢰를 행동으로 보여 주는 것이다.

신뢰지수와 존경지수, 인기지수가 높은 사람일수록 실수와 잘못, 약점을 인정할 때 그 사람에 대한 신뢰와 존경과 인기는 올라간다. 이유는 그런 사람은 매우 드물다는, 희소성의 원칙 때문이다.

더 자르고 뺄 것이 없는 완벽하게 보이는 존재가 아름다운가? 예쁜 여자와 잘생긴 남자에게 매력을 느끼는 것은 분명하지만, 바비인형처럼 자신을 도드라지게 하고 자신이 완벽하다는 걸 보여 주려 애쓰는 사람이라면 오히려 그 매력이 반감될 것이다.

스스로 자신을 우스갯거리로 만들 줄 아는 것이 더 접근하기 쉽고 카리스마 있는 사람으로 보이게 한다. 소위 '망가진다'는 말이 있다. 개그맨이 왜 사랑받는가? 빈틈이 있고, 어리숙해 보여서이다. 사회생활에서, TV에서, 드라마에서 완벽한 사람이 넘쳐난다. 사람들을 즐겁게 하고 웃기게 하는 것이 직업인 개그맨까지 완벽함으로 다가온다면, 정말 깜깜한 세상이다. 살맛이 안 날 것이다.

TV나 영화라는 미디어의 환상 속에서는 완벽한 사람들이 나와서 현실과 동떨어진 환상을 보여 줄 수도 있다. 하지만 현실의 나도 완벽한 이웃들로 둘러싸여 있다면, 이는 악몽이다. 그래서 현실에서는 빈틈이 있는 사람, 어리숙한 부분이 있는 사람, 내가 비집고 들어갈 틈이 있는 사람이 더 매력적이고 친근하게 느껴지는 것이다. 이것이 본능적으로 감정의 지배를 받는 인간의 생리이자 자연의 법칙이다.

사람들을 관찰해 보라. 아는 것이 없음에도, 도움이 필요함에도 불구하고 타인에게 도움과 협조를 구하지 않는다. 체면과 자존심, 미안함 등 여러 가지 이유가 있지만 어쨌든 한 마디로 '쪽' 팔린다는 것이다. 모르면 물어라. 도움이 필요하면 도움을 요청해라. 어쩌면 너무나 자연스러운 인간생활의 법칙이다. 그들은 도움을 요청하지 않는 대신 오래 망설이다 청탁을 한다. 누군가에게 도움을 요청하는 것은 전형적인 윈윈게임이다.

　그리고 우리는 춤추고 노래하고 웃을 수 있는 시간을 가져야 한다. 즐거움을 표현하는 것에 솔직할 때, 솔직함의 표현으로 나와 너와 우리가 즐겁고 고마움을 느낄 때에만 우리는 솔직함의 미덕을 예찬할 수 있다. 나아가 슬픔과 화를 절제되고 정화된 감정을 통해 솔직하게 표현할 수 있다면 '참 행복한 사람'이 될 수 있다.

　솔직함은 또 다른 얼굴을 가졌다. 요즘 들어 '지나친 솔직함은 무례함이다'라는 말에 공감이 간다. 사람들이 영악해졌다. 솔직함을 자신의 이기적인 욕망을 충족시키거나, 이익을 추구하는 수단으로 악용하는 사람들이 많다. 아울러 솔직함을 자신의 허물을 감추는 전략으로 활용하거나, 솔직함을 내세워 타인을 당황스럽고 어려운 지경에 몰아넣는 경우도 있다.

　발랑까짐과 영악함, 무례함이 솔직함으로 둔갑하기도 한다. 이제는 솔직함이라는 미명하에 숨겨져 있는 교활함을 볼 줄 알아야 하는 시대가 되었다. 솔직히 솔직함이라는 명분 아래 지나치게 나대는 행동은 꼴불견이자, 영악한 위선의 얼굴일 수 있다.

　이처럼 솔직함이 악용되어서는 안 된다. 솔직함은 타인의 배려와 인정에 기반을 두어야 하며, 스스로를 뒤돌아보는 반성이나 떳떳함의 표현이어야 한다. 솔직함도 자유의 한계처럼 타인의 행동이나 마음을 구속하거나 다치게 해서는 안 되는 것이 솔직함이 지니는 한계다.

　아무리 아름다운 감정도 메마르면 말라비틀어진 꽃처럼 되고, 아무리 아름다운 감정도 남용되면 썩은 사과처럼 되는 것이다. 이처럼 아름답고 이상적인 것처럼 보이는 것도 적당한 수준을 넘어 넘치면 다른 모습이 된다. 요즈음은 매스미디어와 인터넷 등의 영향으로 솔직함이 넘쳐나는 시대다. 자기반성과 타인의 이해에 바탕을 둔 진심어린 솔직함이 아니라 자신의 이미지와 인지도를 높이기 위한 홍보의 수단, 돈과 명예를 얻기 위한 이기적인 계산, 드러날 잘못과 범죄 행위에 대한 발 빠른 치고 빠지기 전략구사라는 속셈, 인기를 얻기 위한 치밀한 계획 등으로 진정한 솔직함의 아름다움을 더럽히고 있다. 솔직함의 과잉시대에는 오히려 진심어린 솔직함은 설 자리가 없다.

그럼에도 불구하고, 할 수만 있다면 무조건 솔직해라. 한 시간 걸릴 것 같으면 한 시간 걸린다고 말해라. 위로 향한 솔직함은 부와 권력을 가진 자의 시선에서는 오만과 독선, 자만으로 비춰진다. 하지만 빈자와 약자, 서민의 입장에서는 그것은 오히려 자신만만이고 위풍당당이다. 정말 기가 센 사람만이 가능하다. 그것이 만용일지라도 분명 용기가 있는 사람이요, 희귀한 존재다.

교통사고로 인해 가족들이 크게 다치는 등 감당하기 어려운 슬픔이나 고통 앞에서 "난 괜찮아. 더 크게 다치지 않아 다행이야. 액땜이라고 생각하지." 혹은 "이 정도는 별것 아니야." 하고 무조건 긍정적이고 희망적인 방향으로만 생각하는 자기 위안, 자기 격려의 경우는 오히려 감정이 자연스럽게 흘러가는 것을 방해하여 극단의 감정억압이나 감정폭발로 자신을 파멸과 몰락의 벼랑으로 밀어 버리는 역효과가 있다. 왜냐하면 생각과 별개로, 인간의 마음은 전방위적으로 모든 감정이 달라붙어 타인의 귀책으로 인한 나와 가족이 사고나 손해를 당한 경우에 견딜 수 없는 스트레스와 고통으로 하루하루 지옥 같은 시간으로 점철되는 것이 인간의 마음이기 때문이다.

이러한 경우, 솔직하고 정확한 자기진단을 통해 나를 이렇게 고통스럽게 만든 사람에게 "죽여 버리고 싶을 정도의 증오가 폭발하고, 마음이 견딜 수 없을 만큼 두렵고 아프며, 화가 머리가 터질 정도로 치민다. 나도 이렇게 힘들고, 놀란 가슴이 진정이 안 되는데, 내 아내는, 내 아이는 더욱 힘들 거야." 하고 현실을 있는 그대로 응시하고, 인정하면서 전문가에게 도움의 손길을 내밀고, 해결책을 모색하는 것이 올바른 방향이 될 수 있다.

헤어질 땐 울고불고 말고 깔끔하게, '안녕'이라고 말하면서 남은 감정의 찌꺼기마저 털어버리고 쿨하게 헤어지는 것이 현명한 방법이라는 것에는 동의한다. 하지만 쿨하게 헤어지는 것은 현실적으로 불가능에 가깝다. 헤어짐, 즉 이별은 감정의 문제이기 때문이다. 사랑할 때는 감정이 이성을 지배하는 것이 좋다고 생각한다. 하지만 헤어질 때는 이성이 감정이 지배하는 것이 좋다.

그래서 사랑에도 기술이 필요하지만, 이별에는 상대방에 대한 배려외에 더 치밀한 계획과 냉철함이 요구된다. 소수의 사람만이 그와 같은 쿨한 이별을 할 수 있다. 쿨한 이별이 어려울 경우에는 그냥 울고 불고 생난리 브루스를 부려도 된다. 적어도 감정의 정화는 이루어지기 때문이다. 하지만 어떤 경우에도 거짓과 사기와 배신감이 뼛속깊이 침투하는 헤어짐만은 피하라.

쿨한 이별은 차가운 열정이자 뜨거운 열정이다. '사랑할 때 뜨겁게, 헤어질 때 차갑게'는 결국 만나고 헤어지는 삶의 관계에서 나와 상대방을 위해 감정과 이성을 가장 올바른 방향으로 표출한다는 의미다. 어쨌든 '뜨겁게 사랑하라'는 말은 공감이 가지만 '뜨겁게 헤어지라'는 말은 이상하게 들리지 않는가. 비록 현실적으로, 감정적으로 어려운 일이지만, 할 수만 있다면 차갑게, 쿨하게 헤어져라.

쿨할 때 쿨하고, 핫할 때 핫한 사람은 찹쌀 꽈배기의 쫀득함과 달콤함, 각 튀겨 냈을 때 뜨거움 속에 숨은 아삭바삭함처럼 나를 들뜨게 하고 설레게 하며 미소 짓게 만든다.

그런데 우리 사회에는 잘못이나 죄를 짓고도 쿨하게 사과하지 않는 공인들이 많다. 그것은 국민들에게 영향을 미친다. 그들의 행동은 국민을 허탈하게 하고, 책임의 가치로움을 쓰레기로 만들고, 부끄러움과 염치를 집어던진 사람들의 비열함은 국민을 화나게 한다. 어지러운 마음을 달래기 위해 술자리가 늘어나고 담배로 몸을 태우는 악순환이 반복된다. 전 국민의 몸과 마음의 건강을 망치는 것이다.

쿨함은 쿨하게 자기의 잘못과 약점과 실수를 인정하고 책임질 줄 아는 것이다. 변명을 늘어놓지 말고, 용감무쌍하게 '그냥 내가 했어!' 라고 말하면서 자기가 책임지는 행동을 보일 때, 오히려 그 사람이 커 보이고 매력적으로 다가오는 것이다.

쿨함은 나다운 것이며, 동시에 잘못에 대해 인정하고 물러가는 것 이다. 쿨함은 술을 마시고 나서 그다음 날 숙취가 없는 술처럼 뒤끝이 깨끗함이다. 요즘처럼 뒤통수를 조심해야 하는 시대에 뒤끝이 깨끗한 사람이 얼마나 쿨한가?

자신의 약점을 드러낼 때는 내 약점 중에서 가장 충격적인 것, 가 장 드러내고 싶지 않은 것부터 드러내야 한다. 사람은 그것이 약점이 든, 단점이든 간에 가장 충격적이고 이목을 끄는 것만 기억하기 때문 이다. 약점이 고구마 줄기처럼 나올 경우에, 두 번째, 세 번째 약점이 나 고백이 처음보다 충격적이면 그 결과는 치명적이다. 그런 식의 약 점을 드러내는 것은 득이 아닌 독이다. 자신의 약점을 쿨하게 털어놓 고, 이에 대한 극복책을 고민하는 '쿨한' 태도는 신뢰를, 권위를, 영 향력을 더 높여 준다.

쿨함이 얼굴 화끈거림으로 변하지 않기 위해서는 쿨한 행동을 하는 내 마음이 쿨하고 행복해야 한다. 만약 겉으로는 쿨하게 행동하는데 마음은 불편하며 화가 나고 스트레스를 받는다면, 쿨한 척만 한 것이 다. 보여 주기 위한 삶을 산 것이며, 가면을 쓴 것이다. 쿨한 척하는 것은 희생이다. 쿨한 척함으로써 가장 큰 피해를 당하는 것은 자기 자 신이다. 쿨한 척한 행동은 궁극적으로 상대방도 불편하게 하고, 당황스럽게 만들며, 오래 가지 못한다. 쿨하지 못할 바에는 차라리 감정을 솔직하게 전하는 것이 장기적으로 피차간에 좋다.

"사실은 나에게도 문제가 있다"고 자신의 잘못을 인정하고 자신의 책임을 인정하고, 자신의 단점을 인정하고 드러낼 때 하늘이 무너지고 땅이 꺼질 것 같지만, 인정해 본 사람은 안다. 자신을 내려놓을 때 세상 앞에 훨씬 당당해질 수 있고, 사람들에게 당당하게 인정받을 수 있음을……

모른다고 하는 것은 그것을 알고 있는 사람에게는 자부심과 우월감을 느끼게 해 준다. 그것을 모르는 사람에게는 안도감과 동류의식을 갖게 한다. 그러므로 '모른다'고 말하면 잘 알고 있는 사람과 잘 모르는 사람 모두와 친해질 수 있다.

나는 도박 중독자였고 술 중독자였다. 그런 사실보다 나를 더 고통스럽게 만든 것은 내가 극단적인 열등감을 갖고 있다는 사실이었다. 나는 남과 잘 어울리지 못하는 성격이다. 그런 폐쇄적인 성격이 내 스스로를 보잘것없고 세상에 쓸모없는 존재처럼 경멸하고 낮춰 보았던 것이다.

나는 살기 위해서 역린과도 같은 나의 약점과 콤플렉스를 글을 통해 밖으로 드러냈다. 그것은 고통스러웠지만, 내가 나의 콤플렉스를 극복하고 나의 꿈을 향해 더욱 치열한 노력을 쏟게 만든 원동력이 되었다. 최고가 되기 위해서는 최악의 상황으로 나를 던져라. 최고가 되기 위해서는 절벽 아래로 나를 던져야 한다.

약점을 감추었다가 드러나면 약점이 아니다. 그것은 취약함이 되고, 한순간에 그 사람의 모든 것을 무너뜨릴 수 있는 폭탄이자 아킬레스건이 된다. 호미로 막을 것을 가래로도 막지 못하는 상황이 되고, 댐에 난 작은 구멍이 결국 댐을 파괴시키는 걷잡을 수 없는 상황이 되는 것이다.

반면에 약점을 드러내면 최악의 경우에도 그냥 약점이 된다. 하지만 더 많은 경우, 드러낸 약점은 오히려 강점으로 변한다. 이는 사람은 이성보다는 감정에 지배를 받기 때문이다. 사람들은 본능적으로 약점을 드러낸 사람을 동정하고 이해하려는 마음을 가진다. 적어도 그 사람이 진심으로 약점을 드러내고 사과하고 후회하는 모습을 보인다면, 사람들은 우선 그 사람을 이해하고 감싸 안으려는 마음을 가지게 되는 것이다. 맹자의 말처럼 '측은지심', 사람을 측은하고 불쌍히 여기는 인간의 본성이 발동하기 때문이다.

약점도 당당하게 드러내면 자신감이 된다. 비싸고 세련된 옷을 입어서 당당하고 멋있어 보이는 것이 아니고, 당당함 때문에 멋있게 보이는 것이라는 말이 있다. 내가 만일 그 약점을 고칠 의지가 있다면, 조금 낯간지럽더라도 당당하게 약점을 드러내자. 약점이나 비난받을 행동은 낭중지추처럼 감추려 해도 드러난다. 이렇게 드러난 약점이나 잘못된 행동은 치유할 수 없을 정도의 치명타를 안겨 준다. 아무리 작고 사소한 경우라도 침소봉대하게 되어 있다. 따라서 약점이나 잘못된 행동은 선제적으로 당당하게 드러내는 것이 사람들에게 흥미와 일시적 자극을 주는 인터넷 동영상의 희생양이나 사냥감이 되는 것을 피할 수 있다.

대부분의 경우에는 약점을 당당히 드러낼 필요도 없다. 자연스럽게 표출되는 약점을 감추지 않고 인정하고 받아들이기만 해도 충분하다. 타인의 시선을 눈으로 쏘는 총으로 생각하고, 날카로운 칼날의 베임으로 생각하는 우리의 뿌리 깊은 체면문화는 단점과 약점을 드러내는 것을 자신의 못남이나 무능함과 동일시하여, 자신이 못난이라는 사실을 만천하에 공표하는 어리석은 행동이라는 생각이 뿌리 깊게 박혀 있다. 하지만 약점을 감추려 하는 것은 타조가 머리를 모래 속에 처박는 꼴이다.

약점을 감추려 하면 장점도 그 모습을 감춘다. 약점을 받아들이고 인정하면 자신이 가진 장점이 도드라지고 뚜렷하게 드러난다. 양각의 법칙이다. 반면에 자신의 약점을 숨기면 숨길수록 약점은 더욱 명확하게 드러나고, 자신이 가진 고유한 장점은 점점 그 빛을 잃어 간다. 음각의 법칙이다.

박호성은 〈우리 시대의 상식론〉에서 "뿔 있는 놈은 이빨이 시원찮고, 날개가 있으면 다리가 두 개뿐이며, 이름난 꽃은 열매가 없고, 고운 빛깔의 구름은 쉬이 흩어지는 것처럼, 미인은 박명이다."라고 했다. 이 세상의 불완전한 모든 생명체처럼 불완전한 인간에게 솔직함은 다른 사람에게 다가갈 수 있는 최대의 미덕이자 무기가 된다.

자기 멋에 산다. 제 멋에 산다. 나에게는 '지금의 나대로'를, 타인에게는 '있는 그대로' '지금 이대로' 인정하고 받아들이는 것이 정신건강에 가장 좋다. 이것이 비교의 함정을 빠져나올 수 있는 비법이다. '나대로'와 '그대로'의 삶을 '이대로' 인정하는 자세가 삶에 대한 가장 적극적인 자세이다.

행복한 왕자와
키다리 아저씨

행복한 왕자와 키다리 아저씨는 모두 나눔의 아이콘이다. 행복한 왕자가 자신은 가난해 지면서도 빈자와 약자를 위해 자신이 가진 것을 기꺼이 나누는 사람이고, 키다리 아저씨는 빌 게이츠나 워렌 버핏 같은 사람이다. 나눔은 내가 주고 싶은 것은 주는 것이 아니라 상대방이 진정으로 필요한 것을 주는 것이다.

그런데 동정과 연민이 도와주는 자의 이익을 위한 행위에 치우칠 때, 도움을 받는 자는 한없이 작고 나약하고 초라한 난쟁이가 된다. 이런 수직적 관계에서 동정과 연민의 자선은 빈자의 자존심을 짓밟고 그들을 한없이 초라하고 무능력하고 무기력한 존재로 만들어, 다시 일어서고자 하는 삶의 절실함과 절박한 의지를 꺾어 버린다.

비록 동정과 연민에서 나온 나눔의 행위일지라도, 도움 받는 사람이 가치 있고 당당한 삶을 살아갈 수 있도록 존중하고 배려하는 마음을 잃지 않아야, 도움을 주고받는 사람 모두를 자이언트로 만들어 준다. 이처럼 도와주는 나에게만 무게중심을 두는 것은 나만을 자이언트로 만드는 동정과 연민의 자선이고, 도움을 받는 상대방에게 무게중심을 두는 것은 나와 너를 함께 자이언트로 만드는 나눔과 어울림이다.

고치구멍을 뚫으며 날개의 힘을 키우는 나비에게 쉽게 나올 수 있도록 고치구멍을 찢어 주는 것은 생존에 있어 가장 필요한 절실함을 앗아가기에 값싼 동정이 오히려 나비를 죽게 만드는 역효과를 가져온다. 마찬가지로 갈매기에 대한 인간의 연민 때문에 갈매기가 스스로 먹이를 구하고자 하는 의지를 꺾음으로써 갈매기를 떼죽음시킬 수 있듯이, 아무리 진실한 사랑도 상대방의 살려는 의지를 꺾는다면 그것은 나를 위한 이기적인 사랑, 나만 생각하는 나쁜 사랑이자 돈 많은 왕자의 사랑이 된다.

니체의 말처럼 신이 인간을 연민해서 인간의 삶의 의지를 꺾었다면, 인간은 스스로의 자기연민에 의해 〈젊은 베르테르〉의 주인공 베르테르처럼 자기 삶을 포기하는 것이다. 신의 연민이든, 자기 연민이든, 타인에 의한 동정이든 연민은 삶의 의지를 빼앗아 가는 악마의 덫일 뿐이다.

왜 오스카 와일드의 단편소설 속의 〈행복한 왕자〉가 아름다울까? 그는 나누고 베푸는 삶을 즐거워하고 있기 때문이다. 결국 내가 어떤 상황에 있더라도 지금 즐겁게 웃고 춤출 수 있다면, 나는 행복한 왕자인 것이다. 현실에서 행복한 왕자는 김밥 할머니며, 구세군 냄비에 용돈을 기부하는 학생이고, 이름 없는 익명의 기부자이다.

"밥 한 끼가 열 귀신을 쫓는다."는 속담이 있듯이, 아무리 동정과 연민에 의한 기부일지라도, 당장 굶어 죽게 생긴 사람에게는 일단 빵을 주어야 한다.

지금은 행복한 왕자와 돈 많은 왕자의 대결 시대다. 불행하게도 자본주의 사회에서는 아무리 행복한 왕자가 빠르게 남을 도와주고 나눔을 실천해도, 그는 돈 많은 왕자를 이기고 아름다운 공주를 차지할 수 없다. 자본주의는 나눔이 아니라 누가 더 돈을 많이 가지고 있느냐로 승부가 결정되기 때문이다. 그래도 나는 행복한 왕자가 더 멋있다.

가족 간에는 사랑이 없고, 학교에는 배움이 없고, 말에는 실행이 없고, 약속에는 지킴이 없으며, 행동에는 활기가 없고, 대화에 진심이 없음을 걱정하는 사람은 많다. 이 세상에 도움과 나눔이 없다. 세상의 모든 '없음'을 '있음'으로 바꾸는 사람이 행복한 왕자다.

가장 위대한 생각을 가지고 있는 가장 위대한 사랑일지라도, 가장 작은 생각을 가지고 있는 가장 작은 사람들의 총탄에 쓰러질 수 있다. 그럼에도 불구하고, 어려운 사람들과 함께 나누고 친절하라.

키다리 아저씨는 키가 큰 아저씨가 아니라 만인을, 상대방을 초라한 난쟁이가 아니라 빈자와 약자, 서민들 스스로 일어설 의지를 가지는 자이언트로 느끼게 하는 사람, 사람을 콩나물이 아닌 콩나무로 만드는 사람이다. 이처럼 베푸는 자의 진정성과 상관없이 나눔이란 행위가 받는 사람을 한없이 작고 초라함을 넘어 수치감을 느끼게 만드는 것이 아니라, 주는 사람뿐만 아니라 받는 사람까지도 살아갈 의지를 새롭게 하고, 스스로를 가치 있고 귀한 존재로 느끼게 할 때, 그것이 나눔의 자이언트 효과이다.

멘토보다는 키다리 아저씨가 되어라. 멘토의 충고와 지나친 간섭은 역효과가 날 가능성이 있다. 키다리 아저씨는 경제적 지원과 함께 진심으로 응원하고 격려하고 그 사람편이 되어 주는 사람이다. 부모는 키다리 아저씨 역할을 해야 한다. 옆에서 든든히 지켜 주고 지켜봐 주는 사람, 큰 나무 같은 사람 말이다.

사람들은 자기보다 못난 사람을 곁에 두기를 좋아한다. 그래서 조직에서는 자신을 밟고 올라갈 가능성이 있는 사람보다는 자기보다 여러 가지 면에서 한 단계 아래인 사람을 발탁한다. 그리고 발탁된 사람도 역시 똑같이 생각한다. 그래서 자신보다 또 한 단계 아래 등급인 사람을 총애한다. 이른바 '난쟁이 효과'다. 결과적으로 모두가 다 작아지는 것이다. 이는 공멸로 가는 지름길이다.

키다리 아저씨는 자신과 만인을 모두 자이언트로 만든다. 함께 어울리고, 함께 일어나고, 함께 성장하게 한다. 세상을 정글로 만드는 것이 아니라, 축제의 장으로 만드는 사람이다. 미국 철강 산업의 아버지 카네기의 무덤에는 "자기보다 더 뛰어난 능력을 가진 사람을 선발해서 일하게 만들 줄 아는 사람이 여기에 잠들다."라는 비문이 새겨져 있다. 나는 이것을 '자이언트 효과', '키다리 아저씨 효과'라 부르고 싶다.

〈재크와 콩나무〉라는 동화 속의 콩나무처럼 주위 사람들이 쑥쑥 자라 세상을 이끌어 갈 거인이 될 수 있도록 힘이 되어 주는 사람이 이 시대의 진정한 멘토라 할 수 있다. 하지만 현실은 아이들을, 청년들을 콩나무가 아니라 콩나물로 만들어 그들의 꿈도 꺾고, 열정에 찬 물을 들이부어서 난쟁이나 소인으로 만들어 버린다. 자이언트 효과가 필요한 세상에 난쟁이 효과만이 판을 치고 있다.

타인을 거인으로 만들 수 있는 사람, 사람을 콩나물이 아니라, 콩나무로 만드는 사람, 이것이 진정한 키다리 아저씨이다.

흔들림에도 중심을 잃지 않는
당당함이 아름답다

흔들림에도 중심을 잃지 않는 삶은 실패를 두려워하지 않는 삶이다. 역설적으로 실패를 두려워하지 않을 때 실패는 없다. 내 마음대로 되는 삶은 '미다스의 손'이 아니라 오히려 마이너스의 삶일 것이다. 우리 앞에 어떤 삶이 내 앞에 펼쳐질지 알 수 없지만, 노력하는 한 흔들리고 길을 잃고 헤매고 방황하면서도 다시 제자리로 돌아올 수 있는 삶이라면 살아 볼 가치가 있는 것이다.

자신의 꿈을 향하여 들개처럼 질주하던 사람도, 어느 순간 삶의 의욕과 목표를 잃어버릴 때, 생각도 고뇌도 멈춘다. 개념 없는 인간, 무뇌인간이 되는 것이다. 마치 부평초 생활을 청산하고 바위에 정착한 멍게의 뇌가 무뇌화 되듯이 삶의 중심을 잃어버린 것이다.

이처럼 약점보다는 장점에 초점을 맞추고, 인간이기에 실수나 실패를 할 수 있다는 것을 받아들인다면 세상은 진보할 것이며, 더욱 살기 좋은 세상이 될 것이다. 가정도 조직과 사회도 국가도, 행동하지 않음으로써 아무 상처도 받지 않는 사람은 성인이 아니라 비겁자다.

　인간은 행동하는 한 방황하고 실패한다. 진정한 영웅은 스스로 인간적인 약점을 드러내는 사람이다. 그들은 성공하려면 우선 실패해야 하며, 행동하려면 더러워질 각오를 해야 한다는 것을 알고 있다.

　현실의 삶을 살아가는 것은 칼날 위를 걸어가는 것과 같다고 한다. 이처럼 현실은 외줄타기의 삶이다. 외줄 타기를 하는 광대는 보는 사람을 불안하게 하긴 하지만, 절대 외줄에서 떨어지지 않는다. 외줄에서 내려왔을 때, 삶의 긴장감을 잃어버렸을 때, 사람은 타락하고, 몰락하고, 중독되는 것이다. 삶의 긴장감은 음식의 소금 같은 것이다.

　삶은 누구나 예외 없이 방황하고 고민하고 불안과 두려움 속에서 덜컹거리고 흔들리면서 가는 굴곡진 길이며, 파란만장이다. 실패한 삶은 굴곡의 내리막길에서 그대로 고꾸라져 일어서지 못한 것이고, 성공한 삶은 굴곡의 내리막길에서 추락했지만 다시 일어나 오르막길을 올라가는 것이다.

　누구에게나 삶을 관통하는 한 가닥 실이 있다. 그 실은 수많은 변화와 파노라마 같은 경험들 사이로 지나간다. 죽을힘을 다해 그 실을 붙잡아라. 그 실을 놓지 않는 한, 수많은 흔들림 속에서도 시계추처럼 제자리로 되돌아와서 가야 할 방향으로 걸어가는 당신을 볼 수 있다.

우리는 매일 의지와 열정을, 좋아하고 하고 싶은 삶의 목표를 새롭게 리셋하고, 새로운 시선과 새로운 마음으로 갈아입어야 끝없는 도전의 삶 속에서 한층 더 성숙해지고 성장할 수 있다. 리셋은 제로베이스가 아니라 미분을 통한 적분의 삶이다.

"모든 사람은 계획을 가지고 있다. 얼굴을 얻어맞기 전까지는." 마이크 타이슨의 말이다. 역사상 가장 무서운 주먹을 지닌 타이슨도 두려움을 가지고 있다. 그래도 링에 올라가야 한다. 두렵다고 링에 올라가지도 않는다면 무의미한 인생이 된다.

실패가 아름다운 것이 아니다. 나를 다시 일어서게 하는 실패만이 아름다운 것이다. 모든 꿈이 아름다운 것이 아니다. 나를 일어설 수 있고, 움직이게 하고, 다시 도전하게 만드는 꿈이 진짜 생생하게 살아 있는 꿈이다. 그렇지 않다면 그것은 환상이고 중독일 뿐이다.

당신이 지금 완벽한 인간으로 완벽한 삶을 살고 있다면, 당신의 삶은 끝난 것이다. 당신은 질식해 죽었거나 신이 되었기 때문이다. 인간은 완벽하지 않기에 항상 새로운 삶을 꿈꾸고, 새로운 삶을 살 수 있는 것이다. 불완전하다는 것은 이런 점에서 인간으로서 누리는 가장 큰 축복이다. 라디오 프로그램에서 공형진 씨가 한 말이 떠오른다. "컴퓨터 게임을 하면서 조카는 실패, Fail을 오히려 좋아했다. 왜? Restart 할 수 있으니까."

한 번 더 전화를 할 것인지를 결정해야 하는 영업사원의 경우에 실패하더라도 잃는 것은 자신의 시간뿐이다. 수줍어서 먼저 말을 걸지 못하고 망설이는 사람에게 실패의 대가란 거절당하는 것뿐이다. 수영을 배울지 망설이는 사람은 오직 물먹을 각오를 하면 배울 수 있다. 데이트가 두렵다면 데이트 신청을 해라. 평균의 법칙에 따라 열 번을 시도하면 한 번은 성공할 수 있다.

열 번 찍어 안 넘어가는 나무도 있고, 열 번 시도해도 이루어지지 않는 일도 많다. 하지만 분명한 것이 있다. 시도하고 도전하고 들이대는 경우에는 원하는 결과의 성취여부를 떠나 나를 까치발만큼이라도 나아가게 하고, 지혜롭게 하고, 강하게 하며, 성장시킨다는 것이다. 따라서 평균의 법칙대로 살아가는 것은 필승의 법칙이다.

하늘은 이상이요, 땅은 현실이다. 하늘은 위로의 비교요, 땅은 아래로의 비교다. 위로의 비교는 나를 끌어올리는 힘이요, 아래로의 비교는 나의 중심을 잃지 않게 하는 힘이다. 하늘은 보이지 않는 것을 볼 줄 아는 혜안이요, 땅은 같이 숨 쉬는 사람들에 대한 이해와 용서와 사랑이다. 그 경계에서 나의 중심을 잃지 않는 것이 '중용'이다.

타인의 평가는 언제나 옳은 것이 아니다. 타인의 평가 49%, 스스로에 대한 평가 51%. 이것이 세상에 대한 시선에서 자유로울 수 있는 균형점이다. 타인의 평가와 시선은 중요하다. 하지만 어떠한 경우에도 타인의 시선이 나를 파괴하고 타인의 평가에 노예가 되거나 타인의 시선이라는 괴물의 먹잇감이 되어선 안 된다.

이처럼 타인의 시선에 지나치게 민감해서도 안 되지만, 그렇다고 해서 지나치게 타인의 시선에 둔감하거나 무감각해서도 안 된다. 산 속에서 혼자 사는 삶이 아니라면, 어느 정도 타인의 시선을 의식해야 한다. 하지만 타인의 시선이 너의 머리를 집어 삼키고, 너의 심장을 갉아먹게 해서는 안 된다. 자신의 시선과 타인의 시선의 경계에서 자 신의 시선으로 살면서도 타인의 시선을 포용하기 위해서 우리에게 필 요한 것이 중용이고, 과유불급의 정신이다. 이런 사람만이 흔들리면 서도 자기중심을 잃지 않는다.

좋아하고, 하고 싶은 삶의 길을 가다가 흔들릴 수도, 덜컹거릴 수 도, 쓸쓸함에 슬픈 마음의 비늘들이 낙엽처럼 우수수 떨어질 수도 있 다. 잠시 어둡고 춥더라도 한탄하거나 조급해 하지 마라. 당신이 좋 아하고 하고 싶은 삶의 길을 가고 있다면, 흔들리더라도 언제나 시계 추처럼 다시 돌아올 수 있다. 그렇기 때문에 자신이 가고자 하는 길을 잃어버리면 안 된다.

혹여 길을 잃었다면 절박한 마음으로 빨리 내가 가고자 하는 길로 다시 돌아와야 한다. 어쩔 수 없이 길을 잃은 경우에도 상심하지 마 라. 인간의 적응력은 놀라워서 잃은 길로 계속 가다 보면, 그 길이 새 로운 '조아'의 길이 되기도 한다.

살다 보면 자의든 타의든 자신의 색깔을 잃어버릴 때가 있다. 그러나 그런 때일수록 "달은 천만 번 이지러지지만 항상 그대로"이듯이, 햇빛처럼, 진주처럼 결코 주위 환경에 오염되지 않는 사람이 되어야 한다.

인간을 흔드는 유혹에도 단계가 있다. 가장 거부할 수 없는 유혹은 맛있는 음식과 달콤한 잠의 유혹이고, 가장 강렬한 유혹은 가슴을 뛰게 만드는 아름다운 이성의 유혹이며, 가장 가슴에 남는 유혹은 상상할 수 없이 아름다운 자연의 유혹이다. 하지만 안타깝게도 유혹의 정상은 돈이 차지했다. 왜냐하면 돈으로 이 모든 유혹을 가질 수 있다고 생각하기 때문이다. 이것이 자본주의다.

"삶과 죽음 사이에 벚꽃 한 장의 거리가 있을 뿐"이라는 말처럼, 아내와 남편 사이, 사람과 사람 사이는 삶과 죽음 사이만큼 아슬아슬하다. 한 발만 잘못 디디면 삶이 죽음으로 바뀌듯이 사람과 사람의 관계는 회복불능으로 어긋나 버리는 것이다. 생은 이처럼 칼날 위를 걸어가는 것만큼 아슬아슬하지만, 삶의 팽팽한 긴장감만 유지한다면 외줄 위의 광대처럼 줄에서 떨어지지 않고 즐겁게 삶을 살아갈 수 있다. 오래 흔들렸고, 덜컹거렸고 방황했으며, 너무나 나약했고 치열했으며, 서러웠으므로 당신은 아름다운 사람인 것이다.

가진 자나 못 가진 자나 괴롭기는 마찬가지고, 누구에게나 반드시 얼마간의 비는 내리고 어둡고 쓸쓸한 날은 있는 법이다. 어차피 인생은 단 한 번만 사는 것이다. 울어도 하루고, 웃어도 하루다. 즐겁게 사는 것만이 관건이다. 세상을 전쟁터로, 삶을 치열한 경쟁이나 경주로 생각하기 보다는 세상을 축제의 장으로 삶을 여행으로 생각하는 사람이 더욱 멋지지 않은가.

　아무리 강한 사람일지라도 감당하지 못하는 좌절과 실패가 있고, 아무리 약한 사람일지라도 감당할 수 있는 좌절과 실패가 있다. 목표를 쪼개면, 목표를 이루어가는 기쁨을 배가할 수 있으며, 필연적으로 경험하는 실패를 감당할 수 있는 실패로 만들 수 있다. 내가 기꺼이 감당할 수 있는 실패, 즐거운 실패는 나의 의지를 더욱 불타오르게 하고 나를 제자리로 돌아오게 하는 동력이 된다.

　자타가 성공한 삶이라고 부러워하여도 그 자리에서 멈춘다면 그것은 실패한 삶이고, 자타가 실패한 삶이라고 안타까워하더라도 그 자리에서 다시 일어서서 전진한다면 그 삶은 성공한 삶이다. 실패와 성공은 내가 전진하고 있느냐, 멈추어 있느냐에 달려 있는 것이다.

　인간이 신이 아닌 이상 인간의 의지나 열정과는 상관없이 더 이상 일어설 수 없게 만드는 실패도 있다. 이러한 큰 실패는 대부분 지나친 탐욕과 욕망에 기인한다. 작은 실패의 단련됨이 없이 별안간 10미터 높이의 쓰나미처럼 자신을 덮친 치명적인 실패는 커다란 좌절과 절망을 안겨 준다. 이러한 실패로부터 쉽게 일어설 수는 없다.

　실패를 예찬해라. 하지만 모든 실패를 예찬하지 말고, 실패하더라도 다시 일어설 수 있는 좋은 실패, 내 열정과 의지의 동력이 될 수 있는 즐거운 실패, 친구들과 운동하다 묻은 옷의 먼지를 털어내듯이 쉽게 털어내고 일어설 수 있는 작은 실패를 예찬하라.

현실의 부딪침 속에서 인간에게 불가능한 일이 있듯이 일어서기 어렵고, 극복하기 힘든 실패, 큰 실패를 초래하는 상황을 가능한 만들지 않는 것이 최선의 방법이지만, 극소수의 사람은 큰 실패에도 이를 거울삼아 죽을 각오로 최선을 다함으로써 불사조처럼 일어서서 새로운 창조와 성취를 이룬다.

험한 세상의
다리가 되는 사람

세상의 다리가 되고, 디딤돌이 되고, 어울림의 꽃이 되는 것은 나이가 많은 기성세대가 주축이 되어야 하지만, 기성세대의 전유물은 아니다. 누구나 세상을 위해 나의 온몸을 불태워 한 줌 재로 돌아가기는 어렵더라도, 나의 뒤를 따라오는 사람들에게 등대와 같은 한 줄기 빛으로, 험한 물살에 휩쓸리지 않고 밟고 넘어갈 수 있는 튼튼한 징검다리는 될 수 있다.

인간다운 삶, 문화를 즐길 경제적 생존기반을 가진 국민들이 행동하는 소크라테스가 될 때, 빈자와 약자, 서민들의 디딤돌이 되고, 기성세대가 다음 세대를 위한 희생과 책임을 다하는 디딤돌이 될 때, 청년들이 생존에 목매는 삶에서 꿈을 가진 생활로 확장된 삶을 살 수 있고, 미성숙한 인간에서 성숙한 인간으로 자연스럽게 진화할 수 있다.

자신의 행복추구를 넘어 빈자와 약자, 서민들이 일상의 즐거움을 만끽할 수 있는 생존기반 마련을 위해 함께 저항하고 연대하는 사람을 행동하는 소크라테스라 하고, 가진 것을 베풀고 나눌 때 행복한 사람은 행복한 왕자다. 나만 잘 먹을 때 행복한 사람은 돈 많은 왕자다. 먹을 때 굶주리는 사람의 아픔과 슬픔에 목이 메는 사람이 어린 왕자다.

기성세대는 역겨움을 토하게 만들어서는 안 되고, 희망과 열정을 토해 내는 사람이 되어야 한다. 버릇없는 아이가 나쁜 것이 아니다. 그 아이를 그렇게 만든 부모가 나쁜 것이다. 아이의 못남만을 지적할 때, 부모는 아이의 디딤돌도, 험한 세상의 다리도 될 수 없다.

사람은 자신을 믿어 주고 기대하는 만큼 성장하고 성숙한다. 만일 힘과 권력을 가진 자들에게 의해 빈자나 사회적 약자들이 사람으로 취급받지 못하고, 개, 돼지나 버러지처럼 취급받으면, 처음에는 저항하지만 나중에는 최면에 걸린 것처럼 자신을 사람으로 생각하지 않는다. 마찬가지로 부모들과 선생님이, 어른들이 아이들의 성장과 성숙의 디딤돌 역할을 하는 피그말리온이 되지 않고, 오히려 아이들의 피를 말릴 때, 아이들의 꿈과 의지는 힘없이 부서지고 꺾여 버린다.

젊음이 생존에 목을 매는 시대다. 젊음의 야성보다는 자본의 유혹에 길들여지는 젊음이 넘쳐나고 있다. 이런 현실 속에서 젊음이 창의성과 상상력으로 꿈틀대고, 역동성과 도전의 열정이 넘치는 시대는 다시 도래할 것인가. 그런 시대는 다시 오지 않을지도 모른다. 도전할 기회, 실패에서 일어설 기회가 더욱 줄어들 것이기 때문이다.

국가 열정총량의 법칙에 따르면 청년의 열정과 기성세대의 열정은 제로섬 게임이다. 청년의 열정이 높을 때, 기성세대, 나이 든 사람들의 열정은 떨어진다. 반대로 청년의 열정이 사그라들 때, 나이든 사람들의 삶에 대한 열정은 올라간다. 불행하게도 지금은 자본에 상대적으로 여유가 있는 나이 든 사람들의 열정이 어느 때보다도 높다. 그것이 우리의 미래를 더욱 어둡게 한다.

나이 든 세대에서 젊은 세대로의 열정의 전이가 필요하다. 이에 나이 든 세대의 책임과 희생이 더욱 필요한 시점이 된 것이다. 나이든 세대가 기득권을 내려놓고 청년들과 미래세대를 위한 디딤돌이 되지 않으면, 청년세대의 꿈을 향한 열정과 도전의지를 불태울 수 있는 길은 요원하다.

이 세상의 잘못은 언제나 어른(지배자, 가진 자, 부모, 기성세대)이 저지르고, 형벌은 늘 아이들(힘이 없는 자, 버려진 자들, 소외된 자들)의 몫이다. 행복의 화폭에 불행의 얼굴을 그리는 것은 어른들이었고, 아이들은 그런 어른들을 사랑하는 순수한 마음으로 불행의 담벼락을 즐겁게 웃고 있는 얼굴로 채운다. 이젠 어른들이 학교에서, 집에서 잃어버린 아이들의 웃음을 되찾아 주어야 할 때다.

나는 가면이 인간을 해방시키는 해방구, 탈출구 역할을 할 것이라고 생각한다. 그것이 슈퍼맨이나 각시탈처럼 자신만의 스타일 창조이고, 자기만의 그릇을 만들어 가는 삶이 아닐까? 가면을 쓰지 않은 민낯으로는 도저히 현실을 타개할 방법이 없음을 인정할 때, 가면의 삶 속에서 새로운 길이 열리는 것이다.

이것이 내가 생각하는 가면의 역설, 가면의 효과이며, 삶은 타인에 대한 예절과 배려, 꿈과 희망이라는 아름다운 가면을 쓰고 자신이 되고 싶은 큰 바위 얼굴을 조각해 가는 과정이라고 생각한다. 인간의 역사는 가면의 역사다. 일제시대 독립운동을 위해 파락호의 가면을 쓰고 산 독립투사를 보라. 이들은 험한 세상을 건널 수 있는 디딤돌과 징검다리가 되어 주는 사람이다.

잔혹한 현실에서 사람들이 꿈을 잃어버려서, 길을 잃어버려서 죽는 경우보다 가난 때문에 돈이 없어서 죽는 경우가 수백 배 많다. 그래서 가난 때문에 고통받는 사람들 앞에서 '꿈을 가져라'라고 외치는 사람들 앞에서 감당할 수 없는 허탈함과 허망함을 갖게 되는 것이다. 꿈을 이야기하기 전에 그들에게 따뜻한 빵을 건네주는 것이 훨씬 인간답다. 그것이야말로 험한 세상에 다리가 되어 주는 일일 것이다.

강한 자들은 부지런하다. 하지만 그 부지런함이 개인적 성취 차원을 넘어서 차지한 부와 명예를 지속하고 대물림하고 싶은 끝없는 탐욕을 위한 것이라면, 사회에 이로운 부지런함이 아니라 사회의 위협과 해가 되는 부지런함일 것이다. 부와 권력을 가진 자들은 배움이 많다. 하지만 그 배움을 개인적 성취나 자신만의 이익을 위해서 사용한다면, 그것은 사회에 이로운 지식이나 능력이 아니라 사회와 세상을 더욱 잔혹하고 비정하게 만드는 가진 자의 신무기 개발일 뿐이다. 무식한 사람이 열심히 일할 때보다 탐욕스런 사람이 부지런할 때, 사회 정의는 점점 그 빛을 잃어 간다. 그들은 세상의 디딤돌이 아니라 빠져나올 수 없는 깊은 늪을 만드는 사람이다.

보수도 진보도 같은 방향을 향해야 하는 것이 있다. 그것은 마음을 사회의 가장 어둡고, 낮은 곳에 두어야 한다. 사회적 빈자, 약자에게 향하는 마음과 행동으로 그들의 공감을 얻는다면, 그리하여 많은 이들에게 소크라테스의 역할을 해 준다면 그것이 진보이든 보수이든 나는 다 좋다. 그것이 사회와의 진정한 연대이자 공감이며, 우리 사회가 밝은 미래로 나아가는 징검다리가 될 것이다.

겸손, 낮은 곳에서
세상 바라보기

겸손함은 물과 같이 주위를 푸르고 충만하게 하는 힘이며, 자신을 내려놓고 혼란 속에서도 고요하게 침묵할 줄 아는 여유로움이다.

겸손에는 마법 같은 힘이 숨어 있다. 오래된 와인일수록 향기가 진하고, 벼는 익을수록 고개를 숙인다고 했다. 사람은 죽을힘을 다해 노력하여 성취 뒤에 자연스럽게 따라오는 오만과 자만의 그림자를 떨쳐내지 못해 성공의 저주로 끝내는 파멸한다. 목표를 달성하고 타인이 부러워하는 성공을 이뤘다고 타잔처럼 우렁찬 목소리로 "내가 제일 잘나가"라고 떠벌이지 말라. 겸손함은 좋은 인간관계의 뿌리와 같다.

겸손의 다른 이름은 경청이다. 강의나 발표가 아닌 대화의 자리에서 정신없이 자기 말만 토해 낸 뒤에도 정작 자신은 타인의 말을 잘 경청하면서 토론과 대화의 장을 재미있게 잘 이끌어 갔다고 철석같이 믿고 있다. 위험한 착각이다. 경청이 없는 겸손은 존재하지 않는다.

겸손함은 나약함이 아니다. 겸손함은 강인함이나 자신감에서 자연스럽게 파생되는 것이다. 어린 시절 몸이 작고 약해서 불량배나 일진들에게 괴롭힘을 당하는 사람들을 외면한 것이 부끄러워 태권도나 합기도 등 무술을 배워 똑같은 상황이 눈앞에 펼쳐진다면 외면하지 않을 자신감과 강인함을 갖춘 다음부터는 이상하게도 그런 일이 자신 앞에 벌어지지 않는다. 이처럼 진정한 강자는 강함을 드러내지 않아도 그 강함이 전해진다. 그 강함과 자신감이 따뜻함과 배려의 마음으로 사람들에게 전해지는 것을 겸손함이라 한다.

겸손함은 따뜻한 눈빛으로 상대방을 바라보는 눈맞춤이다. 오만함은 차가운 눈빛, 냉혹한 눈빛으로 상대방을 쳐다보는 눈맞춤이다. 겸손함과 오만함의 차이는 따뜻함의 유무에 있다. 따라서 겸손함은 따뜻하고 오만함은 차갑다. 겸손함은 경청하기 위해서 고개를 숙일 줄 아는 것이고, 상대방을 배려하고 존중하며 편안하게 해 주기 위해서 눈높이를 맞출 줄 아는 것이며, 상대방을 격려하고 도와주며 어려움을 함께하고 해결해 주기 위해서 따뜻하게 손을 내미는 것이다.

자신감과 솔직함이 겸손의 옷을 입으면 당당함으로, 자신감과 솔직함이 겸손의 옷을 벗어 버리면 잘난 척과 도도함, 오만으로 변질된다.

　마음속에 자만이 싹을 틔우고, 교만의 줄기를 따라 자만의 잎이 자라며, 오만의 열매를 맺게 된다. 오만과 자만의 모퉁이를 돌면 치욕과 망신과 파멸의 낭떠러지가 기다리고 있다.

　오만은 오만이고, 편견은 편견이다. 오만이 아무리 당당하고 부드러운 말씨와 웃음 띤 얼굴로 타인을 배려하며 인정하는 것을 믿어 달라고 할지라도 그것은 오만이고 거만일 뿐이다.

　누구나 자신의 경험과 생각, 시행착오의 울퉁불퉁한 삶을 살아오면서 자연스럽게 가지게 되는 것이 편견과 선입견이다. 이것은 타인의 관점에서 보면 편견과 선입견이지만, 울퉁불퉁한 삶을 관통하면서 체득한 사람과 세상을 보는 자신만의 관점이기도 하다. 관건은 내 삶의 경험 속에서 이루어진 관점과 생각의 틀이 만인들이 공감하고 인정하는 생각의 틀과 같은 방향이냐, 다른 방향인가이다.

　정답은 없다. 같으면 더욱 좋겠지만, 설사 세상 모든 사람들이 편견과 선입견이라고 지적질을 해도 그것이 나의 구체적 삶 속에서 만들어진 세상을 보는 창이고, 세상을 해석하는 생각의 틀이라는 확신이 든다면, 나는 그것을 쓰레기처럼 갖다 버리지 않을 것이다. 분명한 것은 그것이 나보다 약하고 힘없는 자들의 의견을 짓밟고, 그들의 무거운 삶의 어깨를 더욱 짓누를 때, 그것은 오만이다. 하지만 그것이 나보다 강한 자에 저항하고, 그들의 바위처럼 거대하고 단단한 오만을 깨부수기 위한 것이라면 그것은 신념에 가깝다.

이처럼 오만이 위로 향할 때 표출되는 솔직하고 이타적 오만, 자신 만만하고 위풍당당한 오만은 자신감이고 용기이며, 빈자와 약자, 서민 등 소외된 사람들에게 힘과 용기를 주는 부드러운 오만으로 그들에게 병아리 눈곱만큼이라도 행복과 즐거움을 줄 수 있다면, 그것은 오만의 껍질을 벗은 겸손이다.

버마재비가 어깨를 으쓱거리며 풀밭을 걷고 있었다. 풀잎에 앉아 있던 파리가 그를 보고 기겁을 해서 날아가 버렸다. 조금 가다가 개미를 만났으나 역시 그 놈도 무서워하며 버마재비에게 길을 비켜 주었다. 메뚜기도 그랬고, 쇠파리도 그를 보자 도망갔다. 버마재비는 이 모습을 보고 우쭐해졌다. "하하하, 모두 길을 비키는군!"

그때 저편에서 수레가 오고 있었다. 버마재비는 더욱 어깨와 날개를 펴서 수레에게 겁을 주려고 했다. 그러다 그만 수레의 바퀴에 깔려서 죽고 말았다. 그렇다. 일시적 승리나 성공에의 도취는 위험한 나르시시즘이며, 우물 안 개구리의 오만과 버마재비의 우쭐함에 지나지 않는다.

최악을 생각하면 언제나 최상이다. 기분이나 감정은 변덕쟁이라서 늘 변하게 되어 있다. 이런 감정변화의 불가피성을 자연스럽게 받아들이면, 좋지 않은 기분도 지는 석양과 떠오르는 태양처럼 자연스럽게 흘러가게 하고, 좋은 기분도 스치는 바람처럼 자연스럽게 맞이하고 보낼 수 있는 것이다. 모든 것을 다 내려놓고 사라지는 석양의 넉넉함과 겸손함을 닮아라.

순수한 사람은 겸손하다. 어찌 보면 순수함은 마음보다는 얼굴이나 말투, 몸 전체에서 풍겨 나오는 아우라다. 한 인격체의 통합된 이미지라고 생각한다. 순수함은 뼛속까지 스며든 것이고 성격이라 거의 변하지 않지만, 착함은 사회적으로 학습된 측면이 강해서 변질될 가능성이 크다. 이처럼 순수함과 배려심이 결합되면 겸손함이 되고, 순수함과 섹시함이 결합하면 마릴린 먼로 같은 마력의 섹시함이 발현되며, 순수함과 착함이 결합하면 천사와 닮은 사람이 되고, 순수함과 열정이 결합하면 모든 사람들이 갈망하는 순수한 열정이 된다.

순수한 마음은 보이지 않는 것을 볼 수 있는 어린 왕자의 눈이다. 천진암 앞에 이런 글귀가 있다. "활짝 웃어라. 누구나 부처가 될 수 있다." 나는 말한다. "눈앞의 계절을 온몸으로 느껴라. 누구나 시인이 될 수 있으며, 순수한 마음을 가지면 누구나 시인이 될 수 있다."

겸손한 마음은 낮은 곳에서 세상을 바라보는 눈이다. 시인의 눈높이는 아래에서 위를 바라봄이다. 나눔과 함께함의 눈높이는 따뜻한 눈빛으로 서로의 눈을 지그시 마주침이다. 오만의 눈높이, 권력의 눈높이는 위에서 아래를 쳐다봄이다. 사랑의 눈높이는 시인의 눈높이와 같고, 연인의 눈높이는 함께함의 눈높이와 같다. 오만과 자만의 눈높이는 권력의 눈높이와 같다. 권력의 눈높이를 가지는 사람에게는 소통의 눈높이는 존재할 수 없다.

가장 마음의 문이 활짝 열려 있는 때가 어린아이 시기이다. 우리는 나이에 비례하여 좀 더 성숙한 사람으로 진화하기를 기대한다. 하지만 그것은 바람일 뿐이다. 사람은 나이에 비례하여 점점 더 옹졸한 사람, 편협한 사람, 오만한 사람으로 퇴행한다. 만일 당신이 나이 들수록 더욱 순수해지는 사람을 만난다면 복권당첨 같은 행운이고, 당신이 그런 사람이 된다면 당신은 세상에서 가장 빛나는 사람이다.

누가 완벽한가? 간디가, 세종대왕이, 이순신 장군이 완벽한가? 이세상에 완벽함이란 존재하지 않는다. 인간은 원래 불완전한 존재이다. 누군가가 말한 "계획하여 시작하고, 노력하여 성취하고, 오만, 자만하여 파멸한다."는 경구처럼, 수확을 앞둔 벼처럼 익을수록 고개를 숙여야 한다. 익을수록 오만하고 자만하기보다 겸손하고 함께 가야 하고, 함께 어울려야 한다.

가슴에 뜨거운
불덩이를 삼켜라

　태양이 가장 높이 뜨면 그림자는 사라지듯이, 자신과 만인에 대한 절대적 사랑과 신뢰는 증오와 불신의 그림자를 사라지게 하고, 열정을 불사르면 두려움도 사라진다. 태양은 열정이고 그림자는 두려움이기 때문이다. 이처럼 밝음과 어둠은 동전의 양면이다.

　어둠을 이기는 것은 역사 이래 언제나 밝음이었다. 밝음, 즉 열정적이고 긍정적인 마음과 사고는 언제나 승자이다. 하지만 자본이란 괴물이 지배하는 현실 속에서는 대부분의 경우 밝음은 어둠을 사라지게 하기보다는 어둠을 자기 곁에 두고 이용하려 한다. 그래서 밝음의 이면은 그 어느 시대보다도 어둡고 칙칙하며 기괴하다.

　절망에서 필요한 것은 희망이 아니라 간절함, 필사적이고 절박한 열정이다. 절망이 나에게 절박한 열정을 가져다준다면 그것은 열정의 용수철이고, 열정의 불씨가 된다.

절박함은 열정을 지피는 숯불이다. 뜨거운 불길을 쉽게 토하지 말고 뱃속 깊이 삼켜라. 뜨거운 열정의 발산은 차가운 이성으로 끊임없이 담금질해야 지속된다. 열정을 지속시켜 주는 것은 냉철한 이성의 담금질이다. 열정으로 뜨겁게 달군 마음을 냉철하고 차가운 이성에 담금질하는 과정을 반복하면, 뜨거운 열정을 오랫동안 지속할 수 있다.

벽 앞에서 멈춰서는 열정이 아니라 편견의 벽, 고립의 벽, 자만의 벽, 허위의 벽, 권위주의의 벽을 뚫고 나가는 열정을 가져야 한다. 대부분의 열정은 전진하다 부딪치는 거대한 벽 앞에서 그 동력을 잃어버린다. 아주 소수의 사람만이 타오르는 열정과 더욱 강해진 열정으로 거대한 벽을 뚫고, 무너뜨리고, 불살라버린 후, 앞으로 전진한다. 나이 들수록 푸른 열정은 벽을 빵과 떡으로, 벽에 문을 만들고, 벽과 벽에 다리를 놓아 건널 수 있도록 만드는 세련된 열정이다. 타인의 공감을 넓고 깊게 하는 열정이다. 어떤 면에서 보면 푸른 열정은 청춘의 열정보다 더 치밀하고 치열하며 푸근하다.

거죽은 언젠가 늙고 허물어지지만, 중심은 늘 새롭다. 열정의 주인으로 사는 사람은 거죽과 주변에서 살지 않고, 어떤 세월 속에서도 시들거나 허물어지지 않는 중심에서 산다. 중심에서 사는 사람은 삶의 주인공으로, 자기 의지로, '조아'의 길을 걸어가는 사람이다. 열정의 마그마, 활화산 같은 열정을 가진 사람은, 세상의 중심에 당당히 서 있는 사람이다.

작은 불은 바람에 꺼지지만 큰 불은 바람에 의해 더욱 불타오르고, 작은 불은 세상에 대한 나의 웅성거림이지만 큰 불은 살고자 하는 나의 의지를 불태운다. 어정쩡하게 착한 사람이 우울증에 잘 걸린다는 말이 있는 것처럼 어중간한 열정, 어정쩡한 열정은 잠자고 있는 열정의 불씨마저 사라지게 만들 수 있다.

열정이 멈추는 순간, 배려와 존중, 나눔이 사라지는 순간, 우리의 심장이 멈추고 만다. 유령 같은 일상만 반복될 뿐이다. 열정과 배려, 존중, 나눔은 실행할수록 눈덩이처럼 커지고 노을처럼 번져 간다. 열정의 눈덩이 효과다.

열정의 다른 이름은 욕망이다. 욕망이 멈추는 순간, 인생이 멈춘다. 생명력이 멈춘다. 그것이 우리는 죽을 때까지 '욕망이라는 이름의 전차'의 티켓을 놓치지 말아야 하는 이유다.

목욕탕에서 온탕에 들어가면서 내뱉는 공통적인 말이 '아! 시원하다'이다. 뜨거운 물에 들어가서도 시원하다고 하는데 여기서 '시원하다'는 의미는 '기분이 좋다'는 의미다. 하지만 밍밍한 온도의 물에 들어가면 기분이 어떨까? 대부분의 사람들은 밍밍한 온도의 물에 들어가는 것을 싫어한다. 대부분은 냉탕과 온탕을 들락날락 하면서 시원하다는 말을 연발하는 것이다.

열정도 마찬가지다. 다만 열정의 온도는 36.5도 이상이어야 하기에 열정은 뜨거워야 한다. 열정적으로 살기를 원한다면 미지근하게 살면 안 된다. 〈힐러〉라는 드라마에서 유지태는 말한다. "일이 끝나면 알래스카나 아프리카로 떠날 거야. 차갑거나 뜨거운 삶을 살고 싶거든. 그동안 너무 미지근한 삶을 살아왔기에." 미지근하고 어정쩡한 삶은 재미도 없고, 성과도 내기 어렵다.

가슴에 뜨거운 불덩이를 삼켜라. 그 불덩이가 당신을 재로 만들지 않고, 당신 심장의 꺼지지 않는 에너지가 될 것이다. 당신은 열정의 배반을 경험한 적이 있는가? 열정은 당신을 배반하지 않는다. 당신 스스로가 열정을 배반한 것이다. 모든 열정의 방향은 옳다. 열정은 본능적으로 나태와 위선과 비열함을 싫어하기 때문이다.

결국 내가 뜨거워지지 않으면 아무것도 이루어지지 않는다. 스스로를 태워서 등신불이 되든, 살신성인을 하든, 내가 뜨거워지지 않고 타인을 위해 뜨거워질 수는 없다.

뒷일 따지지 않고 두려움 속으로, 고통 속으로 몸을 던져 지금의 자신을 불태우는 뜨거운 모습이 용기라면, 삶에 대한 의지와 단호한 결의로 자신의 한계를 초월하는 것이 열정이다.

모든 일은 돌았다는 소리를 들을 만큼 해야 잘하는 것이다. 공부도 공부에 미쳐야 열심히 한다는 소리를 듣는 것이고, 춤도 춤에 미쳐야 잘 춘다는 소리를 듣게 되는 것이고, 운동도 운동에 미쳐야 일류 선수가 될 수 있는 것이다. 남을 돕는 것도 마찬가지다. 돕는 데 미쳤다는 소리를 들을 만큼은 돼야 제대로 돕고 있다는 의미다.

모든 열정은 뜨겁다. 참치처럼 단 1초도 쉬지 않고 맹렬하게 질주하는 열정은 결국은 추락할 것이다. 그런 이유에서 질주하는 가운데에서도 앉아서 쉬어 갈 때도 있어야 하고, 천천히 걸어가야 할 때도 있고, 어떤 경우는 멈추어서야 할 때도 있어야 하는 것이다. 그래서 나는 불타는 열정도 좋아하지만 절제된 열정도 좋다. 그것이 무모한 도전에서 무한 도전으로, 무모한 열정을 무한 열정으로 진화시킨다.

끝까지 지속되는 열정은 없다. 어떤 이의 열정은 좀 더 길고 강하고 치열하다. 어떤 이의 열정은 짧고 약한 불꽃을 가지고 있다. 하지만 모든 이의 열정에는 멈춤이 있고 하락이 있고, 침몰이 있고 반등이 있고 상승이 있다. 이것이 모든 인간이 가지고 있는 열정의 사이클이며, 열정순환이다.

나 역시 개인문제와 회사문제로 인한 고민과 스트레스를 술과 담배에 의존한 적이 있었다. 당연히 몸무게도 10킬로그램 정도 늘어 습관처럼 하던 아침 달리기는 가끔씩 하는 주중 행사가 되었다. 관성의 법칙에 따라 퇴근 후에는 집 앞에 전주식당에 가서 나 홀로 막걸리와 돼지 두루치기를 안주삼아 저녁을 때웠다. 한쪽이 무너지니까 회사업무에도 지장이 있다. 이래서는 안 되겠다고 생각하고 심기일전한다고 군인처럼 짧게 머리를 하고 분당검푸 정모에 갔는데, 사람들이 내 얼굴을 알아보지 못할 정도로 변했다. 머리만 짧게 한다고 금방 심기일전이 되는가? 아니다.

누구도 영원히 멈추지 않는 열정을 가질 수는 없다. 열정은 반드시 사이클이 있다. 열정이 멈춰선 순간, 그 자리에 주저앉을 수도, 다시 일어설 수도, 죽음을 선택할 수도 더 나은 미래를 선택할 수도 있다. 이는 얼마나 자기 자신을 사랑하고 신뢰하는가에 따라서 달라진다. 자기사랑은 열정의 사이클이란 삶의 길에서 자신의 꿈과 미래를 위해 열정을 지속시킬 수 있는 열정의 또 다른 이름이다.

'학력위조'의 혐의가 있다며 유명 연예인을 집요하게 추궁했던 소수 누리꾼의 행동은 빗나간 열정이다. 열정의 빗나감은 분노의 폭력화를 가져온다. 사람들이 분노를 폭발시킬 사냥감을 찾아 매서운 눈초리를 쏘아대고 있다. 걸리면 끝장이다. 그들은 분노의 사냥감을 제때에 찾지 못하면 스스로에게 분노를 폭발시켜야 한다는 사실을 알고 있기에 절박함을 안고 필사적으로 사냥감이 될 만한 가엾은 먹이를 찾고 있는 것이다.

열정은 언제나 차디찬 시체가 될 준비를 하고 있다. 의지는 언제나 마른 나뭇가지처럼 꺾일 준비를 하고 있다. 절박함의 가벼움은 언제나 따뜻한 안락함 속으로 사라질 준비를 하고 있다. 열정과 의지는 가능할 것 같지 않은 일도 이루어 내는 믿을 수 없는 힘을 지닌 것 같지만, 풍선과 같아서 잠시만 방심하면 날아가 버린다. 의지가 떠난 빈의자에는 무거운 나태가 비단 구렁이처럼 똬리를 틀고 있다.

열정 발산은 다른 감정의 표출과 다르다. 다른 감정은 필터링을 통한 절제된 표출이지만, 열정은 발산해야 한다. 열정 발산의 지속에는 웃음과 긴장감, 좋아하고, 하고 싶은 목표에 대한 도전이 필요하다.

열정이 발산되지 못하고 폭발하면 광기가 된다. 특히 부와 권력에 대한 지독한 탐욕만이 앞선 사람은 맨 위로 올라갔을 때 누구도 제어하지 못하는 위험한 광기가 있다.

광기가 열정으로 승화되는 것은 광기와 화가, 열정의 화가로 불린 고흐 등 소수의 탁월한 인간, 성숙한 삶을 산 사람만이 가능하다. 대부분의 경우, 광기의 방향은 파괴이며, 열정의 방향은 새로운 창조이다. 용기는 간절함과 절박함, 처절함에서 온다. 더 이상 물러설 곳이 없을 때, 더 이상 추락할 곳이 없을 때 용기는 본능처럼 솟아오른다. 용기는 처절한 절박함과 간절함이 응축된 피맺힌 눈동자의 절규다.

누군가는 말한다. "활활 타는 모닥불보다는 은근한 재의 온기가 더 오래가는 법이다. 굳이 열정을 가지고 뜨겁게 싸우기보다는 그냥 36.5도 정도의 뜨뜻미지근한 체온을 유지하면서 자신이 하고 싶은 일을 하나 둘 모색해 나가도 괜찮지 않을까?"

나는 그렇게 생각하지 않는다. 만일 열정을 저축할 수 있고, 저장할 수 있으며, 응축할 수만 있다면 그렇게 할 것이다. 하지만 행복을 저축할 수 없듯이, 열정도 저장할 수 없다. 그것은 〈열정〉이란 노랫 말처럼 활화산처럼 터져 나오는 것이다. 열정은 가스 불 조절하듯이 조절할 수 있는 것이 아니다. 열정은 터짐이고, 발산이다.

뜨거운 열정, 미친 열정은 물론 식는다. 하지만 다시 더욱 뜨거운 열정을 샘솟게 하기 위해서는 열정이 가슴속에서 불덩이처럼 올라올 때마다 열정을 그때그때 발산시켜서 끊임없는 열정의 에너지를 생성해야 한다. 이것이 거친 숨을 몰아쉬면서 인생의 에베레스트 정상을 올라가는 길이다.

삶에서는 활화산처럼 발산해야 하는 것이 있고, 가스 불처럼 조절해야 하는 것이 있다. 하지만 열정을 조절한다고 열정의 불꽃마저 꺼지게 하면 안 된다. 열정이 생길 때마다 수시로 발산하면 끊임없이 새로운 열정의 마그마가 생성되기에 열정의 불덩어리를 두려움 없이 삼키는 워리어가 된다.

열정은 뿜어져 나오는 대로 마음껏 발산해라. 태양의 열정을 갖고 야수처럼 맹렬하게 질주하고 격하게 열정을 표출하라. 이처럼 뜨거운 열정을 발산하는 것보다 더 중요한 것은 열정의 지속과 일관성이다. 하지만 인간은 기계가 아니다. 하루 24시간, 일 년 내내, 죽을 때까지 열정의 불꽃을 끊임없이 유지하라는 것은 인간이 감정의 동물이란 것을 무시한 것이다.

열정의 지속을 위해서는 활활 타오르는 뜨거운 열정으로 내 몸이 불타 버리기 전에 자연스럽게 열정을 배출해 줘야 한다. 열정은 산오름과 같아 열정 발산의 단계가 지나면 열정이 식어 버리는 단계가 반드시 온다. 아니, 반드시 와야 한다. 그래야 열정에 불타 버리는 것을 막을 수 있기 때문이다. 다시 열정을 재점화하기 위해서는 열정이 식어 가는 시간을 잘 보내야 한다. 웃음과 건강한 휴식을 통한 즐거움으로 말이다.

이처럼 열정을 지속시키는 것은 여유로움과 이성의 담금질이다. 즉, 웃음과 건강한 휴식이라는 여유로움 속에서 열정의 건강한 발산, 열정이 주는 쾌락의 절제로 열정의 중독이나 폭발로 인해서 열정의 제물이 되는 것을 방지하려는 의도적인 훈련, 연습이라는 고통스러운 담금질이 필요하다.

프로메테우스의 희생적
사랑이 아름답다

산이 높으면 골이 깊듯이, 사랑이 깊으면, 이별의 그림자도 짙다. 우리는 그럼에도 불구하고 우리는 사랑을 포기할 수 없다. 지나온 역사에서 완전한 자유나 정의, 공정이 실현된 적은 없었으며, 앞으로도 없을 것이지만, 우리는 정의롭고 공정한 세상실현을 포기할 수는 없다. 사랑에는 두 종류가 있다. 사랑하는 것과 무한히 사랑하는 것. 프로메테우스의 희생적 사랑이란 빈자와 사회적 약자, 서민을 위한 무한한 희생과 견딤의 사랑이다.

현대의 프로메테우스는 빈자와 사회적 약자, 서민을 위해 자신의 모든 것을 기꺼이 희생하는 의인이나 성인에 가까운 자이다. 제우스는 인간 편에 선 프로메테우스를 징벌하고자 불의 신을 보내 코카서

스 산꼭대기에 그를 쇠사슬로 결박하고 매일매일 지옥과도 같은 고통으로 괴롭히지만, 프로메테우스는 그 견딜 수 없이 끔찍한 고통을 견뎌 낸다. 사슬에 묶인 프로메테우스의 자유는 한용운 시인이 〈복종〉이란 시에서 노래한 아름다운 구속처럼 진정한 자유로움의 세계와 맞닿아 있다.

프로메테우스의 희생과 견딤이 인간을 위한 신에 대한 분노였다면, 현대의 프로메테우스의 희생과 견딤은 빈자와 사회적 약자를 위한 강자에 대한 분노다.

4만 원에 1년 6개월의 징역은 법의 잣대로는 타당할 수도 있을 것이다. 하지만 나는 이를 통해 빈자와 약자의 슬픔을 그린 〈장발장〉의 재림을 본다. 깨진 유리창 법칙이나 제로 톨레랑스는 법의 잣대가 아닌 공정과 정의의 잣대를 들이대야 한다. 그것이 저울의 균형을 맞추는 방법이다.

인권과 정의라는 측면에서, 법이 강자의 이익보다는 약자의 눈물을 먼저 보아야 한다는 측면에서는 4만 원에 1년 6개월은 모기 잡는 데 큰 칼 휘두르는 꼴이고, 빈대 잡는다고 초가삼간 태우는 격이다. 십억, 백억 원의 횡령에 징역 6개월은 반대의 경우다. 이는 대형화재에 오줌으로 불을 끄는 형국과 다름이 아니다. 정의나 공정을 위한 분노는 방향을 제대로 잡아야 한다. 분노는 약자가 강자를 향해서 뿜어내야 정당성과 공감대를 확보할 수 있다. 분노가 강자가 약자를 향해 뿜어낸다면 그것은 폭력이다. 폭력 중에서도 가장 잔인한 폭력이다.

삶에서 내 힘으로 도저히 감당할 수 없는 것은 그대로 받아들이고, 내 힘으로 감당할 수 있는 것을 시지푸스 형님이나 프로메테우스 삼촌처럼 끌어안고 견디면서 최선을 다하는 것이 진인사대천명이다. 그들처럼 평범한 우리들도 삶을 견딜 수 있는 필살기를 각자 가지고 있으면 좋겠지만, 불가능하다.

가난하다고 사랑을 포기해야 하는 세상이라면, 일자리를 갖지 못해서, 생존에 목매는 삶 때문에 사랑도, 결혼도, 그리움도, 즐거움도 포기하게 만드는 세상이라면, 그런 현실의 삶은 지옥이다. 구경 중에서 불구경이 가장 재미있다는 말이 있듯이 가난한 삶의 밑바닥에서 손톱이 다 뭉개지도록 벽을 타고 기어오르면서 처절한 고통에 울부짖는 사람들이 보여 주는 생생한 지옥 속으로 가끔씩 빵과 돈을 적선하듯이 던져 주면서 즐기는 소수의 사람들과 그 던져준 빵을 게걸스럽게 먹어야 하는 빈자와 약자의 모습은 우리를 한없이 슬프게 한다.

로마시대 군중들에게 돈을 뿌리는 퍼레이드 행사 역시 군중을 즐겁게 하는 마음이라기보다는 자신들의 즐거움을 위한 행위에 가깝지 않았을까. 가진 자들의 가난한 자들에 대한 연민과 동정, 자선은 자신들은 거대한 거인으로, 가난한 자들은 더욱 작아지고 초라한 개미 같은 존재로 만든다.

우리는 정말 의사와 정치인에게 히프크라테스의 선서와 간디의 무저항 운동처럼 약자와 빈자, 서민, 국민을 위한 프로메테우스의 희생과 견딤을 기대할 수 있을까. 아마 그것은 망상일 것이다. 우리가 살아가고 있는 사회 자체가 커다란 종합병원을 닮았다. 의사는 인간의 질병에는 관심이 있지만, 질병을 넘어선 인간의 고통에는 관심이 없다.

의사가 정치인이 자본의 시선으로 환자와 국민을 바라본다면 환자와 국민은 돈과 표로 보일 것이다. 만약, 타인의 시선으로 세상을 바라본다면, 그 시선의 끝은 타인의 슬픔에 대한 동정이나 연민에서 멈출 것이고, 의사나 정치인이 따뜻한 눈길로 세상을 바라본다면 그 눈길은 타인의 슬픔과 아픔에 대한 이해와 공감이라는 깊은 마음에 이른다.

교직을 '성직'이라고 한다. 올바른 교육을 위해 우리는 그들에게 아이들을 위한 프로메테우스의 무한한 사랑과 희생을 요구하고 기대한다. 하지만 기대는 기대이고, 현실은 현실일 뿐이다. 나 역시 학창 시절에 경험한 기분 나쁜 매가 있다. 등짝, 뺨따귀, 신발짝, 플라스틱 자로 맞기 등이다. 예외 없이 기분 나쁜 매는 마음에 치유할 수 없는 증오와 악만 남기는 나쁜 감정과 함께 내 몸과 마음을 짓밟았다. 사랑의 매는 있다. 하지만 사랑의 매를 들 정도의 교육자이며 인격자라면, 말과 모범을 보이는 것만으로도 충분히 학생을 이끌 수 있다.

문제는 대개 교사로서의 인격적 자질이 부족한 자들이 매를 든다는 것이다. 이 경우 매는 사랑의 매를 가장한 나쁜 매이며 폭력의 다른 이름일 뿐이다. 그래서 체벌이 나쁘다는 것이다. 심지어 집에서 자식을 가장 사랑하는 부모가 매를 때릴 때도 사랑의 매라기보다는 대부분 감정이 실린 나쁜 매로 둔갑하는 경우가 많다.

〈아름다운 것들의 이유〉란 널리 알려진 영롱한 글이다. "사막이 아름다운 이유는 사막 어딘가에 깨끗한 샘을 숨기고 있기 때문입니다. 산이 아름다운 이유는 산속 어딘가에 예쁜 오솔길을 숨기고 있기 때문입니다. 하늘이 아름다운 이유는 하늘 어딘가에 가슴 저린 그리움을 숨기고 있기 때문입니다. 사람이 아름다운 이유는 사람의 마음 어딘가에 소중한 사랑이 숨어 있기 때문입니다."

여기에 더해 세상이 아름다운 이유는 빈자와 약자에 대한 무한한 사랑으로 자신의 모든 것을 던지고 희생하는 사람이 있기 때문이다.

고통을 즐거움으로 바꾸는
세 글자, '죽을힘'

사람들은 말한다. 성취하기 위해선 '포기하지 말라'고. 맞는 말이다. 하지만 평범한 사람들이 살아가는 삶에는 분명히 포기해야 할 것과 전력을 다해야 할 것이 있다. 모든 일에 최선을 다하면 진짜 최선을 다해야 할 때 힘을 쓸 수가 없다. 그래서 좋아하고, 하고 싶은 일을 찾은 다음에 그 목표에 집중적으로 내가 가진 모든 것을 죽을힘을 다해 쏟아야 하는 것이다.

비열하고 잔혹하고 개떡 같은 세상, 사람을 막 대하는 세상과 부딪치면서 힘겹게 살아가는 인생이지만, 내가 좋아하고 하고 싶은 꿈을 향해 죽을힘을 다해 달려 보겠다는 마음을 먹고 최선을 다하는 순간, 그는 자신만의 신화를 만들어 가는 가치로운 존재, 큰 바위 얼굴이 된다.

자신이 갖고 있는 가능성을 제로로 만들어 버리는 것은 스스로에게 가장 부끄러운 삶이다. 나는 내가 가지고 있는 가능성에 다 도전해 보고, 내가 할 수 있는 것을 다 하고 싶고 내가 쓸 수 있는 모든 에너지를 다 쓰고 갈 것이다.

대개의 경우 분노의 상황, 크기에 따라 다르지만 분노는 거의 본능적이고 즉각적이고, 폭발적이어서 제어가 불가능하다. 그래도 죽을힘에 다해서, 견딜 수 없는 극단의 상황에서 1초만 더 참아라. 단 1초의 인내와 기다림, 견딤이 죽음을 삶으로, 고통을 즐거움으로 바꾸는 삶의 연금술이다. 자살충동이나 제어할 수 없는 살인과 폭력의 충동이 일어나면, 있는 힘을 다해 단 1초만 더 견뎌라. 30년은 더 살 수 있다.

늑대에 대한 짧은 글이다. "늑대는 사냥할 가젤 한 마리를 찍는다. 배가 충분히 부른 가젤은 바람이 없고 푹신한 풀이 있는 곳을 찾아 누워 잠을 잔다. 평범한 사냥꾼이라면 이때를 노리지만 늑대는 또 참는다. 잘 때도 코나 눈의 감각은 깨어 있어서 조금이라도 낌새를 눈치채면 도망치거든. 늑대라 해도 가젤을 따라잡기가 여간 버거운 게 아니야. 그래서 새벽까지 기다린다. 날이 밝을 때쯤이면 밤사이 소변을 참아서 가젤들의 오줌통이 꽉 차 있는데, 그 상태로는 도망칠 수 없어. 그대로 뛰다간 뒷다리에 경련이 오거나 오줌통이 터지기도 한다. 소변 보기 직전의 바로 그 순간이 늑대가 기다리는 기회야! 늑대는 공부활 값어치가 있는 영물이다. 초원의 스승이다!"

　더 이상 버틸 수 없는 절망을 경험한 수많은 사람들에게 인내의 미학이니 하는 말은 가슴에 와 닿지 않을 것이다. 하지만 끝까지 견디고, 기다릴 줄 아는 사람에게 행운의 여신이 손을 내밀 가능성이 큰 것은 틀림없다. 그때 버티지 못했다면, 그때 참지 않았다면, 그때 부끄러움을 견디지 못했다면, 분명 지금의 나는 존재하지 않았을 것이다.

　디킨즈의 어린 시절은 가난과 고난의 연속이었다. 학교 대신 공장에 다녀야 했고, 배고픔을 견뎌야 했지만 그는 남과 달랐다. 끝까지 견뎠고, 자신이 살아온 고단한 시절을 훗날 위대한 작품이 된 글쓰기 소재로 활용한 것이다. 견디지 못하는 사람에게는 앞으로 더 혹독한 날들이 다가올 것이다. 끝까지 견디는 사람만이 혹독한 날을 뚫고 환한 햇살을 맞을 수 있다.

　아무리 죽을 것 같이 힘이 들어도 1미터는 더 갈 수 있지 않을까? 사람들은 말한다. 한 발 더 나아가는 것이 뭐가 그렇게 힘드냐고. 40킬로미터를 뛰어온 사람이 나머지 2.195킬로미터는 충분히 힘을 낼 수 있지 않느냐고. 권투시합에서 피 튀기는 혈전 끝에 온몸이 만신창이가 된 채로 맞이한 마지막 라운드에서 구경꾼들은 한 방만 제대로 치면 상대방이 쓰러질 텐데 왜 그걸 못하냐며 지적질을 한다.

　하지만 본인이 막상 그 상황에 닥친다면, 그냥 상대방의 펀치에 맞아 벌렁 드러눕고 싶은 심정이 더 강렬하다는 것을 알 수 있을 것이다. 그것을 알기에 우리는 인간의 한계점에서 끝까지 버티는 사람에게 박수를 보내고 존중하고 그 용기와 열정을 인정해 주는 것이다. 〈록키〉는 영화일 뿐이다. 황영조의 얘기처럼 숨이 끊어질 것 같은 훈련의 고통에 차에 뛰어들고 싶은 마음이 현실이다.

이처럼 극한상황을 극복하는 것은 논리와 수학으로 설명할 수 없는 그 무엇이 있다. 그것은 죽음과 같은 고통을 넘어서는 것이다. 정말 어렵다. 그래서 이를 꽉 물고 독기를 품고서 지옥의 불길을 넘어서야 하는 것이다. 그렇기에 그 기대를 넘어선 사람에게 우리는 박수를 보내는 것이다. 아무나 할 수 있는 일이 아닌 것을 직감적이며 본능적으로 알기에.

우주가 끝이 없듯이 밑바닥은 끝이 없고, 삶은 죽을 때까지 지속되어야 한다. 그래서 절대 주저앉지 말고 일어서야 한다. 피죽도 못 먹은 듯한 피폐한 모습이 아니라, 생동감과 활기가 넘치는 모습으로 두드리고, 들이대고, 죽을힘을 다해서 다시 박차고 일어서서 전진하라.

'내 목을 걸겠다'는 말을 함부로 하지 않듯이, '최선을 다했다'는 말을 함부로 쓰지 마라. 조정래 씨 말처럼 "최선이란 자신의 노력이 스스로를 감동시킬 수 있을 때 쓸 수 있는 말"이다.

'고맙습니다'보다는 '매우 고맙습니다'를, '좋습니다'보다는 '정말 좋습니다'는 말을, '아름답다'보다는 '매우 아름답다'는 말을, '괜찮다'는 말보다는 '뛰어나다'는 말을 들을 수 있도록, '최선을 다했다'보다는 '죽을힘을 다해 최선을 다했다'고 당당하게 말할 수 있도록 조아의 삶에 자신이 할 수 있는 모든 것을 쏟아부어야 한다.

달인이란 생존의 영역이든, 생활의 영역이든 자신의 분야에서 자신의 직에 최선을 다하고 자신이 좋아하고 하고 싶은 일을 하면서 타인이 따라올 수 필살기가 있거나, 일에 통달함으로써 자신이 할 수 있는 최선의 경지에 오른 사람이다.

누군가가 말했다. 정상이 가까워질수록 가장 힘들다고. 달리기도 몸을 만드는 것도 좋아하고 하고 싶은 삶도 마지막이 결정한다. 처음은 누구나 간다. 중간도 문제가 없다. 하지만 마지막이 가까울수록 쉬고 싶다. 포기하고 싶다. 멈추고 싶다. 그런 마음을 들 때 '조금만 더' 하면서 파이팅을 외치며 처음의 결심과 한결같음을 유지하고 마지막 힘을 내고, 용감무쌍하게 전진하는 것이 가장 중요하다.

화가 장욱진은 "인생은 쓰고 가는 것이네. 사람의 몸이란 이 세상에서 다 쓰고 가야 한다. 산다는 것은 소모하는 것. 나는 내 몸과 마음과 모든 것을 죽는 날까지 그림을 위해 다 써버려야겠다."고 말했다. 그의 말처럼 사랑할 수 있는 에너지도, 나에게 주어진 시간도, 세상에 뿌려야 할 따뜻함도, 웃음도 즐거움도, 활화산 같은 열정의 에너지도 모두 이 세상에서 다 쓰고 가야겠다. 몽땅, 깡그리, 전부다, 그게 후회 없는 삶, 회환 없는 삶이다.

이처럼 이 세상을 떠나기 전까지 우리는 가진 것을 다 쓰고 촛불처럼 마지막 남은 불꽃을 태우면서 있는 힘을 다해서 열심히 살다가 가야 한다. 나를 극도로 증오하고, 나를 짓밟고, 잔인하게 죽이고 싶어 했던 사람들조차 한 방울 눈물을 흘리면서 아쉬워할 정도로.

죽지 않고 견딜 수 있는 데까지가, 할 수 있는 데까지가 자기 가능성이다. 우리는 말뚝에 묶인 코끼리처럼, 어두컴컴한 동굴 속에서 벗어나지 못하는 박쥐처럼, 자기 점프력의 절반밖에 되지 않는 높이의 유리상자에서 탈출하지 못하는 귀뚜라미나 어항 속 코이처럼, 대부분이 자기가 한계라고 정해 놓은 지도 밖으로 나가지 않는다.

자기 가능성의 경계선을 확장하는 것이 자기를 넘어서는 삶이다. 할 수 있는 데까지가 자신의 역사이고 신화다. 부딪쳐 보지도 않고, 두드려 보지도 않고 자신을 한계 짓는 것은 자신의 가능성을 죽이는 일이다.

TV에서 방영한 한 장수 프로그램에서 100세 할머니에게 "왜 계속 일을 하시는 거예요?" 하고 묻자, 할머니는 이렇게 대답했다.

"쓰라고 준 거야! 안 쓰면 거둬 가. 힘도 안 쓰면 거둬 가고, 몸뚱이도 안 쓰면 하늘에서 거둬 가는 법이야. 재주고, 힘이고, 몸이고, 다 쓰라고 준 거야."

Epilogue

　맺음글은 다섯 개 파트 88개의 주제로 구성된 전체 2권의 내용과 관련된 단상(斷想)들의 조각으로 대신하려 합니다.

　나는 믿는다. 사랑하는 사람은 변할 수 있지만, 사랑은 변하지 않는다고. 나는 믿는다. 정의로운 사람을 짓밟을 수 있어도, 정의를 짓밟을 수 없다고. 나는 믿는다. 꿈꾸는 사람이 사라질 수 있어도, 꿈은 사라지지 않는다고. 나는 믿는다. 자유를 외치는 사람을 가둘 순 있어도, 자유를 가둘 순 없다고. 나는 믿는다. 진실된 사람을 죽일 수는 있어도, 진실을 죽일 수는 없다고. 믿는다. 우리의 마음에 사랑과 정의가, 우리의 심장에 자유와 진실이, 우리의 가슴에 꿈과 행복이 있다면, 우리는 살아있는 사람이라고.

벼랑 끝에서, 다시 일어설 수 없는 절망의 끝에서, 죽음을 앞두고 우리는 식어 버린 밥처럼 거들떠보지 않았던 일상의 소소하고 작은 기쁨이, 평범한 삶 속의 평범한 행복이 얼마나 소중한 것인가를 깨닫고 절실하게 그리워한다.

삼손도, 아킬레우스도, 헤라클레스도, 모세도 모두 약점이 있다. 영웅은 약점이 없는 사람이 아니다. 아킬레스가 아킬레스의 건 때문에 시공을 초월해서 영원히 살아 숨 쉬는 영웅이 되었듯이 모든 영웅은 약점이 있음에도 불구하고 목숨을 걸고 두려움 속으로, 불구덩이 속으로 자신을 던졌기에 영웅이 되었던 것이다.

분노가 희망으로 가는 출구를 찾지 못할 때, 분노는 자기분열과 자기파멸과 주체할 수 없이 흐르는 눈물이 되고, 분노가 어둠 속에서 비틀린 방향으로 폭발할 때, 분노는 사회혼란과 사회악이 되며, 분노가 제대로 방향을 찾을 때, 분노는 빛나는 열정으로 밤하늘을 수놓는 불꽃놀이가 된다.

극한의 배고픔을 벗어나기 위한 유일한 방법이 도둑질밖에 없다면 사람을 도둑으로 만들어 놓고는 도둑질한다고 처벌하는 현실은 너무도 잔인하다. 목숨을 부지하기 위해 도둑질하는 사람은 자신의 허영을 더욱 빛나게 하기 위해 위선의 도덕으로 떡칠을 하는 사람보다 훨씬 더 인간다운 인간일 수 있다.

장기자랑이나 발표를 권하는 자리라면 웃음거리가 될지라도 못 이기는 척 광대가 되어봄도 멋스러움 아닌가. 옛말에도 '멍석을 깔아주면 뒹구는 것이 예의'라고 하지 않던가. 웃음과 감동을 주지 못하면 어떤가. 설령 능력과 준비 부족으로 웃음거리가 되더라도 훌훌 털고 일어날 마음의 여유만 있다면 나와 주위 사람들에게 분명 행복플러스가 될 것이다.

영화 〈록키〉에서 박진감 넘치는 "eye of tiger" 음악과 함께 록키가 훈련하는 장면을 보면 심장이 뛰고, 밖으로 뛰쳐나가고 싶다. 우리는 할 수만 있다면 책이나 영화의 감동이 식기 전에 무언가 가슴속에서 올라오는 것이 있을 때, 이러한 감동을 바로 행동으로 옮겨야 한다. 심장박동이 빨라지고, 뛰쳐나가서 뛰고 싶은 충동이 생기면 스프링처럼 밖으로 뛰쳐나가야 한다. 이러한 '감동과 열정의 행동화'는 망상을 꿈으로, 꿈을 현실로 만들어 주는 마법의 다리 역할을 한다.

어둡고 추악한 욕망도 경계해야 하지만 바싹 마른 낙엽처럼 아무것도 욕망하지 않는 젊음은 우리를 슬프게 한다. 왜냐하면 욕망하지 않는 것은 세상과의 교감과 대화를 포기하는 비겁하고 나약한 행동이기 때문이다. 청춘이여, 욕망하라. 욕망이 사라질 때, 생명도 사라진다. 끝까지, 죽을 때까지 욕망하는 삶, 꺼지지 않는 욕망의 불꽃을 가진 사람만이 캄캄한 밤을 밝히는 빛이 될 수 있다.

항상 천사의 얼굴을 하고 있는 사람은 이미 인간이 아니며, 항상 악마의 마음을 가지고 있는 사람은 이미 악마다. 오로지 인간만이 두 개의 얼굴을 가지고 고뇌하고 방황한다. 인간은 흔들리면서도 성장하는 꽃이고, 고통과 슬픔의 눈물을 흘리면서도 열정을 태우는 촛불이다.

한 사람의 상대자를 평생 사랑할 수 있다고 단언 하는 건, 한 자루의 초가 평생 탈 수 있다고 단언하는 것과 마찬가지다. 그럼에도 불구하고 지금 당신 옆에 있는 사람을 의심 없이 뜨겁게 사랑하라. 사랑을 하려거든 이루어질 수 있는 사랑을 하라. 이루어질 수 있는 사랑만 하기에도 삶은 너무 눈부시게 짧다. 그것이 역설적으로 수십 번의 밍밍한 사랑이 아니라 단 한 번의 절대적인 사랑, 천생연분을 만날 가능성을 높여 준다.

속담에 따르면 세상에 정말 재밌는 일은 두 가지다. 싸움구경과 불구경이다. 모두 걱정하는 표정을 지으며 바라보고는 있지만 사실은 즐기고 있는 거다. 내 일이 아니니까. 생각해 보라. 그 많은 구경꾼이 있으면 싸움을 말리거나 불을 끌 수도 있을 텐데 대개 구경만 하고 앉았다. 왜? 내일이 아니니까. 샤덴프로이데의 일상화다. 스마트폰은 "남의 불행은 나의 행복"이라는 샤덴프로이데의 일상화, 지적질의 일상화에 날개를 달아 주었다.

감수성이 늙어가는 징조가 있다. 눈물은 메말라 버리고, 웃음과 대화가 사라진다. 문득 눈을 껌벅이며 들여다본 거울 속에 바싹 늙어 버린 내 아버지의 모습을 발견하고 화들짝 놀랄 때, 나는 늙어 가는 것이다.

사람이라면, 그것이 아무리 두려움과 공포에 의해 쿵쾅거리는 떨림일지라도 반드시 가슴이 움직여야 한다. 그 떨림이 설렘과 그리움 같은 두근거림이라면 더욱 좋다. 설렘이 없는 사랑은 이미 사랑이 아니고, 간절함이 없는 도전은 도전이 아니며, 두려움이 없는 삶은 인간의 삶이 아니다. 도전이 아무리 죽을 듯한 고통이라도, 즐겁게 전진할 수 있는 고통이라면 도전하라. 숨이 멎을 것 같은 참을 수 없는 경우라도, 즐겁게 감내할 수 있다면 끝까지 인내하라.

경륜, 경마와 같은 도박은 가난하고 희망을 잃어버린 사람들이 자살과 절망으로 가는 열차의 마지막 종착역이다. 이 종착역에 잠시 머무른 사람들의 얼굴을 보라. 핏기 없는 까칠한 얼굴, 누군가에게 쫓기는 듯한 불안하고 두려움에 휩싸인 눈동자를 이리저리 굴리면서 약간의 푼돈이나 신기루 같은 대박의 꿈을 위해 배당판과 예상지를 번갈아 쳐다본다. 그들의 삶은 이미 예정되어 있고, 예측이 가능하다. 배당판과 예상지를 보고 어떤 말이 들어올지, 어떤 선수가 이길지를 예상하는 것은 어려워도, 그들은 더 궁핍해져 갈 것이고, 그럴수록 더욱 도박판에 매달리게 될 것이며, 결국 자신도 가족도 벼랑 아래로 추락할 것이란 사실은 100% 예측할 수 있다.

　야한 생각은 추하고 더러운 생각이 아니라 아름다운 생각이다. 사람이 야한 생각을 하기에 사랑이 있고, 패션이 있고, 예술이 있고, 문화가 있다. 야한 생각은 인류 문명을 꽃피게 하는 자양분이다. 야한 생각은 푸른 소나무나, 가을 단풍만큼이나 자연스럽다. 야한 생각을 자유롭게 두려움 없이 할 수 있는 사회는 건강하다. 야한 생각을 자연스럽게 받아들이지 못하고 터부시하고 금지할 때 어긋나고 왜곡되고 비틀린 방향으로 탈출구를 찾거나 폭발하기 쉽다. 아름다운 사람이 지나가면 눈이 따라간다. 본능이다. 아름다운 사람이 옆에 지나가도 전혀 감정의 동요나 관심이 없다면, 인간으로서의 생명을 다한 것이다. 신의 경지에 올랐기에 '지구를 떠날' 시간이 된 것이다. 당신이 파트너를 선택할 때, 김혜수나 원빈 앞에서도 가슴의 설렘과 떨림이 없는 나무토막 같은 사람이라면 좋겠는가?

장미의 가시처럼 완벽한 사람이 보여 주는 빈틈이 그 사람을 더욱 매력적으로 만든다. 예를 들면 아무것도 부족할 것 같지 않은 사람, 선망의 대상인 사람이 나에게 도움을 청할 때나, 바위처럼 단단해 보였던 대장부의 눈물처럼 사람들을 감동시키고, 이목을 끄는 것은 완벽할 것 같은 사람이 보여 주는 빈틈이다. 우리는 그것을 '인간다움'이라고 한다.

진실은 항상 옳고, 항상 승리할까? 진실이 가지는 단점 중의 하나는 그것이 몹시 게으르다는 것이다. 법이 주먹이고 생존이라면, 진실은 꿈이고 생활이다. 법과 주먹은 빠르고 논리적이고 파괴적이며 두렵고 불편하다. 진실은 달팽이처럼 느리고, 어릿어릿하며 비논리적이고 가끔 자신의 위치를 망각하는데 무엇보다도 힘이 없다. 법이 주먹과 자본을 등에 업고 호랑이처럼 달려들면, 진실은 노루처럼 커다란 눈망울을 꿈벅거리며 '진실은 반드시 이긴다'라고 처량하게 외친다. 배가 부른 호랑이가 잠시 진실이 까부는 것을 놔두기도 하지만 호랑이의 배가 꺼지면 진실이란 이름의 순수한 노루는 순식간에 호랑이란 법과 권력의 먹이가 된다. 사람들에게 진실이 진실로 다가가지 못하고 조롱과 농락의 노리개로 외면당하는 것은 어쩌면 당연한 것이다.

비교는 범위가 존재한다. 이는 비교는 자신이 볼 수 있고, 닿을 수 있고, 만질 수 있고, 만날 수 있는 같은 처지 또는 이보다 조금 나은 사람들과 한다는 것이다. 그래서 비교는 자기 친구와 이웃과, 동료와 친척과 견주어 하는 것이다. 영화 속의 주인공들과, 신문이나 방송의 이슈메이커와 비교하지 않는다. 비교의 범위를 벗어난 그들은 질시의 대상이기 보다는 선망의 대상일 뿐이다. 그들의 화려함과 부유함은 보통 사람들을 고통받게 하거나 절망하게 하지 않는다. 오히려 옆에 있는 동료의 작은 행운, 작은 성취에 더욱 스트레스를 받는 것이다. 그래서 이건희 회장과 박지성이 땅을 사면 괜찮고, 사촌이 땅을 사면 배가 아픈 것이다.

드라마나 영화 속의 영웅이나 환상이 아름다운 이유는 내가 드라마나 영화 속의 주인공이 되고 싶어서가 아니라 내가 다가갈 수 없는 아득하고 먼 세상에서 벌어지는 동화이기 때문이다. 스타가 아름다운 이유도 마찬가지다. 그것은 내가 다가갈 수 없는 거리 때문이고, 만질 수 없는 안타까움과 곁에 둘 수 없는 아쉬움, 닿을 수 없는 그리움과 가질 수 없는 간절함 때문일 것이다.

'나이 들어 주책'이라는 말을 들을 수 있을 때에 나이 듦의 진정한 멋이 배어나오는 것이다. '이 나이에 내가 하리?'라고 하는 사람은 늙다리다. 흰 머리를 갈기처럼 날리면서 '내가 한다' 하고 벌떡 일어설 때 그는 사자의 용기를 지닌 야수가 된다.

세상에서 가장 먼 거리는 나와 너 사이다. 완벽한 일치, 즉 완벽한 이해는 가능하지 않다. 이해와 공감은 같은 시선으로 세상을 바라보는 것이 아니다. 오히려 서로 다른 경험의 차이만큼 다르게 세상을 볼 수밖에 없다는 것을 인지하고 인정하는 것이다. 이것이 역지사지가 어려운 이유다. 이 때문에 현실에서 오해는 백사장의 모래만큼이나 많고, 이해는 빛나는 다이아몬드만큼 희귀하다.

좋은 말을 좋은 행동으로 바꾸는 사람이 생의 연금술사이고, 나쁜 감정을 좋은 감정으로 바꾸는 사람이 감정의 연금술사이다. 천사란 기분 좋은 무언가를 타인에게 줄 수 있는 사람이다. 매일 누군가에게 웃음과 기쁨을 선물해 주는 사람이라면 누구나 천사이다.

가진 자들은 쉽게 추락하지 않는다. 하지만 가진 자는 자만으로 인하여 빛나는 사람이 될 가능성은 적다. 안타깝지만 못 가진 자는 가진 자가 될 가능성은 거의 없다. 하지만 끊임없는 열정으로 죽을힘을 다해 꿈을 좇는다면 이룬 자가 될 가능성은 충분하다.

정치인 중에서 곱창이나 떡볶이 등 서민들이 좋아하는 음식을 먹으면서 서민의 삶과 고단함을 이해하고 공감할 줄 아는 사람이라는 이미지 메이킹은 서민들을 현혹시키는 나름대로의 효과가 있다. 이럴 경우의 나쁜 남자는 계획된 컨셉이다. 계산된 일탈이며, 척하는 행동인 경우가 많고, 이들은 이러한 계산된 행동으로 사람의 마음을 얻을 수 있으며, 심지어는 조종할 수 있다고 믿는다. 이처럼 나쁜 남자가 매력적으로 보이는 것은 미디어의 환상이다.

우리는 뒤끝이 깨끗한 술, 즉 마시고 나서 머리가 아프지 않은 술을 좋아한다. 사람도 그런 사람이 좋다. 헤어지고 나서도 그리운 사람, 다시 생각나는 사람, 만날수록 즐거움이 새순처럼 쏙쏙 올라오게 만드는 사람이 너무 그립다. 지금 당신은 누군가가 그리워하는 사람인가?

우리는 매주 〈무한도전〉이란 프로그램을 보면서 가벼운 즐거움을 소비한다. 분명한 것은 익스트림 스포츠든, 프로 레슬링이든, 어려운 자격증 취득이든 실제 도전해 보면 머릿속으로 그린 두려움이나 고통보다 실제 어려움이 작다는 것이다. 상상 속의 무서움에 사로잡혀 있는 사람은 영원히 무한도전의 시청자에 머물 수밖에 없다. TV를 끄고 일어서서 상상 속의 두려움과 공포의 벽을 넘어서는 사람만이 무한도전이 주는 무한기쁨을 맛볼 수 있는 것이다.

비만이 된 것도, 흡연으로 폐암에 걸리게 된 것에 개인의 책임이 있다는 것도 인정한다. 하지만 일정 부분 담배회사나 정크푸드를 판매한 맥도널드도 책임이 있다는 것이다. 먹을수록 비만해지는 음식과

백해무익한 담배를 만들어 뇌 구조를 변형시켜 생각과 의지만으로 극복할 수 없게 중독시켜 놓고 이 모든 책임을 소비자의 자발적 선택 때문이라고 한다면 그것은 부당하다. 천문학적인 이윤을 올리면서 모든 문제를 소비자에게만 돌리는 회사에게 일부분의 책임은 있다고 말하는 것이다. 마찬가지로 사행산업으로의 유혹에 의한 도박중독으로 가난한 서민의 몸과 마음을 회복하지 못할 지경으로 망가뜨리는 것에 대해 국가의 책임을 묻는 것은 정크푸드나 담배중독의 책임을 묻는 것보다 훨씬 타당하고 정당한 일이라 생각한다.

친절한 주인이 서비스하는 술집에서 오랜 친구와 함께 마신 막걸리 한 잔과 두부 김치, 새벽에 일어나 읽은 좋은 책과 마음에 남는 글에 밑줄. 토요일의 등산과 기분 좋은 땀 그리고 목욕, 활기 넘치는 시장의 시끄러움, 해질녘 여름 시장 좌판 위의 우뭇가사리 넣은 콩국, 가족과 함께한 '해피치킨'에서의 맥주와 파닭, 쏟아지는 별, 마음을 말갛게 가라앉히는 바닷가 소리, 새벽아침 물비늘 찬란한 수면 위로 튀어 오른 물고기의 몸부림. 내가 좋아하는 것들이다. 말하자면 내 일상을 지켜 주는 것들은 단순하고 소박한 것이다. 이것들은 일상의 어딘가에 숨어 있다가 나타나, 내 팍팍한 생활에 더운 여름날 한 줄기 단비처럼 나를 적신다.

길은 잃고 방황하는 사람들아, 시계바늘처럼, 다람쥐 쳇바퀴 돌듯, 무한 반복되는 삶 속에서 파격을 추구하다 길을 잃은 사람들아. 걱정하지 마라. 안개 속을 지나면 다시 길이 보인다. 길을 잃을까 두려워 삶의 파격과 변화를 두려워하지 말라.